UN O BLE WYT TI?

Ioan Kidd

UN O BLE WYT TI?

Gomer

Llyfrau eraill gan Ioan Kidd

Cawod o Haul, 1977
Craig y Lladron, 1994
O'r Cyrion, 2006
Mae'n Anodd Weithiau, 2009

Cyhoeddwyd yn 2011 gan
Wasg Gomer, Llandysul, Ceredigion SA44 4JL

ISBN 978 1 84851 292 4
Hawlfraint © Ioan Kidd 2011 ℗

Dymuna'r cyhoeddwyr gydnabod cymorth
Cyngor Llyfrau Cymru.

Argraffwyd a rhwymwyd yng Nghymru gan
Wasg Gomer, Llandysul, Ceredigion

I
Aled a Steve

Diolch i Carol, Rhian ac Aled am eu
cyngor a'u sylwadau gwerthfawr ac
i Dafydd a Lowri am eu hymchwil.
Diolch hefyd i Walter am fy nhywys ar
wibdaith trwy hynodrwydd rhyfeddol
Cymraeg y Wladfa. Yn olaf, diolch yn
ddiffuant i Luned, fy ngolygydd, am
ei hanogaeth, ei hamynedd a'i gwaith
caled ac i Wasg Gomer am y cyfle.

Hoffwn gydnabod cefnogaeth ariannol
Cyngor Llyfrau Cymru a'm galluogodd
i dreulio blwyddyn fythgofiadwy yn
canolbwyntio ar ysgrifennu'r nofel hon.

Pennod 1

ROEDD E WEDI gofyn am sedd wrth y ffenest ond doedd dim ar ôl, felly bodlonodd Luis ar sedd nesaf at y canol. Doedd fawr o wahaniaeth ganddo mewn gwirionedd, am fod yr awyren mor fach, a gallai weld trwy'r ffenest bron cystal â'r fenyw ifanc a eisteddai wrth ei ochr. Eto, byddai sedd wrth y ffenest wedi bod yn well. Cododd ei law yn ddiarwybod iddo'i hun a gwthio'i wallt trwchus, du yn ôl o'i wyneb cyn rhedeg ei fysedd dros ei fochau a'i ên arw. Roedd e wedi breuddwydio fwy nag unwaith am ei gipolwg cyntaf ar arfordir Cymru a'r wefr fachgennaidd o ddilyn taith yr awyren wrth iddi ddod i lanio ym maes awyr Caerdydd. Fyddai hi ddim mor hawdd gwneud hynny nawr heb ddarfu ar ei gyd-deithwraig, gan y byddai'n golygu pwyso ymlaen a gwyro gormod tuag at y gofod roedd hi wedi talu amdano a'i hawlio, a doedd e ddim am wneud hynny. Roedd e wedi ystyried gofyn iddi newid lle ag e cyn i'r awyren gychwyn, ond penderfynodd Luis o'r eiliad gyntaf un nad oedd hon yn un am siarad nac am newid cwrs ei byd. Felly, pwysodd yn ôl a derbyn ei ffawd.

Ymhen ychydig, tynnodd y cylchgrawn o'r boced yng nghefn y sedd o'i flaen a dechrau troi'r tudalennau lliwgar. Ni ddeallai'r un gair heblaw am ambell air rhyngwladol, ond sylweddolodd yn fuan nad oedd angen deall yr iaith i wybod na allai fforddio dim byd a oedd ar werth rhwng y cloriau sgleiniog. Cawsai rybudd cyn gadael y byddai pethau'n ddrud yn Ewrop. Wedi'r cwbl, roedd e'n dod o wlad lle'r oedd prisiau popeth yn destun cwyno parhaus, a'r atgof am ddyddiau gwell yn destun siarad i'r cenedlaethau hŷn yn unig. Roedd y rhan fwyaf o'i genhedlaeth e'n rhy ifanc i gofio'r dyddiau hynny. Gwyddai fod yn rhaid i'w arian bara. Gyda lwc, byddai ganddo ddigon am bedwar neu bum mis os oedd e'n gall. Ac er nad oedd e bob amser yn gall, doedd e erioed wedi cael ei ddenu at bethau diangen chwaith, fel tri chwarter y petheuach yn y cylchgrawn sgleiniog ar ei arffed.

Ar draws y tudalennau canol, roedd map o'r byd yn dangos cannoedd o lwybrau awyr yn igam-ogamu'r blaned, a chafodd Luis bleser anghyffredin o sylweddoli ei fod yntau, o'r diwedd, wedi cwblhau un ohonyn nhw. Roedd e wedi colli ei wyryfdod anturiaethol, cellweiriodd wrtho'i hun, ac o hyn ymlaen doedd dim troi'n ôl. Roedd yn eiliad fawr, ac fel pob eiliad fawr, roedd angen ei rhannu, meddyliodd. Petai'r ferch yn ei ymyl yn fwy cyfeillgar, byddai wedi tynnu sgwrs â hi ers tro a byddai'r ffaith hynod ddiddorol yma amdano'n hysbys i rywun arall, ond dyna fe! Edrychodd o'r newydd ar y map o'i flaen, a rhedeg ei fys ar hyd llinell o Buenos Aires i São Paulo i Baris i Gaerdydd, gan geisio amcangyfrif y pellter. Doedd ganddo ddim syniad, ond gwyddai ei fod yn bell.

Roedd hi wedi cymryd mwy na phedair awr ar hugain a thair awyren i gyrraedd fan hyn. Doedd Luis erioed wedi bod mor bell oddi cartref yn ei fyw. Doedd e ddim wedi bod y tu allan i'r Ariannin, hyd yn oed, ac eithrio un penwythnos crasboeth, cocwyllt yn Uruguay gyda Gabriela dair blynedd ynghynt. Ond doedd gwibio ar draws afon Plata i Colonia ar y llong fferi gyflym ddim yr un fath â mynd dramor go iawn, meddyliodd.

Ychydig iawn o Uruguay welodd e a Gabriela'r dydd

Sadwrn a'r dydd Sul hwnnw. Ar ôl tynnu degau o luniau o'i gilydd yn chwerthin ac yn tynnu wynebau twp ar ddec agored y llong fferi, gwell oedd gan y ddau ohonyn nhw aros yn ystafell wely eu gwesty bach glân a thwt na chrwydro y tu hwnt i waliau'r dre fach gaerog lân a thwt. Roedd hi'n llethol o dwym yn yr ystafell honno, cofiodd, a doedd eu campau yn y gwely ddim wedi helpu dim. Gwenodd Luis wrtho'i hun wrth i luniau'r penwythnos lenwi ei feddwl. Am faint y gallai bara cyn iddo ddechrau gweld eisiau Gabriela? Gabriela, ei gariad achlysurol. Gabriela, ei bennaeth hwyliog a chanddi feddwl mor agored ag afon Plata. Bu bron iddo gael ei lorio gan ei haelioni anhunanol pan soniodd wrthi am ei gynlluniau i weld y byd. Y cyfan a ddywedodd oedd:

'Cer i brofi popeth unwaith, ond paid â dod â phopeth 'nôl.'

Siglwyd Luis o'i synfyfyrio gan lais melfedaidd merch mewn lifrai glas a gwyn a safai y tu ôl i droli yn y llwybr cul wrth ei ochr. Gwenai arno, fel roedd hi wedi cael ei hyfforddi i'w wneud, a daliai'r tebot dur ychydig yn nes ato er mwyn hastu ei ymateb i'w chwestiwn. Roedd Luis eisiau ymddiheuro am ei arafwch ac egluro bod ei feddwl ar gyfandir arall, ar adeg arall, ond gwyddai mai ofer fyddai ceisio dweud dim. Doedd ganddo ddim Saesneg o werth, a nes iddo gyrraedd Cymru doedd fiw iddo fentro siarad Cymraeg. Felly, nodiodd ei ben a gwenu'n ôl ar y ferch â'r llais melfedaidd, a'r eiliad nesaf daliai fisgïen siocled wedi ei lapio mewn papur tryloyw yn y naill law a chwpan plastig, gwyn yn y llall a hwnnw'n llawn i'r ymyl o de plastig, gwan. Gan na welsai'r ferch yn cyrraedd ei res, doedd Luis ddim wedi tynnu'r bwrdd bach i lawr o gefn y sedd o'i flaen yn barod ar ei chyfer, a phan aeth ati i ryddhau'r clip a'i cadwai yn ei le syrthiodd y bwrdd yn annisgwyl o sydyn gan ysgwyd y llaw a ddaliai'r cwpan a pheri i ddafnau poeth o'r te lanio ar goes ei jîns denim, llwyd. Gwnaeth Luis ei orau glas i ymddangos yn ddidaro a gobeithiai nad oedd y ferch a eisteddai ar ei bwys wedi sylwi bod y te wedi mynd ar hyd ei goes. Er nad oedd ganddo ronyn o ddiddordeb ynddi, doedd e ddim eisiau iddi feddwl ei fod e'n syth o din y fuwch. Edrychodd drwy gil ei lygaid a gweld potel fach o win gwyn a gwydryn yn eistedd ar ganol ei bwrdd hithau, a gwridodd.

Barnodd Luis ei bod hi tua'r un oed ag e, fymryn yn iau efallai. Ceisiodd gadw llun o'i hwyneb yn ei feddwl er mwyn ystyried hyn. Os oedd yntau'n naw ar hugain, roedd hi'n siŵr o fod yn ddau ddeg saith, dau ddeg wyth hyd yn oed. Roedd Gabriela chwe blynedd yn hŷn na hynny ac roedd hi'n fenyw i gyd. Yfodd ei de'n araf, ond chafodd e fawr o flas arno. Roedd e'n difaru iddo fod mor awyddus i blesio'r ferch yn y lifrai glas a gwyn. Dylai fod wedi bod yn llai parod i ildio dan bwysau ei gwên annidwyll. Go brin y byddai'r ferch wrth ei ochr wedi plygu mor hawdd. Fe gafodd hi'r union beth roedd arni ei eisiau. Rhyfedd sut y byddai rhai pobl wastad yn cael pethau'n ddiymdrech, meddyliodd. Roedd hon yn ei daro fel rhywun felly. Roedd hi wedi teithio ar awyren ddegau o weithiau, siŵr o fod, ac wedi eistedd wrth y ffenest bob tro.

Edrychai Luis ymlaen at gyrraedd pen y daith. Roedd ei gorff yn flinedig a theimlai boen yn ei war ar ôl oriau o gysgu'n gam. Ei syniad e a'i benderfyniad e oedd dewis taith mor anghyfleus. Roedd ei rieni wedi pwyso arno i hedfan yn syth i Lundain ac wedi cynnig talu am ei docyn hyd yn oed, ond roedd yn sobr o ddrud, a beth bynnag, roedd e am lanio yng Nghaerdydd. Yr unig ffordd, felly, oedd stopio yn São Paulo am saith awr heb ddim byd gwell i'w wneud na cherdded yn ôl ac ymlaen ar hyd y derfynfa a gwrando'n gwrtais ar ymdrechion taer dwy chwaer oedrannus o'r Iseldiroedd i'w ddenu at eu ffydd. Roedden nhw ar eu ffordd adref o gonfensiwn Tystion Jehofa yn Asunción ac ar dân i brofi tröedigaeth ffres yn y maes awyr prysur gerbron cynulleidfa fawr. Gwenodd wrth gofio'r bennod ryfedd, ac ymbalfalodd yn ei boced am y cardiau bach a gafodd ganddyn nhw'n proffwydo diwedd y byd. Ar un olwg roedd yntau'n gobeithio am fyd newydd, am fywyd newydd. Dyna'n rhannol oedd ei fwriad trwy deithio mor bell, ond roedd e'n uffernol o falch pan laniodd yr awyren ym Mharis ddeuddeg awr yn ddiweddarach ac yntau'n dal yn fyw.

Yn sydyn, plygodd y ferch a eisteddai wrth ei ochr yn ei blaen i estyn am ei bag rhwng ei thraed. Gallai Luis weld siâp ei hasgwrn cefn trwy ei chrys-T gwyn. Sylwodd hefyd ar ei breichiau tenau, gwyn wrth iddi chwilota yn ei bag ac ar ei gwallt golau, cwta. Oni bai iddo wybod yn wahanol, hawdd fyddai ei chamgymryd am fachgen, meddyliodd. Ymsythodd y ferch drachefn ac edrychodd Luis i ffwrdd yn frysiog. Pan oedd hi'n briodol iddo edrych yn ôl i'w chyfeiriad unwaith eto, gwelodd ei bod hi wedi agor llyfr ond ni allai ddarllen y geiriau ar y clawr am fod ei llaw'n eu cuddio. Aeth y ferch yn ei blaen i ddarllen yn dawel a theimlai Luis hyd yn oed yn fwy ynysig nag o'r blaen. Er nad oedd y ddau wedi torri gair â'i gilydd drwy gydol y daith, roedd y weithred ddiweddaraf hon wedi cau unrhyw bosibilrwydd o ddechrau sgwrs. Roedd Luis yn rhy flinedig i ddarllen, felly caeodd ei lygaid glas er mwyn dileu'r datblygiad newydd. Roedd e'n fwy awyddus nag erioed i lanio yng Nghaerdydd a phenderfynodd y dylai fanteisio ar y llonyddwch i baratoi'n feddyliol. Cyn bo hir byddai mewn gwlad newydd. Mewn hen wlad newydd. Yn yr henwlad. Wrthi'n ystyried hyn oedd e pan ddaeth cyhoeddiad dros yr uchelseinydd ac agorodd ei lygaid yn reddfol mewn ymateb, er na ddeallodd y neges uniaith. Caeodd y ferch ei llyfr ac am y tro cyntaf gallai Luis weld y clawr. Clywodd ei hun yn ynganu'r geiriau Cymraeg yn ei feddwl a gwenodd yn anfwriadol ar ei gymydog.

'Llyfr da?' holodd e.

'O, Cymro wyt ti?' atebodd hithau gan osgoi ateb ei gwestiwn. Sylwodd Luis fod 'na gymysgedd o syndod a lletchwithdod yn ei chylch, fel petai hi wedi cael ei dal yn gwneud rhywbeth drwg, preifat.

'Na, nid Cymro,' atebodd yntau heb ymhelaethu.

'Ond ti'n siarad Cymraeg.'

'Tydy pobl o wledydd eraill ddim yn cael siarad Cymraeg, ydyn nhw?' heriodd Luis yn bryfoclyd.

'Digon teg. Ond un o ble wyt ti 'te? Mae dy acen yn ... egsotig.'

'Dyna'r tro cynta erioed i rywun ddeud 'mod i'n egsotig.'

'Wnes i ddim gweud dy fod **ti'n** egsotig. Siarad am dy acen on i,' mynnodd y ferch gan edrych yn chwareus ar Luis.

'Digon teg,' dynwaredodd yntau. 'Dwi'n dod o Buenos Aires. Wel na, dwi'n enedigol o Drelew ym Mhatagonia ond dwi'n byw ers blynyddoedd yn Buenos Aires.'

Trodd y ferch yn ei sedd a phwyso'i chefn yn galed yn erbyn y ffenest er mwyn astudio Luis yn well.

'*Me llamo* Siwan,' cyhoeddodd, 'Siwan Gwilym.'

'*Hablas castellano. ¡Qué bárbaro!*'

'Yn anffodus, 'na'r cwbwl alla i weud,' prysurodd hithau gan dynnu gwep ymddiheurol.

'Luis,' meddai yntau a chynnig ei law i'r ferch wrth y ffenest.

'Ar wylie wyt ti, ife?'

'Nage, dwi'n mynd i Gymru i wella fy Nghymraeg.'

'Ond 'sdim byd yn bod ar dy Gymraeg.'

'O oes. Mae'n rhydlyd iawn. Dwi ddim yn ei siarad hi'n rheolaidd rŵan. Nid fel o'r blaen pan on i'n hogyn bach.'

'Felly, ot ti'n arfer siarad Cymraeg gartre pan ot ti'n fach?'

'Pan on i'n fach iawn, ond wedyn ddaru mi droi i'r Sbaeneg, er mawr siom i'm mam a 'nhad. Ond mae hyd yn oed fy rhieni'n siarad Sbaeneg â'i gilydd erbyn hyn.'

'Pam ti ishe dal dy afael arni, felly?'

'Pam lai? Dyna'r unig iaith arall sy gen i.'

Sylweddolodd Luis y byddai'n ymarfer sgwrs debyg i hon sawl gwaith yn ystod y misoedd nesaf.

'Be amdanat ti?'

'Dwi'n siarad Cymraeg erioed,' atebodd Siwan.

'Nid dyna on i'n feddwl. Mae hynny'n amlwg, Cymraes wyt ti. Be oeddet ti'n 'neud ym Mharis? Ar wylie oeddet ti?'

'O, mae'n ddrwg 'da fi. On i'n meddwl... na, es i yno gyda 'ngwaith. Ffotograffydd ydw i.'

'Egsotig iawn – ac nid sôn am dy acen ydw i chwaith!' atebodd Luis gan wenu.

Ar hynny, glaniodd yr awyren yn llyfn a chafodd pen Luis ei hyrddio'n ôl yn erbyn cefn ei sedd wrth i'r cerbyd ruo'n gyflym ar hyd y lanfa cyn arafu a dod i stop. Clywodd ei galon yn curo yn erbyn ei arleisiau. Roedd e wedi cyrraedd, a doedd e ddim hyd yn oed wedi sylwi eu bod nhw'n agos. Ni chawsai gip ar arfordir Cymru o'r awyr ac ni chawsai ddilyn taith yr awyren wrth iddi ddynesu at Gaerdydd. Ond roedd e wedi cyrraedd. Edrychodd yn frysiog heibio i'r ffotograffydd ac allan drwy'r ffenest, ond yr unig beth a welai oedd y tarmac llwyd ac ambell adeilad digon di-nod ar gyrion y lanfa wag.

'Croeso i Gymru!' meddai Siwan Gwilym.

*

I Luis, teimlai fel oes cyn bod pawb yn cael sefyll i estyn am eu bagiau yn y cypyrddau uwch eu pennau. Casglodd ei bethau ynghyd; ei fag du, cyfarwydd a gariai i bob man ar ei gefn a'i siaced denau, ddu a brynwyd yn newydd at y daith. Yn sydyn, fflachiodd wyneb Gabriela trwy ei feddwl. Hi oedd wedi mynnu ei fod e'n prynu siaced newydd. Roedd e wedi wfftio at y syniad, ond fe'i llusgwyd yn ddiseremoni o'r gwaith un prynhawn cynnes ym mis Mai, a chafodd ei arwain drwy'r miloedd o siopwyr a gweithwyr a mewnfudwyr ar hyd Avenida Corrientes, i mewn i ormod o siopau dillad i chwilio am yr union beth. Gwenodd er ei waethaf wrth gofio'r achlysur, cyn gwthio'r llun o'i feddwl. Wrth iddo gerdded ar hyd llwybr cul yr awyren fach tuag at yr allanfa a'i fywyd newydd, roedd e'n awyddus i roi ei holl sylw i sawru'r hyn a oedd o'i flaen.

Dechreuodd ddisgyn y grisiau metel gyda'r teithwyr eraill, ond cyn iddo fynd ymhellach na dau neu dri gris cododd goler ei siaced i geisio gwarchod ei wyneb rhag y glaw mân a gâi ei chwythu ar draws y lanfa agored. Cyrhaeddodd y gwaelod a chamu'n fwriadus ar dir Cymru, neu'n hytrach ar ei tharmac, am y tro cyntaf. Roedd e yno! Roedd ei daith ar ben. Byddai Pab ei blentyndod wedi gwneud siew fawr yn y fan a'r lle, meddyliodd Luis, a byddai wedi plygu i gusanu'r llawr, fel y gwnaeth un tro pan laniodd e ym maes awyr Ezeiza i gyfeiliant bonllefau croesawus ei braidd Archentaidd, ffyddlon. Cofiodd weld y lluniau ar y teledu. Ond doedd neb yn disgwyl neb o bwys yr eiliad hon, felly dilynodd Luis y lleill ar draws y tarmac gwlyb ac i mewn i'r adeilad cyffredin yr olwg.

'Ot ti'n dishgwl rhwbeth mwy?' holodd llais o'r tu ôl iddo.

Yn ei awydd i flasu holl gyffro'i eiliadau cyntaf yn hen wlad ei dadau, roedd e wedi anghofio am y ffotograffydd.

'Maes awyr ydy o. Be dwi fod i' ddisgwyl?' atebodd e'n ddiplomatig er mwyn celu peth o'i siom. 'Ond ble mae'r Gymraeg? Pam bod pob un o'r arwyddion yn Saesneg?'

'Fel wedes i gynne, croeso i Gymru!'

Penderfynodd Luis mai doethach fyddai peidio ag ymateb i'r sylw diweddaraf a cherddodd yn ei flaen â'i geg ynghau ond â'i lygaid ar agor led y pen.

'A bod yn onest, sa i 'di sylwi tan nawr eu bod nhw'n uniaith Saesneg,' ychwanegodd Siwan.

'Ond mae'n amlwg,' saethodd yntau'n ôl, 'a does gen i ddim llygad ffotograffydd!'

'Ond mae 'da ti dafod digon llym!' atebodd hithau yr un mor grafog. 'Ody hwn yn dy blesio?' holodd hi gan bwyntio at yr arwydd mawr, dwyieithog uwch eu pennau a gyhoeddai eu bod nhw ar fin croesi'r ffin i'r Deyrnas Unedig, er iddyn nhw lanio ddeng munud ynghynt. Erbyn hyn roedden nhw wedi gadael y coridor cul ac yn sefyll mewn neuadd fwy agored yn barod i fynd trwy'r tollau.

'Ond bod y llythrennau Cymraeg o **dan** y Saesneg a bod angen sbectol i' gweld nhw!'

Lledwenodd Siwan yn ymddangosiadol ddidaro, ond roedd yn amlwg i Luis ei fod e wedi ei hanesmwytho. Am y munudau nesaf safai'r ddau wrth ochr ei gilydd yn y rhes nadreddog a symudai'n boenus o araf tuag at y swyddogion mewnfudo difynegiant ym mhen draw'r neuadd. Ni ddywedodd yr un o'r ddau yr un gair wrth ei gilydd, ac i weddill eu cyd-deithwyr, gallen nhw fod yn un arall o'r parau priod hynny a oedd eisoes wedi colli'r wefr o sgwrsio ar ôl deunaw mis o lân briodas, yn hytrach na dau ddieithryn a oedd prin wedi anadlu ar ei gilydd, heb sôn am wneud dim byd mwy.

O'r diwedd, daeth eu tro a chamodd Siwan tuag at un o'r ddau swyddog a eisteddai y tu ôl i'w desgiau ddeg metr saff i ffwrdd, a rhoddodd ei phasbort iddo. Edrychodd y swyddog arni heb wneud unrhyw sylw cyn rhoi'r pasbort yn ôl iddi, ond roedd yn ddigon o arwydd ei bod hi'n cael pasio trwy'r bwlch rhwng y ddwy ddesg a chroesi'r ffin rithiol i'r deyrnas. Camodd Luis tuag at yr un swyddog di-wên a sylwodd fod Siwan wedi stopio'r ochr draw i aros amdano. Rhoddodd yntau ei basbort i'r swyddog ac arhosodd am yr un arwydd cynnil.

'What's the purpose of your visit to the United Kingdom, sir?'

Edrychodd Luis arno heb ddweud dim byd.

'I'll ask you again, sir. What's the purpose of your visit to the United Kingdom?'

Er na ddeallodd gwestiwn y dyn canol oed a edrychai i fyw ei lygaid, cynigiodd ateb o ryw fath gan obeithio'r gorau. 'Dwi'n dod o'r Ariannin,' meddai yn Gymraeg gan anghofio bod y wybodaeth honno eisoes yn wybyddus i'r swyddog oedd yn dal ei afael yn ei basbort.

'I'm afraid you're going to have to speak English, sir,' meddai hwnnw heb newid ei wep. 'I don't understand Spanish.'

Edrychodd Luis arno a gwenu'n wan cyn edrych i gyfeiriad y bwlch lle roedd Siwan wedi bod yn aros amdano, ond y cyfan a welodd oedd ei chefn yn diflannu trwy'r allanfa. Edrychodd yn ôl ar y dyn o'i flaen a sylweddoli bod ganddo broblem. 'Dyma'r tro cynta i fi fod yng Nghymru,' mentrodd ymhen ychydig.

'Listen, I don't know what you're saying to me, sunshine, but unless you speak English you're not going anywhere.'

Syllodd y ddau ddyn ar ei gilydd a gallai Luis deimlo diffyg amynedd y swyddog yn ogystal â dicter hynny o deithwyr a oedd yn dal i ddisgwyl eu tro yn y rhes y tu ôl iddo. Yn ei banig, trodd i'r Sbaeneg, ond y cyfan a wnaeth y swyddog oedd edrych dros ei ysgwydd i gyfeiriad ystafell fach ar gyrion y neuadd fawr. Yr eiliad nesaf daeth dyn arall, iau yn gwisgo lifrai swyddogol tipyn amlycach i sefyll ar ei bwys.

'Now let's try again, shall we? What's the purpose of your visit to the United Kingdom? How long do you intend staying? I also need an address.'

'Dwi ddim wedi bod yng Nghymru o'r blaen,' parhaodd Luis yn Sbaeneg.

'Watch my lips. No comprendo. It's English or nothing, right. You're in England now.'

'Well he's not, actually, he's in Wales,' meddai'r swyddog oedd newydd ymuno â nhw, 'but I know what you mean.

OK, sir, come with me,' ac ar hynny cydiodd ym mraich Luis a'i dywys heibio i'r teithwyr eraill i'r ystafell fach. Ymhen ychydig funudau, cyrhaeddodd y swyddog cyntaf hefyd a dechreuodd y ddau drafod ymysg ei gilydd gan anwybyddu Luis yn llwyr. Gallai weld bod y newydd-ddyfodiad yn dal i afael yn ei basbort tra oedd yn ymestyn am ffurflen oddi ar silff fetel y tu ôl i ddesg fetel, lwyd.

'Take a seat,' meddai hwnnw gan bwyntio â'i ben i gyfeiriad cadair galed, a oedd yn sownd i'r llawr wrth y ddesg, a dechrau llenwi'r ffurflen yr un pryd. 'Diolch,' atebodd Luis yn goeglyd, ond ni thalodd y swyddog hunanbwysig unrhyw sylw i'w brotest. Gwelodd Luis, er hynny, lygedyn o ymateb yn wyneb yr un iau a phenderfynodd fod hynny'n arwydd da. Y peth nesaf a welodd oedd y dyn yn camu tuag ato cyn gosod ei ben-ôl ar gornel y bwrdd lai na metr oddi wrtho.

'Siarad Cymraeg?'

'Ydw! Dwi wedi bod yn trio esbonio wrth y dyn yma mai dyma'r tro ...'

'Woah, woah! Not so fast. I've only got GCSE Welsh, and that was a long time ago,' torrodd yr ail swyddog ar ei draws. 'Beth ydy enw chi?'

'Luis Arturo Richards.'

'Ble ydych chi'n byw?'

'Fel y gallwch chi weld ar fy mhasbort, dwi'n dod o'r Ariannin ...'

'Ble?'

'Ariannin ... Patagonia,' cynigiodd Luis yn obeithiol.

Trodd y swyddog i wynebu ei gydweithiwr.

'He's one of those Welsh-speaking Patagonians who come over from time to time. They're a pain in the arse.

Listen, a word of warning, you'll bring the whole Welsh establishment down on top of you if you're not careful.'

Yn sydyn, gallai Luis weld wrth ymarweddiad y llall bod newid go sylweddol wedi digwydd. Parhaodd y sgwrs rhwng y ddau am funud neu ddwy eto cyn i'r un hunanbwysig godi a mynd am y drws. 'Eistedd yma. Bydd fi'n dod 'nôl,' meddai'r un Cymraeg, ac ar hynny aeth i sefyll y tu allan i'r drws gan adael Luis ar ei ben ei hun yn yr ystafell foel.

Ymhen rhyw chwarter awr, agorodd y drws a daeth yr un swyddog yn ôl i mewn gan gynnig gwydraid o ddŵr mewn cwpan plastig, gwyn i Luis.

'Diolch,' meddai hwnnw heb y coegni blaenorol. Roedd ei geg yn sych ac roedd ganddo ben tost. Bu ond y dim iddo gyhoeddi wrth y dyn a safai o'i flaen ei fod e wedi newid ei feddwl ynglŷn â dod i Gymru ac y byddai'n well ganddo fynd yn ôl i Baris ar yr awyren nesaf, ond cyn iddo gael cyfle i ddweud dim o'r fath, gwenodd y swyddog. 'Paid poeni. Byddwch chi'n OK,' meddai cyn troi ei gefn a mynd am y drws unwaith eto.

Teimlai fel dwyawr cyn i ddim byd arall ddigwydd, ond pan agorodd y drws o'r diwedd, sylweddolodd Luis ar unwaith fod osgo'r ddau swyddog yn bur wahanol.

'Right, señor Richards, welcome to the United Kingdom,' meddai'r un hunanbwysig. 'Thank you for your co-operation.'

Edrychodd Luis ar y llall am esboniad.

'Croeso i Gymru,' meddai hwnnw.

*

Bu bron i Luis chwerthin yn uchel pan welodd ei fag unig yn mynd rownd a rownd ar y carwsél a oedd, fel arall, yn gwbl wag. Gwag hefyd oedd gweddill adran fagiau'r maes awyr rhyngwladol am fod ei gyd-deithwyr wedi hen fynd adref at eu teuluoedd, eu cariadon neu at gysur dros-dro sianeli porn mewn ystafelloedd gwesty ar hyd a lled y ddinas. Camodd at ei fag a'i godi oddi ar y belt symudol, ond ni lwyddodd i godi gwên, heb sôn am chwerthin yn uchel. Prin awr yn ôl cyrhaeddodd Gymru ar ddiwedd taith hanner ffordd o gwmpas y byd ac eisoes roedd e wedi gweld digon. Wrth iddo lusgo'i fag o dan yr arwyddion achlysurol ddwyieithog uwch ei ben tuag at yr allanfa, penderfynodd Luis fod ganddo lawer iawn i'w ddysgu am wlad ei gyndeidiau, ond yr eiliad honno, y cyfan roedd arno eisiau ei wneud oedd rhoi ei ben i lawr a mynd i gysgu.

Cerddodd yn ei flaen nes dod at y neuadd gyraeddiadau fach, ond suddodd ei galon drachefn pan welodd nad oedd neb yno heblaw am ddau ddyn boliog, canol oed yn sgwrsio â'i gilydd ar bwys rhyw arwydd am dacsis. Edrychodd y ddau i gyfeiriad Luis yn lled-gyhuddgar cyn troi'n ôl i wynebu ei gilydd a bwrw ymlaen â'u sgwrs yn ddi-hid. Doedd dim golwg o Gerallt a Llinos Morgan yn unman. Eisteddodd e ar un o'r seddau lliwgar wrth ei ochr a phwyso ymlaen ar ei fag i ystyried beth i'w wneud nesaf. Nid fel hyn roedd pethau i fod, meddyliodd, mewn ennyd o hunandosturi annodweddiadol. Caeodd ei lygaid a thynnu ei law dros ei wyneb i rwto'i groen. Nid fel hyn roedd pethau i fod o gwbl. Yna, ysgydwodd ei ben yn egnïol a chododd ar ei draed gan ei geryddu ei hun am ganiatáu i'r fath deimladau gymylu ei drefn. Ceisiodd fod yn rhesymegol. Ceisiodd osod digwyddiadau'r awr ddiwethaf yn eu cyd-destun. Ceisiodd ddychmygu Gerallt a Llinos Morgan yn disgwyl amdano yn y maes awyr a hwythau'n poeni nad oedd e wedi dal yr awyren. Ceisiodd eu dychmygu'n aros amdano ar ôl i bawb arall fynd. Ceisiodd eu dychmygu'n holi'r ddau ddyn boliog amdano cyn penderfynu troi am adref pan ddaeth hi'n amlwg nad oedd e'n mynd i ymddangos.

Crwydrodd draw tua'r ffenestri mawr ac edrych allan ar y maes parcio. Doedd fawr o gynnwrf i'w weld yn unman. Heb rybudd, agorodd y drysau gwydr yn awtomatig a chamodd Luis yn ufudd i'r glaw mân a oedd yn dal i gael ei chwythu gan y gwynt ysgafn. Cyn hir byddai'n dechrau nosi. Tynnodd ei fag du oddi ar ei gefn ac ymbalfalu am gyfeiriad y Morganiaid. Doedd ganddo ddim rhif ffôn am nad oedd neb wedi tybio y byddai ei angen arno, ond roedd ganddo enw'r stryd a rhif y tŷ. Yn sydyn teimlai'n fwy hyderus a brasgamodd ar hyd y pafin o flaen y maes awyr golau i chwilio am fws i fynd ag e i'r brifddinas a fyddai'n gartref iddo am y misoedd nesaf. Arhosodd yno ar ei ben ei hun am o leiaf hanner awr gan wylio'r mynd a dod ysbeidiol. Pobl yn chwilio am wythnos o hwyl yn heulwen Sbaen oedd y rhan fwyaf, barnodd Luis wrth eu golwg. Gwenodd wrth glywed sgrechiadau'r merched gwallt golau yn eu trowsusau gwyn, tynn a'u hesgidiau sodlau uchel lliw aur wrth iddyn nhw gamu o'r ceir a'r tacsis a rhedeg am y derfynfa er mwyn osgoi'r glaw, gan adael i'w cariadon tatŵog eu dilyn gyda'r bagiau mawr, llawn iawn. Pan aeth e a Gabriela i Colonia, yr unig ddillad ychwanegol oedd ganddyn nhw oedd dau bâr o ddillad isaf, a phrin bod angen y rheiny. Cododd ei ben-ôl oddi ar y bar metel yn y lloches a chamu unwaith eto at yr amserlen ar y panel gwydr o'i flaen i gadarnhau faint o'r gloch roedd disgwyl i'w fws gyrraedd. Tynnodd ei fys ar hyd y golofn berthnasol a phenderfynodd aros am ychydig eto, rhag ofn. Roedd bysiau Buenos Aires yn wallgof, ond o leiaf roedden nhw'n rhad ac roedden nhw'n bod ac roedden nhw wastad yn llawn. Stopiodd rhagor o geir o flaen y derfynfa a gollyngwyd rhagor o bobl hwyliog yn barod i hedfan i'r haul. Cododd Luis goler ei siaced denau a phenderfynu mynd i holi rhywun am y bws.

Yr unig rai yn y neuadd gyraeddiadau o hyd oedd y ddau foliog, a cherddodd Luis atyn nhw a'u gorfodi i roi'r gorau i'w clecs yn anfoddog. Ceisiodd egluro orau y gallai, trwy bwyntio a dangos cyfeiriad y Morganiaid, ei fod e'n disgwyl am fws i fynd ag e i ganol y brifddinas, ond mynnodd y ddau, trwy ddefnydd hynod ddeheuig o ystumiau ac arwyddion corfforol ar ôl gwynto cyfle i wneud arian i'w cwmni tacsis, nad dyna'r ffordd orau o gyrraedd Caerdydd yr adeg yna o'r nos. Heb aros i drafod ymhellach, ffoniodd un ohonyn nhw am dacsi a'i hysbysu y byddai car yn dod ymhen pum munud. Aeth Luis i sefyll yn y glaw mân. Roedd e wedi cael llond bol a phoenai am y gost. Edrychodd ar y papurau decpunt yn ei law gan wybod nad oedd llawer o'r rheiny ganddo ac y byddai gofyn iddo fod yn ddarbodus os oedden nhw am bara. Yna, darllenodd y geiriau *Bank of England* mewn llythrennau mawr ar draws y papurau lliw brown. Oedd, roedd ganddo lawer i'w ddysgu am Gymru, penderfynodd.

Pennod 2

'MAE'N CODI CYWILYDD arna i,' meddai Llinos Morgan gan wthio fforcaid arall o lasagne i'w cheg ac edrych ar Luis am ymateb. 'Mae'n hollol, hollol warthus.'

Gwenodd Luis yn gwrtais ond ni chynigiodd unrhyw sylw. Roedd e wedi clywed protestiadau'r ddynes ganol oed a eisteddai ym mhen arall y bwrdd hirsgwar ddwywaith yn barod ac ni fu mwy nag awr ers iddo groesi'r trothwy i'w chartref crand.

'Wel, dyna fe. Mae drosodd nawr. Rwyt ti yma a dyna sy'n bwysig ontefe, Luis?' oedd cyfraniad cymodlon ei gŵr.

'Na, dyw e ddim drosodd, Gerallt. Wy'n gandryll,' parhaodd Llinos, gan wthio'i phlât o'r neilltu a phwyso'n ôl yn erbyn cefn ei chadair. 'Wy'n mynd i sgrifennu at rywun yn y Cynulliad. Mae'n rhaid rhoi stop ar hyn. Mae Luis wedi . . .'

'Dyw e'n ddim byd i' wneud â'r Cynulliad,' mynnodd Gerallt yn llai emosiynol, 'mater i lywodraeth San Steffan yw e.'

'Wel, fe sgrifenna i atyn **nhw** 'te. Ond y naill ffordd neu'r llall, mae rhywun yn mynd i glywed am hyn achos nid dyma'r tro cynta. 'Co'r bachgen 'na ddaeth draw o'r Gaiman llynedd. Fe ddigwyddodd yr un peth iddo fe ond fod hwnnw, druan, ddim mor lwcus â Luis. Fe gas e'i droi 'nôl fel rhyw droseddwr. Does gyda nhw ddim syniad am Batagonia nac am y cysylltiad arbennig sy rhynton ni.'

'Fe ga i air 'da Berian yn y capel fory.'

'Beth all hwnnw wneud, mewn difri calon?'

'Wel, mae e'n nabod Jeremy Williams yn dda a gall hwnnw'i godi fe ar lawr . . .'

'Jeremy Williams, wir. Beth wnaeth y Sioni-oi 'na erio'd dros bobol Cymru?'

Pentyrrodd Gerallt Morgan gymysgedd o lasagne a salad ar ei fforc ac anelu'r cyfan am ei geg. Anwybyddodd y gwas sifil gwestiwn diweddaraf ei wraig gan farnu ei fod yn rhethregol.

'Dyw pryde bwyd ddim wastad mor danllyd â hyn,' meddai ymhen ychydig gan gyfeirio'r gosodiad at Luis. 'Rhai bach digon tawel a di-fflach ŷn ni fel arfer.'

Gwenodd Luis yn gwrtais unwaith yn rhagor, ond trwy gil ei lygad gallai weld bod y wên oedd wedi ymledu ar wyneb Tomos, mab deunaw oed y Morganiaid, dipyn yn llai diplomatig. Nododd Luis hynny a gwthio'r sylw i gefn ei feddwl am y tro, ond penderfynodd fod ei ddarganfyddiad bach di-ddweud yn dweud cyfrolau am y teulu hwn.

'Rhagor o lasagne, Luis?' cynigiodd Llinos gan ddal dysgl fawr, sgwâr o'i flaen. 'Dere, daw bola'n gefen.'

Doedd Luis ddim wedi deall brawddeg olaf y westeiwraig frwd, ond cododd ei blât yr un fath a gadael iddi rofio rhagor o fwyd arno. Doedd e ddim wedi bwyta'n iawn ers y pryd cyflym a gawsai ym maes awyr São Paulo, a fyddai hwnnw ddim wedi ennill unrhyw wobrwyon am ansawdd heb sôn am flas, meddyliodd.

'Diolch,' meddai'n ddiffuant.

'A shwt o'dd dy siwrne fawr i Gymru fach?' gofynnodd Gerallt. 'Ac anghofio'r amlwg, hynny yw!' ychwanegodd yn frysiog mewn ymgais i lywio'r sgwrs ar hyd trywydd llai dadleuol.

'Hir. Roedd hi'n hir iawn, ond roedd hi'n ddifyr hefyd.'

'Go dda. Go dda. A beth o'dd mor ddifyr amdani?'

'Ydy "difyr" yr un fath â doniol?'

'Mewn ffordd. Mae'n dibynnu, ond yn sicr mae'n gallu golygu "doniol",' meddai Llinos.

'Os felly, y rhan fwya difyr . . . doniol . . . oedd pan driodd dwy hen ddynes yn y maes awyr yn São Paulo berswadio fi i droi at eu crefydd nhw. Siaradon nhw am ddiwedd y byd ac am . . . *cómo se dice* . . . am bechod a rhyw bethe felly.'

Sylweddolodd Luis ar unwaith nad oedd yr hyn roedd e newydd ei ddweud yn ddifyr nac yn ddoniol yng ngolwg Gerallt a Llinos Morgan. Am yr eildro o fewn ychydig funudau, fodd bynnag, roedd wyneb Tomos yn bictiwr, a hwnnw ddaeth i'r fei i lacio gafael y lletchwithdod o gwmpas y bwrdd.

'Beth sy i bwdin, Mam?'

'Tiramisù. Ond paid â chodi dy obeithion, gwboi. Byddwn ni 'nôl ar yr hufen iâ fory. Fe wnes i ymdrech arbennig heno er mwyn Luis. Ody tiramisù'n iawn i ti?' gofynnodd Llinos, gan droi at ei hymwelydd.

'Perffaith, Mrs Morgan.'

'Plis, galw fi'n Llinos.'

'A finne'n Gerallt,' ychwanegodd Gerallt, 'ond cewch chi'ch dou weud Mam a Dad o hyd!' meddai, gan edrych yn gyntaf ar Tomos ac yna ar Gwion, ei ddau fab dywedwst. Roedd yr ysgafnder gwan yn ddigon i achub y sefyllfa a diflannodd Llinos i'r gegin i hôl y tiramisù addawedig gan adael y pedwar gwryw o gwmpas y bwrdd.

*

Doedd Luis erioed wedi bod yn y fath dŷ o'r blaen. Fel hyn y dychmygai gartrefi'r crachach yn Palermo a Retiro, ond go brin y câi fyth ei wahodd i un o'r rheiny, felly rhaid i'r dychymyg wneud y tro. Suddodd yn ôl ar y soffa fawr, gysurus a gadael i'r celficyn ei lyncu. Synnai ei fod yn dal ar ddi-hun o gofio digwyddiadau'r oriau diwethaf. Nawr, fodd bynnag, wrth iddo eistedd yn y lolfa grand, gallai deimlo'i ben yn drwm a'i lygaid yn brwydro i gadw ar agor. Roedd gorfod siarad iaith oedd wedi mynd yn ddiarth iddo ar ôl cynifer o flynyddoedd o esgeulustod yn dechrau ei lorio, a'r cyfan roedd e am ei wneud yr eiliad honno oedd mynd i'r gwely. Arhosodd lle roedd e, er hynny, a gadael i sŵn y teledu lifo drosto. O'r fan lle'r eisteddai, gallai astudio wynebau Llinos a Gerallt yn rhwydd a fyddai'r naill na'r llall ddim tamaid callach. Gwyliai'r ddau y rhaglen Gymraeg o'u blaenau yn ddigwestiwn gan wenu a phorthi yn y mannau iawn. Ychydig o deledu y byddai e'n ei wylio yn ei fflat yn Buenos Aires. Gwell oedd gan Luis siarad a thrafod a dadlau a phryfocio. Procio er mwyn profi ei fod e'n dal yn fyw. Onid dyna oedd dawn y *porteño*? Wfftiodd yr ystrydeb yn syth a gadael i'w lygaid setlo ar y lluniau dyfrlliw ar y pared yn ymyl y piano. Tirluniau traddodiadol oedden nhw bob un. Llefydd annwyl yng nghalonnau'r Cymry, efallai. Doedd Luis ddim yn adnabod yr un nac yn hoffi'r rhan fwyaf, ac am yr eildro o fewn ychydig eiliadau roedd e'n ymwybodol ei fod e'n wfftio ystrydebau, rhai drud yn ddiau.

Byddai ei fflat gyfan yn ffitio'n dwt yn y lolfa hon, meddyliodd, a byddai digon o le dros ben i agor ysgol tango! Cofiodd am y wers tango wirion a gafodd gan Gabriela unwaith. Cyrhaeddodd hi'n ddirybudd un noson chwyslyd o haf a dechrau gwthio'r celfi i'r ymylon fel rhywun gwyllt cyn ei lusgo gerfydd ei law i ganol y gofod roedd hi wedi ei greu ar y llawr pren. Doedd dim siâp arno wrth iddi ei arwain i gyfeiliant y miwsig gan gymryd arni rôl y dyn, ond pan gafodd ei wasgu ganddi yn erbyn ei chorff cynnes, doedd dim amheuaeth mai menyw oedd hi, o'i chorun hyd at ei thraed chwim. Chwarddodd hi drwy gydol ei gamau tila ar hyd y llawr a gwnaeth sbort am ben ei ddwy droed chwith. Ar ei waed Cymreig roedd y bai, cellweiriodd. Doedd y Cymry ddim wedi cael eu geni i fod yn nwydus, ond erbyn diwedd y wers roedd hi'n barotach i newid ei chân. Edrychodd Luis ar Gerallt a Llinos Morgan yn gwylio'r teledu ac roedd e'n hollol grediniol nad oedden nhw erioed wedi dawnsio'r tango.

'Wyt ti'n moyn ffono dy rieni, Luis, i weud wrthyn nhw fod ti 'di cyrraedd?' gofynnodd Llinos heb symud ei llygaid oddi ar y rhaglen.

Roedd Luis wedi hen roi'r gorau i deimlo rheidrwydd mawr i ffonio'i rieni fel bachgen da. Roedd e'n ddyn yn ei oed a'i amser, ac roedd chwe blynedd o fyw'n ffri yn y brifddinas wedi llacio'r llinynnau o dipyn i beth. Cydnabu, er hynny, garedigrwydd y cynnig hwn, felly tynnodd ei gorff blinedig at ymyl y soffa fawr ac ymsythu.

'Diolch,' meddai, 'wna i ddim siarad yn hir.'

'Popeth yn iawn, a gwêd wrthyn nhw fod croeso iddyn nhw ffono fan hyn unrhyw bryd os ydyn nhw ishe ca'l gaf'el arnat ti.'

Cerddodd Luis ar draws y carped hufennog, trwchus ac allan i'r cyntedd gan gau drws y lolfa ar ei ôl.

'*Hola*, Mami, *soy yo. ¿Qué tal?*'

'Luis! O ble ti'n siarad?'

'Ble ti'n feddwl? O Gaerdydd, wrth gwrs!'

'Ti 'di cyrraedd! Lewis, tyrd yma, mae Luis ar y ffôn. Mae o'n siarad o Gymru!'

Gallai Luis glywed y balchder yn llais ei fam wrth iddi lefaru'r geiriau diwethaf.

'Ble **mae** dy dad, wir?' dwrdiodd Elvina Richards yn ddiamynedd. 'Lewis, mae Luis ar y ffôn! Tydio ddim wedi stopio poeni amdanat ti, ti'n gwbod,' meddai gan gyfeirio'r sgwrs yn ôl at ei mab.

'Gwranda, fedra i ddim aros yn hir achos dwi'n defnyddio ffôn Mr a Mrs Morgan, ond dwi jest isho deud 'mod i'n iawn a 'mod i wedi cyrraedd yn saff.'

'A sut mae Cymru?'

'Dwi ond wedi bod 'ma bum munud,' atebodd Luis yn fwriadol.

'Ydy hi'n oer yno?'

'Nac ydy, ond mae'n wlyb.'

'A sut rai ydy'r Morganiaid? Sut dŷ sy efo nhw?'

'Tydw i ddim yn mynd i ateb y cwestiwn 'na!'

'Ydyn nhw'n bobol neis?'

'Maen nhw'n hyfryd, dwi'n cael croeso mawr. Clyw, mae'n rhaid imi fynd rŵan achos mae hyn yn costio, ond fe ffonia i eto cyn bo hir. Ydy pawb yn iawn? Papá? Eduardo?'

'Paid di â phoeni amdanon ni. Mae pawb yn iawn fan hyn. Cymer ofal. Be 'di rhif ffôn y Morganiaid er mwyn i mi ffonio'r tro nesa? Deuda wrthyn nhw bod ni'n deud "diolch yn fawr".'

'Iawn. Gorfod mynd. *Chau.*'

Dododd Luis y ffôn yn ôl yn ei nyth cyn agor y drws i'r lolfa drachefn, ond aeth e ddim i mewn.

'Maen nhw'n diolch yn fawr ichi am bopeth.'

'Pleser,' atebodd Llinos gan droi i edrych ar Luis a safai o hyd yn y drws. 'Gwranda, 'sdim ishe iti aros fan hyn 'da ni, cofia. Os ti'n moyn mynd lan at Tomos neu Gwion, maen nhw'n byw ac yn bod ar y cyfrifiadur neu ar y PlayStation. Sa i'n credu gallwn ni gystadlu â rheina.'

Tra oedd e'n siarad ar y ffôn, roedd hi wedi closio at Gerallt ar y soffa arall, a nawr eisteddai â braich ei gŵr am ei hysgwyddau.

'Os nad oes gwahaniaeth efo chi, dwi'n credu af i i'r gwely, diolch. Dwi wedi blino'n ofnadwy,' atebodd Luis.

'Wrth gwrs. Rwyt ti wedi ca'l diwrnod a hanner, yn llythrennol. Nos da.'

*

Bu'n rhedeg am oriau, ond waeth pa mor gyflym yr âi roedd e'n dal i'w ddilyn, a thrwy'r amser roedd y bwlch rhyngddyn nhw'n cau. Gwibiodd ar hyd y coridor hir ac anelu am y drws agored yn y pen draw, ond wrth iddo ddynesu ato fe gaeodd yn ddisymwth a bu'n rhaid iddo droi i'r dde. Rhedodd nerth ei draed ar hyd coridor arall tuag at y drws yn y gwaelod, ond unwaith eto fe gaeodd hwnnw'n glep eiliadau cyn iddo'i gyrraedd. Doedd dim amdani ond troi drachefn, y tro yma i'r chwith. Taflodd gip dros ei ysgwydd gan ddal i redeg, ond roedd e'n dal i'w gwrso. Gwelodd Luis ei farf fawr a'i lygaid gwyllt yn llenwi'r coridor cul. Dechreuodd chwysu. Curai ei galon fel gordd. Doedd ganddo ddim dewis ond dal ati. Yn sydyn, gwelodd ei dad yn eistedd ar stôl dri chwarter ffordd ar hyd y coridor diweddaraf a gwaeddodd arno am help.

¡Socorro! ¡Papá, ayúdame! ¡Papá! Ond dal i naddu'r tegan pren yn ei law a wnaeth hwnnw heb godi ei ben. Rhedodd Luis yn ei flaen i gyfeiriad y drws a'r dagrau'n llifo ar hyd ei fochau. Pan gyrhaeddodd y pen draw, gwelodd Siwan yn sefyll yn ei ffordd â chamera am ei gwddf. Ac yntau ond dri cham oddi wrthi, trodd ei chefn yn ddirybudd a cherdded i ffwrdd. Hyrddiodd ei hun at y drws, ond unwaith eto fe gaeodd yn ei wyneb. Cafodd gip ar Llinos Morgan wrth y piano a hithau'n gwisgo ffrog hen ffasiwn, ddu a het lydan, ddu am ei phen. *Mae o am fy lladd! Helpwch fi, Llinos! Mae'r Parchedig Michael D Jones am fy lladd!* Ond roedd y miwsig yn rhy uchel a chlywodd hi mo'r ple. Ymlaen yr aeth, heibio iddi a thrwy'r drws agored lle safai ei fam ar lan afon Camwy a'i dyfroedd llonydd. Roedd e'n saff. Arafodd ei gamau a cherddodd tuag ati gan anadlu'n drwm. Roedd e am ei chofleidio a dweud gymaint roedd e'n ei charu, ond wrth iddo godi ei freichiau i'w lapio amdani taranodd ton anferthol ar hyd yr afon ac fe'i llyncwyd hi gan y llif.

Dihunodd Luis a syllu'n ddwys ar y nenfwd gwyn uwch ei ben. Roedd e'n chwys drabŵd ac anadlai'n drwm ac yn gyflym. Edrychodd yn frysiog ar yr ystafell o'i gwmpas, ar y celfi golau ond anghyfarwydd, ar ei fag nad oedd eto wedi cael ei ddadbacio ac yna ar ei ddillad blinedig yn gorwedd mewn pentwr anniben ar ganol y llawr carpedog lle tynnodd oddi amdano'r noson cynt. O dipyn i beth dechreuodd dawelu a thorri'n rhydd o afael yr hunllef. Trwy'r llenni gallai weld ei bod hi'n olau. Cydiodd yn ei ffôn symudol ar y bwrdd bach wrth ochr y gwely i weld faint o'r gloch oedd hi. Roedd hi wedi troi un ar ddeg. Y tu allan roedd adar yn canu ond, fel arall, roedd pobman fel y bedd. Crafodd y blewiach tywyll ar ei frest a chodi ar ei eistedd yn y gwely sengl. Ceisiodd roi trefn ar ei freuddwyd ryfedd ond gwyddai nad oedd unrhyw ddiben mewn gwneud hynny, felly gorweddodd yn ôl ar y fatras gynnes a chau ei lygaid drachefn. Ond ymchwyddodd wyneb Michael D Jones yn ei feddwl ac agorodd ei lygaid ar unwaith er mwyn dileu'r ddelwedd oedd wastad wedi codi cymaint o ofn arno er pan oedd yn blentyn bach. Bu'r wyneb hwn yn destun mil o hunllefau. Yr wyneb hwn a welsai droeon yn amgueddfa Trelew, yn amgueddfa'r Gaiman, yn llyfrau du a gwyn ei fam a'i dad.

'Fo ydy Tad y Wladva. Mae o'n ddyn da,' fyddai tiwn gron ei fam pan âi ati am gysur wedi un o'i freuddwydion tywyll, ond doedd Luis erioed wedi llwyddo i weld heibio i'r llygaid gwyllt.

Byddai wedi hoffi bod fel ei rieni, meddyliodd. Roedden nhw'n driw ac roedden nhw'n credu ac roedden nhw wedi dal eu tir, er bod y tir hwnnw'n prysur ddiflannu o dan eu traed. Byddai wedi hoffi bod yn debycach i'w frawd. Derbyniai Eduardo yr hyn a ddeuai i'w ran yn ddirwgnach, a hyd yn oed os nad oedd e'n gwbl fodlon ei fyd, wnaeth e erioed ddangos hynny mewn dadleuon tanbaid yn ystod ei arddegau; dadleuon a dorrodd galonnau ei fam a'i dad.

'Fe ges i 'ngeni'n rhy hwyr. Does dim ar ôl 'ma. Dŷch chi ddim yn gweld bod yr arbrawf drosodd?'

'Paid â siarad fel 'na, Luis. Rwyt ti'n bradychu'r hen bobol.'

'Mami, nid mater o fradychu neb ydy hi. Mae'n ffaith. Edrych o dy gwmpas ar strydoedd Trelew. Agor dy glustie.'

'Fase dim byd o gwbl yma oni bai am y Cymry.'

'*Exacto!* Dwi'n cytuno'n llwyr. Fe wnaethon nhw wyrthie ond rŵan mae'n rhaid symud ymlaen.'

'Be ti'n feddwl – "symud ymlaen"? Symud i ble?'

'O'r twll yma!'

'Luis, dyna ddigon. Rwyt ti'n gofidio dy fam.'

'Mae'n ddrwg gen i, Mami, ond dwi ddim isho chwarae bingo yn neuadd San David. Base'r hen bobol yn troi yn eu bedde tasen nhw'n gweld sut mae yno rŵan. Nid dyna pam codon nhw'r lle.'

'Gad i'r lleill chwarae eu bingo. Mae mwy na bingo'n perthyn i ni'r Cymry, Luis. Paid di byth ag anghofio hynny.'

'Ond mae llai a llai ohonon ni. Mae'r bingo'n ennill. A beth bynnag, Archentwyr ydyn ni. Paid tithe ag anghofio hynny.'

Roedd Luis wedi chwarae'r un sgwrs drosodd yn ei ben gannoedd o weithiau o'r blaen, ond waeth pa mor aml y clywai'r geiriau doedden nhw byth yn haws.

Cododd o'r gwely'n fwriadol er mwyn torri'r gadwyn feddyliol a symud yn ei flaen. Cerddodd yn noethlymun ar draws y carped golau at y ffenest yng nghornel yr ystafell fach. Cilagorodd y llenni'n ofalus a sbio trwy'r ffenest ar y parc taclus gyferbyn â chartref taclus y Morganiaid. Roedd hi'n rhy dywyll i weld dim byd ond siapiau'r colfenni tal pan gyrhaeddodd e neithiwr, ond bellach roedden nhw yno yn eu holl ogoniant i bawb eu gweld. Mwynhaodd edrych ar y lliwiau copr a'r gwyrdd cyfoethog. Roedden nhw'n ei atgoffa o'r coed canghennog, anferth ym mharciau Buenos Aires, a llawer o'r rheini gannoedd o flynyddoedd yn hŷn na'r wlad ei hun. Doedd y parc hwn ddim yn fawr, ond roedd e'n dwt ac yn gymen ac roedd y blodau'n oren ac yn felyn ac yn goch llachar. Dilynodd ei lygaid ryw ddyn mewn oed a gerddai gyda'i gi ar hyd llwybr drwy'r canol. Ar fainc ymhellach draw, eisteddai mam ifanc gan siarad yn ddi-hid ar ffôn symudol wrth i'w phlentyn bach redeg yn ôl ac ymlaen rhyngddi hi a'r glaswellt gwyrdd, gwyrdd a oedd bron â bod yn rhy wyrdd fel petai rhywun wedi ei beintio. Trueni nad oedd neb wedi meddwl peintio'r awyr yn las, meddyliodd Luis, i gwblhau'r darlun delfrydol. Roedd honno'n llwyd fel roedd hi ddoe, yn union fel y tro cyntaf iddo'i gweld.

Gollyngodd ei afael yn y llenni gwyrdd golau a gadael iddyn nhw syrthio'n ôl ar draws y ffenest. Yn sydyn, teimlodd awydd gwirioneddol i fynd allan i weld a blasu Caerdydd, ei gartref newydd am y misoedd i ddod. Cydiodd yn y tywel trwchus a adawodd Llinos iddo a'i lapio am ei ganol. Aeth i gael cawod.

*

Roedd y tŷ'n dawel fel boreau Sul ei blentyndod pan wisgodd Luis amdano. Penderfynodd beidio â gwastraffu amser yn rhoi ei bethau i'w cadw am y tro. Yn un peth, roedd eisiau brecwast arno, felly rhedodd i lawr y grisiau i'r gegin fodern, olau. Bu bron iddo weiddi pan agorodd y drws ychydig funudau'n ddiweddarach a daeth Tomos i'r gegin mewn crys-T melyn a jîns denim, tynn a chwpan yn ei law.

'Bore da,' meddai hwnnw'n hwyliog wrth agor drws y peiriant golchi llestri.

Doedd Luis ddim yn adnabod neb oedd yn berchen ar beiriant o'r fath.

'*Hola. Buen día.* Cystal inni ddechrau yn Sbaeneg. Wedi'r cwbl, dyna'n rhannol pam dwi yma, neu fel arall bydda i'n gorfod talu dy rieni am fy llety,' meddai gan wenu.

'*Vamos*! A dim ond ni'n dou sy 'ma ar y funud ta beth,' atebodd Tomos yn yr iaith honno.

'A deud y gwir, roeddwn i'n meddwl mai dim ond fi oedd yn y tŷ. Roeddwn i'n methu clywed neb arall.'

'Mae'r lleill wedi mynd i'r capel.'

'Dwyt ti ddim yn mynd?'

'Nagw, dim rhagor.'

'Beth am Gwion?'

'Mae e'n dal i fynd gyda nhw bob dydd Sul. Mae e'n credu. Wyt ti'n grefyddol?'

'Na.'

Edrychodd y ddau ddyn ifanc ar ei gilydd heb ymhelaethu ac aeth Luis yn ei flaen i orffen gwneud y coffi roedd e ar ganol ei baratoi pan ddaethai Tomos i mewn.

'Ti isho coffi bach hefyd?'

'Pam lai, dwi newydd ga'l un, ond i'r diawl.'

'Dyna dwi'n licio'i glywed. Bydda i wedi dy droi di'n Archentwr pybyr cyn diwedd yr wythnos!'

'Plis!'

'Dim ond un peth 'dan ni'n ei yfed yn amlach na coffi, a *mate* ydy hwnnw.'

'Beth ffwc yw *mate*?'

'Does dim byd tebyg iddo fo. Mae peth gen i yn fy mag. Fe gei di drio fo rywbryd os ti isho.' Gwenodd Luis yn awgrymog chwareus. 'Pwy ydy'r hyna, Gwion neu ti?'

'Fi, o gwta flwyddyn. Mae'r bwlch bron â bod yn embaras

o fach. Rhaid bod Llinos a Gerallt yn ffilu gadel llonydd i'w gilydd cyn iddyn nhw ddarganfod yr Iesu! Mae'n rhoi gwedd hollol newydd ar "ymyrraeth ddwyfol", ac mae'n rhatach na condoms, sbo.'

Gwenodd Luis ar athroniaeth y llanc deunaw oed a eisteddai gyferbyn ag e wrth y bar brecwast. Roedd arno chwant ychwanegu bod pob un o'r parau roedd e'n eu hadnabod oedd wedi darganfod yr Iesu – a doedd e ddim yn adnabod llawer – yn mynd ati fel cwningod. Ond penderfynodd gadw'r sylw hwnnw iddo'i hun. Yn hytrach, sipiodd ei goffi'n hamddenol gan fwynhau'r foment a'r cwmni difyr. Yn ddiau, roedd y boi yma'n ddifyr, meddyliodd, gan gofio'n sydyn am y sgwrs o gwmpas y bwrdd y noson cynt, ac roedd e'n ddoniol hefyd, ac roedd e'n ddigon craff i wybod na fyddai'r dieithryn o ochr draw'r byd a eisteddai gyferbyn ag e yr eiliad honno'n digio wrth ei dafod chwim.

'Ers faint wyt ti'n dysgu Sbaeneg?'

'Pum mlynedd.'

'Rwyt ti'n siarad yn dda.'

'Nid da lle gellir gwell. Wy'n siarad yn weddol, ond fydden i ddim yn gweud 'mod i'n dda.'

'Cred di fi, mae dy Sbaeneg di'n well na Saesneg pobl yr Ariannin.'

'Dylet ti glywed Saesneg hanner pobl Cymru . . . ac mae eu Cymraeg nhw'n ffwcedig!'

'Ti'n dipyn o arbenigwr, felly?'

'Fydden i ddim yn gweud 'ny.' Gwenodd Tomos ar sylw'r Archentwr.

'Dylet ti ddod i Buenos Aires er mwyn ymarfer dy Sbaeneg,' meddai Luis ymhen ychydig.

'Wy'n bwriadu gwneud yr union beth. Wy'n cymryd blwyddyn mas er mwyn trafaelu o gwmpas De America cyn mynd i'r brifysgol, ond dyw'r hen Llinos a Ger ddim yn rhyw fodlon iawn â'r syniad hwnnw. Syndod a rhyfeddod.'

'Pam?'

'Ti'n gwbod shwt mae rhieni. Maen nhw'n moyn i fi fynd i Aberystwyth fel gwnaethon nhw. Traddodiad teuluol a rhyw gachu fel 'na. Maen nhw siŵr o fod yn becso wna i ddim dod 'nôl i Gymru fach a'r Coleg ger y Lli os af i weld y byd yn gynta.'

Yfodd Luis weddill ei goffi.

'Ti'n moyn dod i whare snwcer 'da fi?' holodd Tomos gan godi ar ei draed.

'Dwi ddim yn gwbod beth ydy snwcer na sut i' chwara fo.'

'Dere, fe wna i ddysgu iti.'

'Iawn, ond gad imi nôl fy siaced.'

Cerddodd y ddau drwy ddrws ffrynt y tŷ hardd ac allan i'r stryd. Erbyn hyn doedd dim golwg o neb yn mwynhau'r planhigion y tu ôl i'r rheiliau haearn, du yn y parc gyferbyn. Doedd enaid o neb yn y stryd chwaith. Edrychodd Luis ar hyd y rhes o dai uchel, brics coch â'u ffenestri bae, llydan. Roedd pob un yn union yr un fath. Gwyddai gymaint y byddai ei fam yn hoffi byw yn un o'r rhain. Torrwyd ar y llonyddwch pan ymddangosodd car 4x4 newydd yr olwg ym mhen draw'r ffordd. Daeth i stop o flaen y tŷ y drws nesaf i dŷ'r Morganiaid, a'r eiliad nesaf hyrddiodd bachgen penfelyn ei hun tuag at Tomos a dechrau ymladd ag e'n chwareus ar ganol y pafin.

'Luis, dyma Oli, ein cymydog bach gwallgo,' chwarddodd

Tomos. 'Gwêd helô wrtho Luis. Mae e 'di dod bob cam o Batagonia i weld ti.'

'O ble?' holodd y crwt deg oed gan grychu ei drwyn.

'Pat-a-gon-ia. 'Smo nhw'n dysgu dim byd i chi yn yr ysgol 'na?' cellweiriodd Tomos.

'Mae yn ...'

'Oliver, ger 'ere now! Leave Thomas alone an' 'elp me carry these bags in. **Now,** I said!'

Edrychodd Luis ar berchennog y llais uchel wrth iddi straffaglu i godi o leiaf hanner dwsin o fagiau oddi ar y pafin a cheisio gweithio'r teclyn i gloi'r car ar yr un pryd. Rhedodd y bachgen yn ôl ati'n ufudd a chydio yn un o'r bagiau. Yna, rhuthrodd y ddau ar hyd llwybr cul y pwt o ardd o flaen eu cartref, heb edrych i'r naill ochr na'r llall, a diflannu trwy'r drws trwm.

'Mornin' Steph!' galwodd Tomos yn wawdlyd, ond yr unig ateb a ddaeth o gyfeiriad y cymdogion oedd sŵn eu drws yn cau'n glep.

'Pwy oedd honna?'

'Steph, ein siopaholig leol. Mae hi'n un o'r bobl 'na sy'n ffilu stopid prynu pethe. Gei di weld, mewn pythewnos bydd llond bag o'i rwtsh diangen yn ishte fan hyn ar y pafin yn barod i ryw elusen ddod i' gasglu fe. Hi sy'n dilladu hanner Affrica.'

'Beth oedd enw'r bachgen eto?'

'Oli, ond bod ei fam yn mynnu ei alw'n Oliver. Mae e'n fachan iawn pan mae'n ca'l llonydd 'da'i, ond dyw honna ddim cwarter call. Druan o'i gŵr. Boi neis.'

Ar hynny, agorodd Tomos ddrws VW Polo coch a oedd wedi ei barcio ddau led tŷ i ffwrdd. Eisteddodd yn sedd y gyrrwr ac estyn draw i agor drws y teithiwr gan amneidio ar Luis i ymuno ag e.

'On i ddim yn gwbod bod car gen ti.'

'Dwi'n ei rannu fe gyda Gwion.'

'Sawl car sy efo chi 'te?'

'Tri. Un Dad, un Mam a hwn. Well inni fynd. Bydd y capelwyr 'nôl yn y funud.'

Tynnodd y car i ffwrdd o ymyl y pafin a chadwodd Luis ei lygaid ar y ffordd o'i flaen.

Pennod 3

PENDERFYNODD LUIS GERDDED i ganol y ddinas er gwaethaf rhybudd Llinos Morgan bod y daith yn ddwy filltir dda ac y dylai dderbyn ei chynnig a mynd gyda hi yn y car. Doedd e ddim yn hollol siŵr faint o ffordd oedd 'dwy filltir dda', ond roedd e'n gyfarwydd â cherdded pedwar cilometr i'r gwaith bob dydd o'i fflat yn Gallo a phedwar cilometr yn ôl, boed law neu hindda. Roedd yn rhan o'i batrwm beunyddiol yn y ddinas fawr, yn rhan o'i arwyddocâd. Croesodd y parc bach taclus o flaen y tŷ, a chamu drwy'r gât yr ochr draw ac allan i stryd arall o dai brics coch yn debyg i stryd y Morganiaid. Ceisiodd ddarllen yr enw hanner Saesneg a hanner rhywbeth arall ar arwydd metel a blannwyd yn y pafin, ond gwyddai na fyddai'n ei gofio. Swniai fel enw lle pellennig o gyfnod pellennig, ond doedd e erioed wedi clywed amdano. Roedd yn braf cael bod ar ei ben ei hun unwaith eto, ac edrychai ymlaen at grwydro a mynd ar goll yn nieithrwch Caerdydd. Roedd tridiau o orfod ymddwyn yn gwrtais ac ildio i awgrymiadau pobl eraill, waeth pa mor ddidwyll a phiwr, wedi dechrau mynd yn fwrn. Eto, gobeithiai na chawsai Llinos ei brifo pan wrthododd ei chynnig caredig. Doedd e ddim eisiau ei phechu.

Pan gyrhaeddodd e ben pellaf y stryd, fe'i synnwyd wrth weld bod parc arall, llawer mwy na'r llall, yn ymestyn yn un llain lydan o wyrddni am ryw gilometr o'i flaen, ac ar bob ochr iddo roedd rhagor o dai crand. Roedd Luis wedi bwriadu troi i'r chwith i gyfeiriad y prysurdeb a'r siopau, ond pan welodd e griw o ddynion ifanc yn chwarae pêl-droed ar ddarn llai gwelltog ymhellach draw, cafodd ei ddenu atyn nhw'n reddfol. Croesodd y ffordd brysur ac aeth i sefyll ar gyrion y chwarae gan wenu'n dawel wrtho'i hun wrth wylio'r taclo brwnt a'r gwthio a'r protestiadau hwyliog. Fel hyn y byddai e a'r *chicos* bob nos Wener ar ôl gwaith. Ar y dechrau, bu'n ffordd o wneud ffrindiau pan gyrhaeddodd e'r brifddinas ac yntau ddim yn adnabod fawr neb, ond chwe blynedd yn ddiweddarach byddai'n dal i fynd atyn nhw. Am awr a hanner bob wythnos bydden nhw'n dal i redeg a chwysu yn y gwres llethol am ddeg o'r gloch y nos a chicio'i gilydd a rhegi ac esgus sgorio fel Messi a Tevez. Wedyn, ymlwybro yn eu cit ar hyd Corrientes ac yn ôl i'w fflat e, fel arfer, i yfed Quilmes a chloncan tan yr oriau mân. Parhaodd i wylio'r chwarae gan hanner gobeithio y câi wahoddiad i ymuno yn yr hwyl, ond prin bod y *chicos* Cymreig wedi sylwi ei fod e'n sefyll yno; ar ôl pum munud dechreuodd Luis gerdded i gyfeiriad y siopau fel roedd e wedi bwriadu ei wneud yn wreiddiol.

Roedd hi'n stryd brysur er ei bod yn gul. Ar hyd iddi, ar y ddwy ochr, roedd ceir wedi eu parcio'n ddi-dor gan wneud i'r ffordd, a oedd hefyd yn llawn o draffig a ddisgwyliai ei dro i fynd trwy'r goleuadau, ymddangos yn gulach fyth. Roedd un pafin yn Corrientes bron â bod yn lletach na'r ffordd a'r ddau balmant gyda'i gilydd fan hyn, meddyliodd, ond bod y pafin hwnnw'n llawn tyllau a sbwriel a chachu cŵn, fel yn y rhan fwyaf o Buenos Aires. Ar ei ochr chwith roedd eglwys dal a safai fel swyddog diogelwch yn gwarchod y fynedfa i'r rhes o siopau. Wrth ei golwg roedd hi ymhell dros ganmlwydd oed. Doedd dim byd mor hen â hynny yn Nhrelew. Sylwodd fod eglwys arall o'r un cyfnod ym mhen draw'r stryd, ac er bod twr honno ychydig yn is nag un yr eglwys gyntaf, roedd yr adeilad i'w weld yn gadarnach ac yn fwy sylweddol, fel petai'r noddwyr gwreiddiol yn benderfynol o wario mwy na'u cymdogion Cristnogol yn y pen arall er mwyn bod yn sicrach o'u lle yn y nefoedd. Cerddodd Luis heibio'r siopau gan edrych yn ddiamcan ar y nwyddau oedd ar werth yn y ffenestri. Roedd llawer yn gyffredin rhwng y ddwy brifddinas ond bod golwg ddrutach ar bopeth fan hyn, ac roedd hynny'n golygu bod eu prisiau'n ddrutach hefyd, siŵr o fod. Llenwyd ei ffroenau â gwynt persawr rhy felys ymhell cyn iddo gyrraedd drws agored y siop ganhwyllau, a pharhaodd yr arogl i hofran yn yr awyr hyd nes i wynt y siop goffi sawl drws i ffwrdd gymryd ei le. Doedd dim cystadleuaeth rhwng y ddau sawr, meddyliodd Luis. Yn sydyn, fe'i dihunwyd o'i synfyfyrio pan welodd e fenyw tua deugain oed yn taranu trwy ddrws agored rhyw siop ddillad â bag mawr brown yn ei llaw. Yn rhedeg wrth ei hochr roedd bachgen penfelyn, cyfarwydd. Adnabu wynebau'r ddau ond ni allai yn ei fyw gofio pwy oedden nhw. Roedd Luis ar fin eu pasio pan gododd y bachgen ei law i'w gyfarch.

'Pat-a-gon-ia!' galwodd e'n ddireidus cyn cael ei lusgo gerfydd ei fraich at y car 4x4 oedd wedi ei barcio y tu allan i'r siop.

Gwenodd Luis a chododd ei law yntau.

'Sut wyt ti, Oli?'

'Gerr in the car an' stop bloody showin' off! Worr 'ave I told you about talkin' to strangers?' ymyrrodd y fam cyn i'r crwt gael cyfle i ddweud rhagor, ac mewn amrantiad diflannodd hi a'i mab i'r car mawreddog gan adael Luis ar ganol y pafin.

Cerddodd yn ei flaen heibio i'r siopau a'r banciau a'r caffis a'r llefydd bwyta ffasiynol gan ledwenu wrtho'i hun wrth feddwl am gymdogion y Morganiaid. Doedd e ddim yn adnabod neb tebyg iddyn nhw. Cyrhaeddodd ben draw'r stryd a chroesi'r ffordd brysur wrth y groesfan cyn mynd i gyfeiriad yr eglwys arall. Syfrdanwyd Luis pan welodd e bentyrrau o bowlenni plastig o bob lliw a llun yn gymysg â brwshys, byrddau smwddio, planhigion a theganau plant wrth y fynedfa. Os oedd y noddwyr gwreiddiol wedi llwyddo i sicrhau eu lle personol yn y baradwys dragwyddol dros ganrif yn ôl, roedd hi'n amlwg i Luis fod yn well gan ffyddloniaid yr unfed ganrif ar hugain eu nefoedd ar y ddaear wrth iddyn nhw lifo i mewn ac allan trwy ddrws yr hen eglwys yn chwilio am fargeinion tsiêp. Cerddodd yn ei flaen ar hyd stryd brysur arall gan sylwi ar y newid yn y siopau ac yn y sawl a'u mynychai. Roedd llawer mwy o blastig yn y rhain ac roedd llawer mwy o sgrechian a gweiddi. Ymlaen yr aeth, heibio i resi o bobl lwydaidd yn aros am fysiau, heibio i grŵp bychan o arddegwyr yn yfed caniau o gwrw yn ymyl tŷ bach cyhoeddus er nad oedd hi eto'n ganol dydd, heibio i rieni blinedig yr olwg yn gwthio'u plant mewn bygis drwy'r dorf. Pan gyrhaeddodd e groesffordd fawr, tynnodd ei deithlyfr o'i boced a'i agor i ddarllen y map yn y cefn. Roedd e hanner ffordd i ganol y ddinas.

Penderfynodd fwrw i'r chwith ac ar hyd ffordd fwy di-raen na'r rhai cynt. Yn hon ceid cymysgedd o siopau, llefydd bwyta, llefydd gwerthu ceir a llefydd addoli ac yn eu plith adeilad a fu ar un adeg yn gapel, yn ôl ei siâp cyfarwydd, ond capel tipyn mwy ysblennydd yr olwg nag addoldai moel y Wladfa, sylwodd Luis. Bellach, ysgrifen Arabeg a groesawai'r ffyddloniaid drwy ei borth. Cerddodd yn ei flaen gan fwynhau darllen yr enwau diarth ar y ffenestri ac ar yr arwyddion uwchben y drysau: Ambala, Tenkaichi, Sanna Silk, Polski Sklep, Milgi. Ceisiodd ddychmygu'r tro diwethaf i Llinos a Gerallt Morgan gerdded fan hyn.

'Ma shwt hen wynt 'da'r llefydd cyrri 'na!'

'Capel Cwmrâg o'dd yn arfer bod fan hyn, ond beth sy 'ma nawr? Mosg!'

Hanner chwarddodd Luis wrth alltudio'r delweddau ffantasïol o'i feddwl. Yr agosaf roedd Llinos a Gerallt Morgan wedi dod i flasu temtasiynau'r stryd hon, fe dybiodd, oedd gwibdaith yn un o'u ceir ar eu ffordd adref o'r cwrdd ryw fore Sul gyda'r ffenestri ar gau a'r drysau ynghlo a gweddill y ddinas yn eu gwelyau.

Roedd Luis yn falch iddo ddewis cerdded i'r canol, ond nawr, ar ôl pasio'r holl lefydd bwyta ar y ffordd, roedd chwant coffi arno. Teimlodd yn ei boced am ei arian anghyfarwydd a phenderfynodd y gallai fforddio un trêt bach bob hyn a hyn os oedd e'n ofalus. Crwydrodd yn ei flaen am ychydig gan daflu cip trwy ffenest ambell gaffi i geisio pwyso a mesur pa un fyddai'n debygol o gynnig y fargen orau. Roedd e'n awyddus i osgoi rhywle rhy ddrud gan y byddai hynny'n gadael blas cas yn ei geg, ond byddai dewis rhywle rhy rad yn debygol o adael blas coffi siomedig, a doedd e ddim yn siŵr pa un oedd waethaf. Yn y diwedd, dewisodd le bach tua gwaelod yr un ffordd â Polski Sklep a Sanna Silk. Aeth i mewn trwy'r drws gwydr yn barod i gydnabod y fenyw ifanc a eisteddai ar stôl y tu ôl i'r cownter, ond ni chododd honno ei phen am ei bod hi'n brysur yn anfon neges destun ar ei ffôn. Dewisodd Luis fwrdd bach crwn yn ymyl y drws ac arhosodd i'r ferch ddod ato. Roedd y caffi'n gymharol wag; dim ond pedwar person arall oedd yno a phob un o'r rheiny'n yfed diod felys allan o gan. Doedd e erioed wedi hoffi *gaseosas* siwgraidd er gwaethaf eu poblogrwydd yn ei wlad ei hun. Boi coffi oedd e, neu *mate* neu ddŵr. Gallai yfed y rhain drwy'r dydd. Ceisiodd wrando ar sgwrs y pâr a eisteddai wrth y bwrdd agosaf ato. Swniai fel rhyw fath o Gymraeg, yn ôl yr oslef, ond ni lwyddodd Luis i ddeall yr un gair. Edrychodd ar y fenyw ifanc y tu ôl i'r cownter. Roedd hi'n dal i ffidlan â'i ffôn gan anwybyddu pawb arall yn y caffi. Yna, daliodd lygad y ddynes a eisteddai wrth y bwrdd yn ei ymyl a chynigiodd wên.

'It's DIY in 'ere love,' meddai gan bwyntio â'i phen i gyfeiriad y cownter.

Deallodd Luis fyrdwn ei hystum, a chododd ar ei draed yn anfoddog a mynd draw at y ferch.

'Yeah?'

'Coffi os gwelwch yn dda.'

'Uh?'

'Coffi os gwelwch yn dda.'

'I don' know wha' you're on abou'.'

'Coffi.'

'Tha's better. With or without?'

'Coffi.'

'I 'eard you the first time, love. They comes over 'ere an 'alf of 'em can' speak a bloody word of English. It pisses me off big time.' Edrychodd y ferch ar ei chwsmeriaid eraill am gydymdeimlad ond doedd neb yn gwrando, felly trodd yn ôl i wynebu Luis. 'I'll bring ir' over.'

Doedd y coffi ddim yn dda. Yn un peth, roedd e'n wyn a gofynnodd Luis am goffi, nid coffi gwyn. Ond roedd e wedi talu amdano, felly yfodd yr hylif llaethog, gwan gan geisio dychmygu'r helynt petai rhywun wedi cyflwyno hwn iddo yn La Perla. I La Perla yr arferai fynd bob dydd yn ystod ei egwyl o'r gwaith am fod y bwyd yn rhad a'r coffi'n dda ac am fod bywyd i'w weld yno yn ei holl ogoniant. Yn La Perla y gwnaeth ei Benderfyniad Mawr ddechrau'r flwyddyn ...

*

Syllai Luis drwy ffenest y caffi prysur draw dros Plaza Once, ond ni welodd ddim byd er bod y sgwâr yn fwrlwm o fywyd canol prynhawn. Roedd ei feddwl yn bell ac ar waith. Tan yr eiliad honno doedd e erioed wedi ystyried go iawn ei fod e'n ddwyieithog. Rhyw derm a ddefnyddid i ddisgrifio pobl eraill oedd hwnnw, rhai fel señor Alvarado. Roedd señor Alvarado yn hen ac wedi teithio'r byd, a gallai siarad Saesneg yn ogystal â Sbaeneg. Nid bod hynny'n ei ddyrchafu'n uwch na'i gydbreswylwyr yn y cartref i'r henoed. Meddyliodd Luis unwaith eto am y term crand. Doedd e erioed wedi ei ddefnyddio i sôn amdano'i hun, eto i gyd gwyddai er yn blentyn bach fod ganddo ddwy iaith. Byddai plant y dref yn ei atgoffa o'i wahaniaeth bob tro yr âi yn y trỳc gydag Eduardo a'u rhieni i siopa. Roedd y ddwy cyn hawsed â'i gilydd bryd hynny, ond o dipyn i beth trodd iaith ei rieni'n fwy o hanner iaith iddo fe a'i frawd er gwaethaf ymdrechion eu mam i'w perswadio i'w defnyddio. Nawr, fodd bynnag, roedd Luis yn bwriadu gwneud yr union beth achos dyma fyddai ei allwedd aur, ei gyfle i weld y byd, fel y gwnaethai señor Alvarado oedrannus.

Yfodd weddill ei *cortado* ar ei dalcen cyn rhoi'r cwpan bach, gwyn yn ôl o fewn y rhigol gron ar y soser a phwyso'i gefn yn erbyn cefn y gadair bren. Yna, cododd ar ei draed ac ymbalfalu yn ei boced am ychydig ddarnau o arian gleision i'w gadael ar y bwrdd. Llwyddodd i ddal sylw'r gweinydd a nodiodd hwnnw ei ben mewn cydnabyddiaeth ddifater. Aeth am y drws a chamu'n hyderus i ganol gwres llethol diwedd mis Ionawr. Bu'n haf bendigedig o dwym hyd yn hyn. Yr hafau poeth oedd un o'r pethau roedd e'n ei hoffi fwyaf am fyw yn y brifddinas, er nad oedd y lle'n brin o atyniadau eraill! Doedd hafau i lawr yn y de ddim mor bendant a doedd dim dal pryd y byddai'r gwynt yn codi gan chwythu llwch i lygaid pawb, ond yma yn Buenos Aires roedd dyn yn gallu byw heb boeni am y gwynt. Ac roedd e, Luis Arturo Richards, yn sicr wedi byw ers iddo gyrraedd y strydoedd hyn, ond nawr roedd hi'n bryd iddo symud ymlaen. Câi Gabriela sioc pan glywai am ei benderfyniad ac âi i banics mawr. Byddai hi'n siŵr o ddal dig am bum munud cyfan cyn cynnig mynd â fe am bryd o fwyd i ddathlu gyda'r criw arferol a'u tynnu yn eu blaenau i ddawnsio tan y bore bach yn un o glybiau Recoleta. Ond tybed sut y byddai hi go iawn? Ni châi fawr o drafferth dod o hyd i rywun arall i gymryd ei le. Byddai cannoedd o bobl ar y pafin hwn yn unig yn fwy na pharod i'w hwpo o'r neilltu a dechrau gweithio fory nesaf. Onid dyna pam roedden nhw, fel yntau, wedi heidio yma o bob rhan o Dde America? Roedd ganddo hanner awr arall o leiaf cyn gorfod mynd yn ôl i'w waith a gweld wyneb ei bennaeth. Ei gariad. Penderfynodd fynd i eistedd ar un o'r meinciau yn y sgwâr anferth i wylio'r perfformiad beunyddiol, y puteiniaid a'r pregethwyr efengylaidd yn cystadlu am gwsmeriaid, y gwerthwyr bwyd a'r rhesi diddiwedd o bobl yn ciwio i ddal bws. Fory âi yntau i holi am bris tocyn bws i fynd â fe ar y daith hir adref i Drelew. Roedd ganddo lawer i'w wneud, llawer i'w drefnu os oedd am fynd i Gymru, ond yn gyntaf byddai angen dweud wrth ei fam a'i dad.

*

Cododd Luis a gadawodd y caffi diflas heb edrych ar neb. Chwarter awr yn ddiweddarach cerddai ar hyd Heol y Frenhines yng nghanol Caerdydd.

Pennod 4

'Gwell hwyr na hwyrach, sbo,' meddai Llinos gan droi ei phen y mymryn lleiaf tuag at Luis, a eisteddai ar ei ben ei hun yn sedd gefn y Lexus, prif gar y Morganiaid. Doedd ei cherydd ddim yn or-amlwg, ond roedd yn ddigon i fradychu ei hanniddigrwydd parhaus ag e, penderfynodd Luis. Penderfynodd hefyd nad oedd affliw o ots ganddo ac na fyddai'n trafferthu ymateb i rywbeth mor ddibwys. Gadawodd hynny i Gerallt.

'Beth yw cwarter awr fach rhwng ffrindie? Fydd neb hyd yn o'd yn sylwi,' meddai hwnnw wrth agor drws y car yn barod i gamu allan ar raean dreif y tŷ sylweddol roedden nhw newydd ei gyrraedd. Roedd mynd allan yn gymdeithasol mor gynnar â hanner awr wedi saith yn gwbl groes graen i Luis, a wnaeth e ddim ei daro ei fod e'n hwyr pan gyrhaeddodd yn ôl o ganol y ddinas toc wedi saith i weld Llinos yn y ffenest yn gynnwrf i gyd ac yn barod i fynd i mewn i'r car yr eiliad honno fel hŵr a oedd newydd fachu cleient.

'Ond ti'n gwbod cystal â fi shwt un yw Meryl. Mae popeth yn gorfod mynd fel watsh,' sibrydodd hithau wrth ganu cloch y tŷ.

'Llinos, Gerallt! Hyfryd eich gweld chi. Dewch miwn, dewch miwn! Mae pawb arall wedi hen gyrraedd. A hwn, wy'n cymryd, yw Luis, ife?'

'Ie, dyma fe. Luis – Meryl, Meryl – Luis,' cyhoeddodd

Llinos yn falch, fel petai'n cyflwyno tlws eisteddfodol i'r ddynes fronnog, ganol oed a safai yn y drws, yn gydnabyddiaeth o'i chroeso theatrig. Yna, edrychodd yn frysiog ar ei ffrog gwta, las tywyll cyn camu dros y trothwy heibio iddi ac i mewn i gyntedd mawr y tŷ i lafoerio dros ragor. Ar hynny, tynnodd Meryl ei gwestai arbennig tuag ati a phlannu cusan yr un ar ei ddwy foch yn ffasiynol dderbyniol.

'Croeso, Luis. Dere drwodd i'r lolfa i gwrdd â'r lleill. Maen nhw jest â marw ishe dy weld ti.'

Wrth iddo ei ddilyn ar hyd y llawr teils hardd ac i mewn i'r lolfa, cafodd Luis gip sydyn trwy gil ei lygad ar y pren tywyll, cerfiedig i lawr ochr y grisiau llydan ac ar hyd y banister, ac yna ar y darlun mewn olew trwchus yn dangos rhyw lethrau tywyll, garw.

'Gyfeillion, eich sylw os gwelwch yn dda. Yn boeth o Batagonia, dyma Luis!'

Ni wyddai Luis p'un ai i wrido ynteu ffoi wrth i bymtheg a rhagor o wynebau droi i edrych arno mewn parchus werthfawrogiad. Yn sydyn, roedd e'n ymwybodol iawn na chawsai amser i ymdaclu a newid i ddillad mwy addas cyn cael ei gorlannu i'r car gan Llinos, ond yna cofiodd nad oedd ganddo ddillad llawer mwy addas beth bynnag, felly nodiodd ei ben yn gwrtais i gydnabod ei gynulleidfa ddethol.

'*Hola*. Sut ydych chi?'

Fe oedd yr ifancaf yno o ddeng mlynedd. Nid bod ganddo damaid o ots am hynny, ond gwyddai y byddai angen iddo chwilio yn nyfnderoedd ei esgidiau llwm i ddod o hyd i sgiliau siarad er mwyn cyfathrebu â hanner y rhain. Dim rhyfedd bod Tomos wedi mynd allan o'i ffordd i hysbysu ei rieni bod ganddo drefniadau eraill y noson honno. Y basdad! Rhaid cofio talu'r pwyth yn ôl am hynny, meddyliodd Luis yn ysgafn.

'Be gymri di i' yfed?' holodd Meryl. '*Vino blanco, tinto, cerveza*, G a T…?'

'Base cwrw bach yn wych, diolch.'

'Ifan, dere fan hyn i gwrdd â Luis. Mae Ifan wedi bod yn y Wladfa droeon.'

Dechreuodd Luis deimlo'i galon yn suddo wrth glywed y frawddeg ddiwethaf ond llwyddodd, er hynny, i ffurfio gwên o ryw fath i'r dyn barfog mewn crys du a throwsus gwyn a gerddai tuag ato â gwydraid o win coch yn ei law.

'Fe wnes i ychydig o waith cartre cyn dod mas heno. Mab i Lewis ac Elvina Richards Trelew wyt ti, ydw i'n iawn?'

Teimlodd Luis ei hun yn suddo'n is gyda phob nano-eiliad wrth i Ifan ymhyfrydu yn ei wybodaeth fusneslyd am y llwyth colledig ym mhen draw'r byd. Yn Buenos Aires, doedd neb yn ei adnabod fel mab i neb. Doedd neb yn becso'r dam.

'Ie, dyna chi,' atebodd Luis gan ysgwyd y llaw lipa o'i flaen, 'ond dwi ddim yn byw yn Nhrelew ers rhai blynyddoedd bellach.'

'Felly, dwyt ti ddim yn gweithio yn siop dy dad?' prociodd y barfog gan adael i Luis wybod ei fod e'n gwybod rhagor am ei deulu ac nad oedd y croesholi ar ben.

'Nac ydw.'

'Ond ti yw etifedd y busnes.'

'Eduardo, 'mrawd i, fydd yn etifeddu'r busnes. Fo sy'n ei haeddu. Penderfynes i adael i weld y byd.'

'Do fe? A beth welest ti? Ble est ti?'

'I'r brifddinas.'

'Bachan, bachan! Fe godest ti dy bac a symud i Buenos Aires? Beth wedodd dy rieni?'

'Ddeudon nhw ddim byd,' meddai Luis yn gelwyddog. Ac ar ôl y storom gychwynnol yn union cyn iddo fynd, ni ddywedwyd dim byd am bron i bedair blynedd arall. Dyna faint gymerodd hi iddo fe a'i rieni wella'r clwyf a siarad â'i gilydd drachefn, ond roedd e'n benderfynol nad ganddo fe y byddai'r busnesgi hwn yn clywed eu hanes. Câi ddigon o gyfle i holi perfedd ei gronis ar Facebook i wybod mwy, meddyliodd Luis.

'Sut wyt ti, Luis? Nia ydw i . . . Nia Jenkins.'

Trodd Luis i gyfeiriad y llais wrth ei ochr.

'Su'mae?'

'Dwi'n ffrind i Llinos a Gerallt. A be ti'n feddwl o Gaerdydd 'te?'

'Mae Caerdydd yn hyfryd, o'r hyn dwi wedi'i weld, ond mae'n fach.'

'Ti'n meddwl?'

'Mae Luis yn byw'n fras yn Buenos Aires,' ymyrrodd y busnesgi, 'dyna pam mae e'n gweld fan hyn yn fach. Ydw i'n iawn?'

'Faswn i ddim yn deud 'mod i'n byw'n fras,' cywirodd Luis heb droi i edrych arno. 'Mae gen i fywyd da ond tydio ddim yn fras.'

'Buenos Aires, y ddinas sy byth yn cysgu,' parhaodd Nia.

'Mae hi siŵr o fod yn llwyddo i gau ei llygaid am ryw awr fach ymhob pedair awr ar hugain cyn i bopeth ddechrau o'r newydd, ond fydd ei strydoedd byth yn cysgu'n llwyr,' meddai Luis yn ysgafn. Erbyn hyn roedd Ifan wedi symud oddi wrthyn nhw a dechrau sgwrsio â dyn arall yn ei ymyl. 'Ond ar yr un strydoedd mae llawer o'i thrigolion yn cysgu. Miloedd ar filoedd ohonyn nhw. Teuluoedd cyfan weithie,' ychwanegodd yn fwy difrifol.

'Ond on i'n meddwl bod Buenos Aires yn crafu ei ffordd 'nôl ar ôl yr argyfwng economaidd.'

'Dwi ddim yn credu y base'r digartre na'r *cartoneros* yn rhannu'ch optimistiaeth chi.'

'*Cartoneros*?'

'Nhw yw cydwybod y ddinas. Mae miloedd ohonyn nhw'n crafu bywoliaeth o ryw fath drwy glirio ac ailgylchu'r mynyddoedd o sbwriel o'r strydoedd ar ôl i'r bobl sy'n creu'r sbwriel yn y lle cynta orffen gweithio am y dydd a mynd adre at eu teuluoedd. Gweithwyr y nos ydyn nhw. Yr anweledig rai. Plant a'u rhieni. Hen bobl. Hebddyn nhw byddai anhrefn llwyr. Mae pawb yn gwbod hynny a dyna pam maen nhw'n eu parchu, ond maen nhw'n dal i fod ar waelod y domen, serch hynny.'

Sylwodd Luis fod Nia wedi symud y mymryn lleiaf oddi wrtho.

'Mae'n swno'n ofnadw,' oedd ei hunig sylw hithau.

'Mae'n uffernol.'

Ar y gair, hwyliodd Meryl tuag ato a'i bronnau sylweddol yn dawnsio yn ei ffrog las tywyll y tu ôl i'r gwydryn a ddaliai yn ei llaw.

'Dyma ti. *Cerveza* i'n gwestai arbennig!'

Diolchodd Luis yn dawel bach am ei hamseru perffaith a chymerodd y cwrw oddi arni'n fodlon cyn llyncu dracht ohono. Yna, cydiodd Meryl yn ei fraich a'i dywys ar draws yr ystafell yn fwriadus gan fwmial dan ei gwynt ar yr un pryd.

'Mae Nia'n tueddu i fod braidd yn ddiniwed, cariad. Gair i gall. Dyw hi ddim yn gyfarwydd â chlywed geirie cas fel "uffernol" y tu fas i gyd-destun yr Hen Destament. Byd glân yw ei byd hi, ti'n gweld. Lle i bopeth a phopeth yn ei le. Wel, lle i bron popeth, ond ti'n gwbod beth wy'n feddwl.'

Hanner chwarddodd Luis er ei waethaf. Hoffai'r fenyw hwyliog hon a safai wrth ei ochr yn ei ffrog a oedd ychydig bach yn rhy fyr ac yn llawer rhy dynn iddi.

'Nawr 'te, dere inni gael gweld a oes rhywun mwy diddorol 'ma. Rolant, cariad, dere draw fan hyn i siarad â Luis.'

Gwyliai Luis y dyn golygus a gerddai'n hyderus o hamddenol tuag ato fe a Meryl, ac ni allai lai na sylwi ar y ddealltwriaeth gynnil a fodolai rhwng y ddau. Roedd ei wallt trwchus, melyn wedi ei gribo'n ôl dros ei gorun gan amlygu ei dalcen rhychog a'r wyneb a oedd yn dechrau cofleidio canol oed. Roedd ei siwt liain o liw llechen a'i grys sidan, glas golau yn drawiadol o wahanol i'r hyn a wisgai gweddill y dynion a oedd yn bresennol, ac roedd e'n hollol ymwybodol o hynny, meddyliodd Luis.

'Sut wyt ti, Luis?' meddai gan estyn ei law.

'Braf iawn dy gyfarfod.'

'Rolant yw un o'n prif actorion ni,' cynigiodd Meryl â balchder diffuant.

'Faswn i ddim yn mynd cyn bellad â hynny, Mer,' atebodd yr actor gan dynnu gwep yn hunanfychanol ond gan werthfawrogi'r geirda ar yr un pryd.

'Wel, mae'n wir, a ti'n gwbod hynny'n nêt,' heriodd hithau gan blethu ei braich am ei fraich yntau. 'Nawr, wy am iti ddishgwl ar ôl Luis tra bo fi'n cylchynnu. Wy'n gweld bod un neu ddou arall newydd gyrraedd.' Ar hynny, dadfachodd ei braich a chwythodd gusan i gyfeiriad y ddau ddyn a safai'n wynebu ei gilydd, cyn diflannu i'r cyntedd lle roedd y newydd-ddyfodiaid yn loetran.

'Ydy, cyn i chdi ofyn, mae hi bob amser fel 'na. 'Mond un Meryl sydd,' cychwynnodd Rolant yn hwyliog amddiffynnol.

'Dwi'n hoff iawn o bobl wahanol,' atebodd Luis.

'A be amdanat ti? Wyt ti'n wahanol?'

'Wel, dwi'n wahanol i bawb fan hyn achos 'mod i'n dod o wlad wahanol.'

'Ia, ond a wyt **ti'n** wahanol? Ti dy hun.'

'Caiff pobl eraill benderfynu hynny,' atebodd Luis heb wybod yn iawn i ble'r oedd y sgwrs yn mynd.

'Diplomydd. A be'n hollol ydy dy waith di, Luis?'

'Dwi'n ddi-waith ar y funud,' atebodd yr Archentwr gan osgoi ateb yn llawn. Er iddo gael llond bola ar ei hen swydd cyn rhoi'r gorau iddi a neidio ar awyren i Gymru, doedd arno 'run gronyn o gywilydd o'r hyn yr arferai ei wneud. Ond yr eiliad honno, ac yntau'n wynebu un o 'brif actorion' y wlad, câi drafferth cyfaddef mai prif was bach cartref hen bobl mewn ardal ddigon llwm yn Buenos Aires oedd ei job cynt. Rhywsut doedd hynny ddim mor apelgar ag actio er mwyn ennill ei damaid.

'Mae gynnon ni o leia un peth yn gyffredin 'lly,' parhaodd Rolant gan wenu. 'Er gwaetha cyflwyniad mawreddog Meryl, tydw inna ddim yn gweithio ar hyn o bryd chwaith. Dwi'n gorffwys, fel maen nhw'n ei ddeud. Dyna dynged actorion ym mhob man, mae'n debyg!' A ffugiodd hunandosturi dros ben llestri a barodd i Luis wenu'n ôl arno. 'Felly, dwi'n treulio fy amser yn mynd o barti i barti gan fyw ar drugaredd a charedigrwydd pobol erill, pobol fatha Meryl.'

'Braf ar rai!'

'Am faint wyt ti yma?'

'Nes i'r arian ddod i ben, sy'n golygu falle bydda i'n mynd 'nôl wthnos nesa y ffordd dwi'n gwario! O ddifri, dwi'n gobeithio ga i aros 'ma am ychydig fisoedd o leia.'

'I weld Cymru a'r Cymry yn eu holl ogoniant.'

'Rhwbeth felly. Beth ydy dy faes di o ran actio?' gofynnodd Luis mewn ymdrech i newid cyfeiriad y sgwrs yn gymaint â dangos gwir ddiddordeb yng ngyrfa Rolant.

'Fe wna i unrhyw beth yn y bôn, ond fy nghariad cynta ydy'r theatr. Mae'n fwy difyr na gwaith teledu, ond bydda i'n gofyn i fi fy hun weithia pam ddiawl dwi'n trafferthu. Mae theatra'r wlad yn hanner gwag. Mae'n haws rhentu DVD neu ffilm ar-lein na gadael y tŷ i fynd i weld drama Gymraeg, mae'n amlwg.'

'Mae theatre Buenos Aires yn orlawn fel arfer, ond mae ein teledu'n ffwcedig.'

'Ffwcedig! A ble dysgest ti'r ffasiwn air lliwgar, señor . . . be 'di dy gyfenw?' holodd yr actor gan chwerthin.

'Richards. Luis Richards.'

'Ble dysgest ti'r ffasiwn air lliwgar, señor Richards?'

'Gan Tomos, un o feibion y tŷ lle dwi'n aros. Dwi'n trio dysgu gair newydd bob dydd.'

'Wel, mi ddysgaist ti un da iawn fan 'na. Ffwcedig o dda. Hefo pwy ti'n aros, gyda llaw? Ddaru Meryl ddim sôn . . .'

'Maen nhw draw fan 'na,' atebodd Luis gan bwyntio

â'i ben i gyfeiriad Llinos a Gerallt Morgan, oedd yn sgwrsio'n ddwys â phâr arall ac yn sipian eu sudd oren bob yn ail air.

'Iesu bach, mae petha 'di newid os ti'n dysgu geiria fatha hwnna yng nghartra Llinos a Gerallt! I ba beth mae'r byd yn dod?'

'Pam 'te, ti'n nabod nhw?'

'Nabod nhw? On nhw yn y brifysgol yr un pryd â fi.'

'Aberystwyth?'

'Sut oeddat ti'n gwbod?'

'Tomos eto,' atebodd Luis gan wenu.

'Mae Tomos yn swnio'n foi difyr iawn. Yn fwy difyr na'i fam a'i dad. Sut mae'r hen Llinos a Ger y dyddia 'ma?'

'Duwiol.'

Ar y gair, rhyddhaodd Rolant floedd o chwerthin a barodd i bawb arall yn yr ystafell droi ac edrych arno, ond eu hanwybyddu wnaeth yr actor a llyncu gweddill ei win coch ar ei dalcen.

'Estw-blydi-pendo! Un da wyt ti, 'rhen Luis. Wsti be, on nhw ddim yn arfer bod felly. Cafon nhw dröediga'th ar ôl symud i fyw i'r brifddinas, ar ôl penwythnos budr yn Damascus ar y ffordd mae'n rhaid, a dyna oedd eu diwadd nhw. A rŵan tydan nhw ddim yn mentro'n bellach na drws y capal Cymraeg, giatia'r ysgol Gymraeg ac amball sosial gan y Gymdeithas Gymraeg.'

'Chwarae teg, maen nhw'n groesaw–'

'Gerallt! Wel, sôn am y Diafol ac mi ddaw ar y gair! Sut wyt ti ers tro byd?' A chydiodd Rolant yn llaw'r newydd-ddyfodiad a'i hysgwyd yn theatrig o frwd.

'Da iawn achan, da iawn wir. Mae'n dda 'da fi weld fod

ti'n difyrru Luis fan hyn,' atebodd Gerallt gan roi ei law rydd yn dadol ar ysgwydd y tramorwr ifanc.

'I'r gwrthwynab. Fo sy'n 'y niddanu i.' Edrychodd Rolant yn hen ffasiwn ar Luis cyn torri'n rhydd o'r cylch bach, gwrywaidd i gofleidio Llinos a oedd ar fin ymuno â nhw. 'Llinos, rŵan hyn oedd Luis a finna'n sôn amdanat ti.'

'On i'n clywed rhyw wherthin mawr 'ma ac on i'n bown' o ddod i weld beth odd yn eich coglish!'

'Www, 'sat ti'n synnu, ond mi gei ditha siâr hefyd os t'isho!'

Trodd Llinos ei phen i edrych ar Luis, ac am yr eildro ers iddo ddychwelyd yn hwyr o ganol y ddinas sylwodd fod 'na gerydd yn ei hosgo; dim byd mawr, ond roedd e yno fel cynt. Roedd yn ddigon i ddangos iddo nad oedd hi'n fodlon ar y cwmni roedd e wedi ei ddewis. Roedd yn rhoi gwybod iddo ei bod wedi synhwyro mai hi a'i gŵr oedd testun eu chwerthin mawr. Ai dyna pam y daethai hi a Gerallt draw?

'Ti'n fishi, Rolant?' gofynnodd hi, gan ddewis anwybyddu sylw blaenorol yr actor.

'Ydw i'n gweithio? Ai dyna ti'n feddwl? Wel, dwi'n aros i gychwyn ymarferion yn Chapter fel mae'n digwydd, cyn mynd ar daith o gwmpas y wlad. Mae'n chwip o ddrama gyffrous gan awdur on i 'rioed wedi clywed sôn amdano fo o'r blaen. Boi o ochra . . .'

'So ni 'di bod i Chapter ers blynydde nag ŷn ni, Gerallt?' meddai Llinos fel petai'n ymfalchïo yn y cyhoeddiad.

'Wneith o ddim drwg ichi fentro y tu hwnt i'r *ghetto* amball waith, wyddoch chi. Yn un peth, mi fasach chi'n helpu i gadw hen ffrind mewn gwaith.'

'Mae'n amlwg nad wyt **ti** wedi gwrthod swyn y *ghetto*

neu fyddet ti ddim 'ma heno, Rolant Pierce!' oedd ateb parod Llinos gan edrych i fyw llygaid yr actor ac yna ar ei gŵr am gefnogaeth.

'Ia, ond fydda i ddim yn aros 'ma . . . oni bai bod rhywun yn gofyn yn neis neis i mi, hynny ydy! A fory mi fydda i'n rhan o'r byd mawr y tu allan i'r *ghetto* eto. *Ghetto* eto. Mae'n odli.'

'Dewch, dewch,' torrodd Gerallt ar eu traws yn ei ffordd gymodlon, arferol.

'Na, dowch, dowch chitha. Dowch i Chapter fis nesa. Dowch â Luis hefo chi i weld y ddrama. Mi fasa ymweliad â Chapter yn bennod yn ei addysg o. 'Sgiwsiwch y gair mwys.'

'Ble mae Chapter a beth ydy o?' holodd Luis ar yr adeg briodol yma yn y sgwrs. Tan nawr bu'n ddigon bodlon cadw'n dawel am ei fod yn mwynhau pob eiliad o'r siew rhwng y tri Chymro.

'Mae Chapter yng nghanol *ghetto* Cymraeg arall,' atebodd Rolant fel llucheden. 'O ddifri, dylet ti biciad yno i weld y lle. Mae'n llawn lyfis ond mae'n ddigon difyr.'

'Be ydy "lyfis"?'

'Lyfis . . . cwestiwn da. Sut fasach chi'n disgrifio lyfis?' gofynnodd Rolant gan droi at y Morganiaid am help.

'Wel, rwyt ti'n un,' atebodd Llinos, 'ond dyw hi ddim wastad yn hawdd i ddyn weld hynny pan mae trawst yn ei lygad ei hun!'

'Miniog! Rhaid bod y cyllyll yn fflachio bob amser bwyd yn tŷ chi. Jest y peth i gadw dyn yn ifanc, Ger!'

Bu bron i Luis godi cywilydd arno fe'i hun, ond llwyddodd o drwch blewyn chwannen i ffrwyno'i awydd i chwerthin yn uchel.

'O ddifri, dylsach chi ddŵad. Mi dria i gael tocynna i chi er mwyn eich temtio, ac yna'r tro nesa gewch chi dalu eich hun. Gyda llaw, ydach chi'n nabod Siwan Gwilym, y ffotograffydd? Mae ganddi arddangosfa ragorol yn Chapter ar hyn o bryd.'

'Siwan Gwilym? Na, alla i ddim gweud bo fi'n . . .'

'Dwi'n ei nabod hi,' meddai Luis.

Pennod 5

'AC MAE GIGGS yn torri'n rhydd o ganol y cae. Ble mae'r gefnogaeth? 'Sneb gyda fe, mae e ar ei ben ei hun, ond mae e'n taranu yn ei flaen, heibio Tevez, heibio Ronaldo, heibio van Persie a Kaká... dim ond Casillas sy rhyngddo fe a gogoniant... ac mae miwn! Gôôôl! Mae'r dorf yn mynd yn wyllt! Cymru 1 – Gweddill y Byd 0.'

Chwarddodd Luis ac Oli ar sylwebaeth ffantasïol, dros-ben-llestri Tomos a syrthiodd y tri'n swp ar wair cynnes y parc gan orwedd yno yn eu chwys a brwydro am eu gwynt am rai munudau. Er gwaethaf y ffaith ddiymwad nad oedd lefel eu ffitrwydd gystal ag egni di-ben-draw eu cyfaill deg oed, doedd y ddau hŷn ddim yn barod eto i roi heibio'r pethau bachgennaidd a dalai ffortiwn bob wythnos i gyfrifon banc chwyddedig eu harwyr rhyngwladol. Dyma oedd yr hapusaf roedd Luis wedi teimlo ers iddo lanio ym maes awyr di-ddim Caerdydd, meddyliodd. Nid ei fod e'n anhapus ers iddo ddechrau rhodio priffyrdd a pharciau Cymru. Na! Na! Na! Ond tan nawr roedd e wedi gorfod ymdopi â chyfarfod llu o bobl newydd bob dydd, a cheisio deall eu sgwrs gan wenu yn y mannau priodol a chadw'n dawel pan oedd hynny'n ddoeth. Roedd e wedi gorfod ymdopi â'r Cymry a'u harferion rhyfedd. Roedd e wedi gorfod addasu ei ddisgwyliadau diniwed. Yr eiliad honno, fodd bynnag, roedd e'n gwbl fodlon ei fyd. Yn wahanol i neb o'r criw a adwaenai yn Buenos Aires, cawsai yntau ddod i ochr arall y byd. Wrthi'n ystyried ei lwc dda oedd e pan laniodd y bêl y buon nhw'n ei chicio cynt yn grwn rhwng ei goesau. Cododd ar ei eistedd fel petai ton drydanol wedi ffrwydro trwy ei gorff a gwaeddodd mewn poen cyn tynnu ei goesau at ei frest ac anwesu ei loes. Ar ôl i'r boen leddfu o'r diwedd, neidiodd ar ei draed a dechrau rhedeg ar ôl Oli.

'Fe ladda i di'r cythral bach!' rhybuddiodd Luis er ei fod yn colli'r ras rhyngddo fe a'r bachgen. 'Tomos, cer rownd yr ochr arall i' stopio fo rhag dianc!'

Buan iawn y daeth yr helfa i ben pan lwyddodd Tomos i gydio ym mraich ei gymydog ifanc a'i ddal nes bod Luis yn cyrraedd.

'Beth am fynd â fe draw at y nant? Gei di dwlu fe miwn, Luis.'

'Cydia di yn ei goese fo 'ta ac fe garia i o gerfydd ei freichie. Rwyt ti'n mynd i ddifaru dy enaid fod ti 'di gwneud hynna, *chico*!'

Chwarddai'r tri'n uchel wrth i Oli geisio torri'n rhydd rhag eu gafael a gweiddi gwrth-fygythiadau ar y ddau hŷn. Daeth y rhialtwch i ben yn ddirybudd wrth i lais mam Oli rwygo trwy'r sŵn yn y parc.

'Oliver, ger 'ere now an' leave Thomas an' wha's 'is name alone!'

'"Wha's 'is name" is called Luis,' galwodd Tomos gan gyfeirio'i ddirmyg at ei gymdoges a safai o flaen y clwydi a'i breichiau wedi eu plethu dros ei thop cynllunydd diweddaraf.

'Come on, 'urry up, we're goin' out.'

'Mam, I don't want to go out. I want to stay with Tomos and Luis,' ymbiliodd Oli.

'Yeah, he can stay with us. It's called "having fun", Steph. He'll be alright.'

'Oliver, ger 'ere now, I said,' parhaodd hithau gan anwybyddu cynnig Tomos.

Dechreuodd y bachgen gerdded yn araf tuag at ei fam a'i wyneb fel symans. Ymhen ychydig gamau trodd yn ôl i wynebu'r ddau arall.

'Fi'n casáu honna weithie,' meddai'n ddiemosiwn. 'Mae hi'n ffycin wallgo.'

Ni ddywedodd yr un o'r ddau arall yr un gair, dim ond edrych ar Oli'n cael ei rwydo'n nes at y fenyw wrth y gât.

'O enau plant bychain,' meddai Tomos ar ôl i Oli ddiflannu o'r golwg, ond doedd dim arlliw o goegni'n perthyn i'w eiriau.

Eisteddodd y ddau ar y gwair cynnes a'u synfyfyrio tawel yn archwilio mannau dirgel, anghynnes eu profiadau personol.

'Mamau,' meddai Luis ymhen tipyn gan dorri ar y mudandod hir.

'Ond mae 'na famau . . . ac mae 'na Steph.'

'Mae o fel tegan iddi, fel dol.'

'Ond 'i fod e'n ateb 'nôl ambell waith.'

'Ond mae hi'n dal i gael ei ffordd.'

'Mae'n debyg bod ni'n dou wedi bod yn lwcus.'

Gwenu wnaeth Luis, ond gallai Tomos weld bod cyfrolau dieiriau yn y wên honno. Ymhen ychydig, codod y ddau a dechrau cerdded yn ôl at y tŷ.

'Ble mae Chapter?' gofynnodd Luis pan oedden nhw ychydig gamau o ddrws y ffrynt. 'Ydy o'n bell o fan hyn?'

'Chapter? Nag yw, ddim yn bell iawn. Pam?'

'Dwi isho mynd yno i weld arddangosfa.'

'Os arhosi di nes bod Gwion yn dod adre, af i â ti yno yn y car,' cynigiodd Tomos.

'Allwn ni gerdded yno?'

'Gallwn, sbo. Wnaiff hi gymryd rhyw awr o fan hyn, pum deg munud os cerddwn ni'n glou. Pam ti ar gymaint o frys?'

'Dwi ddim ar frys, ond dwi'n awyddus i weld yr arddangosfa, dyna i gyd.'

'Pa fath o arddangosfa yw hi 'te?'

'Ffotgraffiaeth, a dwi'n nabod y ferch dynnodd y llunie.'

'Fi'n gweld! Dyna pam mae'r *gaucho* bach brwnt ar gymaint o frys!'

'Doniol iawn!'

'Shwt wyt ti'n nabod hi 'te?'

'Be ti'n awgrymu? Bod "*gaucho* bach brwnt" o Batagonia ddim yn ddigon da i nabod ffotograffydd o Gymru?'

'Felly, ti'n cyfadde fod ti'n frwnt!'

'Dy air di oedd hwnna.'

'Dere, gei di brynu diod i fi ar y ffordd.'

*

'Mae'r rhain yn dda,' meddai Tomos gan gadw ei lygaid ar y lluniau o'i flaen.

'Maen nhw'n well na hynny, maen nhw'n ardderchog, yn enwedig y rhai du a gwyn.'

'Rheina wy'n lico hefyd.'

'Maen nhw'n gweddu'n well i'r testun, rhywsut. Maen nhw'n galetach. Edrych ar y ffordd mae hi wedi dal y goleuni ar wyneb y ferch 'na,' ychwanegodd Luis gan gamu'n ôl oddi wrth y llun er mwyn i Tomos gael gwell golwg.

'A 'co'r adlewyrchiad ar y llawr gwlyb. Waw!'

'Hwn ydy'n ffefryn i,' meddai'r Archentwr gan bwyntio at lun o griw o arddegwyr yn syllu'n herfeiddiol i'r camera. Smygai un neu ddau ac yfai un ferch dros ben potel fawr, blastig. Yn un o'i haeliau gwisgai fodrwy ac roedd modrwy hefyd ar bob un o'i bysedd. Ceid y mymryn lleiaf o wên ar wyneb y llanc a safai ar y chwith iddi, a chodai hwnnw ei fys canol mewn protest wrthryfelgar a oedd hefyd yn chwareus. O'u cwmpas roedd y tir yn ddiffaith.

'Ble yn union gafodd y rhain eu tynnu, ti'n meddwl?' holodd Luis.

'Sa i'n gwbod, wy byth yn mynd i'r Cymoedd.'

'Pam felly?'

'Dwi 'rio'd wedi cael rheswm i fynd 'na.'

'Ble maen nhw beth bynnag? Mae'n enw od... Y Cymoedd. Mae fel deud "Y Mynyddoedd"! Enwa rai o'r trefi sy 'na. Falle bydda i'n gwbod wedyn.'

'Dere weld... Pontypridd, Merthyr... Dyna rai o'r llefydd enwoca ffor' hyn, ond mae'r Cymoedd yn dechre yn y gorllewin yng Nghwm Gwendraeth ac yn ymestyn ar draws y de bron at y ffin.'

'Ond be sy 'na?'

'Ardal yw hi. Ardal boblog. Odd hi'n arfer bod yn llawn pylle glo, a rhyw bethe felly. Sa i'n gwbod. Fel wedes i, wy byth yn mynd 'na. 'Shgwl, maen nhw'n llawn strydoedd amhosib fel hon.' Pwyntiodd Tomos yn frysiog at un o'r lluniau yn yr arddangosfa mewn ymgais i'w helpu i ddod dros ei letchwithdod amlwg, ond gwyddai fod y ddelwedd a gynigiai i'w gyfaill yn un druenus o syml ac anghyflawn.

'Wyt ti wedi clywed am rywle o'r enw Rhydaman?' holodd Luis.

'Odw. Mae Rhydaman yn y Cymoedd... Cymoedd y Gorllewin... wy'n credu bod hi ta beth.'

'Credu? Dy'ch chi'r Cymry ddim yn gwbod llawer am ddaearyddiaeth eich gwlad!'

'Gwranda ar Christopher ffycin Columbus fan hyn!'

'Cristóbal Colón ti'n feddwl.'

'Y?'

'Dyna'i enw fo yn Sbaeneg.'

'Ife nawr? Ta beth, pam ti'n holi am Rydaman?'

'O fan 'na mae fy hen dad-cu'n dod yn wreiddiol... neu fy hen, hen dad-cu hyd yn oed, dwi ddim yn cofio rŵan. Gadawodd o Gymru amser maith yn ôl beth bynnag.'

'Felly, fe sy'n gyfrifol!'

'Gyfrifol am beth?'

'Amdanat ti... am y brych 'ma sy'n gofyn yr holl gwestiyne coc am lefydd od yn nhwll din y Cymoedd!' cellweiriodd Tomos.

'Wel, rhannol gyfrifol. Mae'n cymryd dau i wneud babis, ti'n gwbod! Ond falle nad ŷch chi'r Cymry'n gwbod hynny chwaith!'

'Piss off!' ebychodd Tomos gan bwnio braich ei ffrind.

'Licswn i fynd i Rydaman tra 'mod i yma, i weld y lle... i weld fy ngwreiddie. Falle bod gen i deulu yno o hyd. Falle'u bod nhw'n gyfoethog!'

'Fe ddo i gyda ti os ti'n moyn.'

'Bydd hi fel mynd dramor i ti!'

'Weda i 'to. Piss off, *gaucho*!'

'Gyda llaw, sut wyt ti'n gwbod mor bendant bod y llunie 'ma wedi cael eu tynnu yn y Cymoedd?' gofynnodd Luis gan droi'n ôl at y ffotograffau.

'*Doh!* Achos dyna enw'r arddangosfa! Edrych, "Cip ar y Cymoedd: lluniau newydd gan Siwan Gwilym". Gwêd ar fy ôl i, "Cip ar y Cymoedd".'

'*Vete a la mierda!*' saethodd Luis gan ddechrau cerdded i ffwrdd i gyfeiriad y caffi a'r bar.

'Www! 'Sdim ishe bod fel 'na. Cadw fynd. Dyna ti,' meddai Tomos gan ddal ysgwyddau Luis o'r cefn a'i lywio tuag at y byrddau. 'Mae arnat ti ddiod i fi!'

*

Yfodd Tomos weddill ei Leffe a chodi i fynd i'r tŷ bach gan adael Luis i sipian ei ail gwpanaid o goffi ar ei ben ei hun yn y Cwtsh, neu'r 'Cwtch' yn ôl yr arwydd ar y pared. Gwyliai'r mynd a dod parhaus a theimlo'n braf ei fyd. Roedd yn hoffi Chapter, penderfynodd. Câi ei atgoffa o'r ganolfan yn Mario Bravo yn y Barrio Norte lle byddai e a Gabriela'n mynd am ddogn o fywyd gwahanol a wynebau gwahanol bob hyn a hyn. Ambell waith fydden nhw'n gwneud dim byd mwy nag eistedd yno ac yfed coffi, fel y gwnâi yr eiliad honno, gan glustfeinio ar sgyrsiau pobl eraill o'u cwmpas a mwynhau'r teimlad o fod yn fyw. Señor Alvarado gyflwynodd e i'r ganolfan, fe gofiodd, pan ofynnodd iddo fynd ag e yno un diwrnod 'i weld y lle am y tro ola'. Helpodd yr hen ddyn i wisgo'i siwt orau a'i het urddasol o gyfnod pell yn ôl, rhoddodd flodyn bach melyn yn ei label a bant â nhw yn y tacsi drwy strydoedd llawn y ddinas. I fan 'na yr arferai'r hen ddyn fynd gyda'i wraig pan oedd hi'n fyw, cyn i'r canser gael gafael arni a dod â'u partneriaeth oes i ben. Mynnai señor Alvarado yn dragywydd y byddai hi wedi dod dros y clefyd petai'n byw mewn gwlad arall, ond bod blaenoriaethau amgen gan lywodraeth yr Ariannin ar y pryd a doedd iechyd a lles ei phobl ddim ymhlith y rheiny. Ni wyddai Luis faint o wirionedd a berthynai i eiriau'r hen ddyn ond ni fyddai byth yn tynnu'n groes i'w brotest dawel. Ceisiodd feddwl am enw'r ganolfan ond ni allai yn ei fyw ei gofio. Doedd e ond wedi bod yng Nghymru am ddeg diwrnod ac roedd e'n dechrau anghofio Buenos Aires yn barod, ceryddodd ei hun. Gwenodd yn ysgafn, ond llechai'r mymryn lleiaf o anesmwythyd yng nghornel ei feddwl, er hynny.

'Luis!'

Dihunwyd Luis o'i synfyfyrio gan lais hyderus Rolant Pierce, a safai o'i flaen mewn crys du a jîns du gan bwyso'i ddwy law ar y ford fach, hirsgwar.

'Rolant!'

'Felly, mi ffeindiast ti'r lle.'

'Do, efo help To– a dyma fo ar y gair, efo help Tomos fan hyn. Tomos, dyma Rolant . . . Rolant Pierce.'

'Chdi ydy Tomos! Sut wyt ti, 'ngwash i?'

'Shwmae.'

'Felly, chdi 'di'r un sy 'di bod yn dysgu geiria masweddus i'n hymwelydd bach diniwad o Batagonia?'

'Sori?'

'Paid â chymryd sylw o Rolant,' meddai Luis gan wenu, 'mae o wrth ei fodd yn corddi.'

'Wel, gadewch imi ymddiheuro wrth y ddau ohonoch chi am eich corddi a gwneud yn iawn am unrhyw gamwedd,' cyhoeddodd Rolant yn ffug-rodresgar. 'Be gymrwch chi i' yfad?'

'Dim byd i fi, diolch,' atebodd Luis.

'Paid â malu cachu. Be gymri di?' mynnodd Rolant.

'Dŵr 'ta.'

'Dŵr? Ty'd yn dy flaen, hogyn, dewis wbath cryfach na hynna! Ti yng Nghymru rŵan. Tomos, be gymri di?'

'Iawn, gaf i Leffe arall. Diolch.'

'Tri Leffe 'ta,' a brasgamodd Rolant at y bar hir.

'Pwy ddiawl yw hwnna?' gofynnodd Tomos pan oedd hi'n briodol siarad eto.

'Actor.'

'A shwt ti'n ei nabod e? Iesu, ti ond wedi bod 'ma bum munud a ti'n nabod pawb!'

'Cwrddon ni'r nosweth es i efo dy fam a dy dad i'r parti 'na. Ti'n cofio, pan ddeudest ti fod gen ti drefniade eraill, y basdad.'

'Ie, wel...'

'Mae o'n nabod dy rieni'n dda.'

'O na, plis! Wy'n mynd o 'ma.'

'Paid poeni, mae o'n iawn. Hynny ydy, mae o'n reit wahanol i dy fam a dy dad,' sicrhaodd Luis e wrth weld y cwmwl yn disgyn ar draws wyneb ei ffrind. Prin bod y geiriau wedi gadael ei geg pan ddisgynnodd cwmwl o fath gwahanol ar draws ei wyneb yntau. Teimlai'n euog – doedd e ddim wedi bwriadu ensynio unrhyw arlliw o feirniadaeth o Llinos a Gerallt Morgan, yn enwedig wrth eu mab, waeth pa mor gyfeillgar roedd e a Tomos erbyn hyn. Roedd cefnfor o wahaniaeth rhyngddo fe a'r Morganiaid hŷn, gwyddai hynny'n berffaith, ac roedd hi'n hawdd eu gwawdio, ond gwyddai hefyd eu bod nhw wedi agor eu cartref iddo a dangos consýrn. Roedden nhw'n ei gefnogi yn eu ffordd eu hunain. Chwiliodd wyneb Tomos am awgrym bod hwnnw wedi gweld yn chwith, ond doedd dim byd yn ei fradychu, felly gadawodd Luis i'w bryder ymdoddi i'r sŵn o'u cwmpas. Ond aros a wnaeth ei euogrwydd, serch hynny.

'Wy'n gallu gweld 'ny, ond shwt maen nhw'n nabod ei gilydd?' holodd Tomos.

'Iechyd da!' cyhoeddodd Rolant gan osod y diodydd ar y ford a phlannu ei ben ôl ar gadair gyferbyn â'r ddau arall.

'Iechyd da!'

'Wel, 'rhen Tomos, mi wyt ti'n fwy agorad dy feddwl na dy rieni. Fyddan nhw byth yn dŵad i Chapter, meddan nhw,' pryfociodd yr actor. 'Mae isho iti ddangos dy ddylanwad a'u perswadio nhw i ddŵad hefo chdi amball waith.'

''Sda fi ddim tamed o ddylanwad dros Llinos na Gerallt, mae arna i ofan. Maen nhw'n neud fel mynnan nhw,' atebodd Tomos gan ffugio pryder rhiant dros ei blant anystywallt. Gwenodd y tri.

'Be 'dach chi'n feddwl o'r arddangosfa?' holodd Rolant yn fwy difrifol.

'Ffantastig. Mae Siwan Gwilym yn ddawnus iawn.'

'Hynny yw, mae Luis yn meddwl bod 'na dalent 'na!' ymyrrodd Tomos yn awgrymog.

'Beth? Ydw i wedi deud rhywbeth yn anghywir?'

'Jest tynnu dy go's!'

'Roedd hi yma gynna,' cynigiodd Rolant.

'Pryd?'

'Rhyw ddwyawr yn ôl. Roedd hi'n cael ei holi ar gyfer rhaglen deledu.'

'Ydy hi'n byw'n agos i Chapter?' holodd Luis.

''Sgynna i ddim syniad. Tydw i ddim yn ei nabod hi, ond mae llawar o'r *arty types* yn byw rownd ffor 'ma.'

Edrychodd Luis ar Rolant ac yna ar Tomos am eglurhad.

'Pobol y celfyddyde a'r cyfrynge mae Rolant yn ei feddwl.'

' "Lyfis"?'

'Dyna chdi. Mi gofiaist ti'r gair!'

'Sut mae'r ymarferion yn mynd?' holodd Luis.

'Reit dda. Mae gynnon ni sbelan i fynd eto, ond dylian ni'i gneud hi mewn pryd. Mae gen i ffydd . . . a gobaith, hyd yn oed os nad oes gen i gariad!'

Fflachiodd wyneb Meryl drwy feddwl Luis, ond penderfynodd mai callach oedd peidio â gwneud unrhyw sylw amdani, un digrif neu ddifrif.

'Mae Rolant yn actio mewn drama newydd. Mae'n agor fan hyn fis nesa cyn mynd ar daith,' eglurodd Luis wrth Tomos.

'O ia, mi wnes i addo trio cael tocynna ichi hefyd, yn do? Gei di ddŵad yn lle dy fam a dy dad os t'isho.'

Nodiodd Tomos ei werthfawrogiad a sipian ei ddiod yr un pryd. Eisteddodd y tri yn y Cwtsh am hanner awr arall. Siaradodd Rolant am y ddrama, soniodd Tomos am ei fwriad i weld y byd a disgrifiodd Luis ei argraffiadau o Gaerdydd gan ofalu na chlywodd y ddau arall bopeth. Prynodd Rolant gwrw arall i bawb gan fynnu talu unwaith eto am ei fod 'yn ennill am y tro' a chafwyd amser da gan bawb. Yna, cododd yr actor yn ddisymwth a chyhoeddi bod yn rhaid iddo fynd yn ôl at ei waith. Ychydig yn ddiweddarach, cerddodd y ddau arall heibio'r bar a thrwy'r caffi hir, oedd yn brysur o hyd, ac anelu am y drws, ond cyn iddyn nhw fynd trwyddo, brysiodd Luis i gyfeiriad yr arddangosfa gan adael Tomos yn sefyll ar ei ben ei hun.

'On i isho cael ei chyfeiriad e-bost,' eglurodd yr

Archentwr pan ddychwelodd at ei gyfaill ymhen munud gan ddala cerdyn bach yn ei law.

'Wel, ti byth yn gwbod pryd fydd ei angen e arnat ti!'

'Awn ni?' cynigiodd Luis gan anghofio troi'n ôl i'r Sbaeneg.

*

Wrth iddyn nhw gerdded ar hyd y pafin prysur tuag at ganol y ddinas, teimlai Luis ei goesau'n drwm. Roedd Tomos, fodd bynnag, i'w weld yn hollol effro ac yn fwy siaradus er ei fod wedi yfed llawer mwy o alcohol na'i ffrind.

'Mae'r Rolant 'na'n hen foi iawn,' meddai'r Cymro. 'Wy'n ffilu credu 'mod i newydd dreulio awr yn siarad ac yfed gyda dyn sy'r un oedran â'n rhieni. Mae'r holl beth yn wallgo.'

'Oes ots beth ydy ei oed o?'

'Wel, nag o's, mae'n debyg, ond ti'n gwbod beth wy'n feddwl.'

Stopiodd Luis ar ganol y pafin heb sylwi ar y diffyg amynedd amlwg ar wynebau'r siopwyr a oedd bellach yn gorfod cerdded o gwmpas y ddau ddyn a oedd yn rhwystro'u ffordd.

'Dwi ddim yn credu 'mod i a deud y gwir . . . o ddifri,' meddai gan edrych i fyw llygaid Tomos. 'Dwi ddim yn deall beth ydy'r broblem.'

'Sa i'n gweud bod 'na broblem, ces i hwyl, ond fel arfer sa i'n . . .'

'Dwi'n beio'ch tywydd uffernol,' meddai Luis ar ei draws.

'*Gaucho*, rwyt ti'n siarad trwy dwll dy din! Beth ffwc sy 'da'r tywydd i' neud ag e?'

'Minda dy iaith, wnei di!'

Trodd Tomos ei ben i gyfeiriad y llais swta.

'Sori!' galwodd ar ôl y ddynes ddig a basiai law yn llaw â phlentyn ifanc gan ysgwyd ei phen yn feirniadol. 'Y blydi Cymry Cymraeg 'ma! Maen nhw ym mhobman erbyn hyn,' ychwanegodd yn fwy tawel wrth droi'n ôl i wynebu Luis a gwenu arno'r un pryd.

'Meddylia,' parhaodd Luis, 'mae'r tywydd yng Nghymru'n hollol ddiflas. Oherwydd hynny, 'dach chi ddim yn cymdeithasu fel pobol normal. 'Dach chi ddim yn gadael eich tai. 'Dach chi ddim yn eistedd allan ar y stryd a siarad â'ch cymdogion achos 'i bod hi'n piso bwrw drwy'r amser.'

Erbyn hyn, roedd y ddau wedi dechrau cerdded unwaith eto. Gallai Luis weld trwy gil ei lygad y rhwystredigaeth ar wyneb ei ffrind a'i geg agored, oedd yn barod i brotestio. Roedd e'n mwynhau ei gorddi. 'Tasech chi 'di cael chwarae allan ar y stryd pan oeddech chi'n fach, basech chi'n gyfarwydd â siarad â phobol o bob oed erbyn hyn, ond yn lle hynny, 'dach chi ddim yn gwbod sut i drin pobl sy'n wahanol i chi. A 'dach chi'n synnu wedyn pan fyddwch chi mewn cwmni cymysg. Culni ydy...'

'Ti'n llawn cachu!' ebychodd Tomos.

'Beth?'

'Ti'n siarad trwy dwll dy din!'

'Ti 'di deud hynny'n barod!' pryfociodd Luis gan chwerthin. 'Cul **ac** ailadroddus!'

Cyn i Tomos gael cyfle i daro'n ôl, canodd ei ffôn symudol.

'Robbo! Shwd wyt ti, was? No I'm walkin' into town with a mate. Faint o'r gloch heno? Ble? Who else is goin'? What about Lexy? Is he up for it? Ody e'n iawn os dwi'n dod â'n ffrind 'da fi? Luis. Mae e'n dod o Batagonia. See you at 8.'

Rhoddodd Tomos ei ffôn yn ôl yn ei boced.

'Ti'n ffansïo cwrdd â rhai o'n ffrindie?'

'Iawn,' atebodd Luis. 'Ble?'

'Cwrdd yn dre am gwpwl o *bevvies* a 'mlaen wedyn i Clwb Ifor, siŵr o fod. Gei di weld shwt mae'n teimlo i orfod siarad â phobol ifanc! Sawl blwyddyn sy rhynton ni 'to?' cellweiriodd Tomos.

'Ti 'di'r un sy'n methu siarad â phobol oni bai 'u bod nhw'r un oed â ti, nid fi! Cofio?'

*

'Ac fe gerddoch chi'r holl ffordd o Chapter?' gofynnodd Llinos gan estyn gwydraid o ddŵr i Tomos.

'Do, bob cam, yno a 'nôl,' atebodd ei mab, fel y byddai plentyn bach yn ei wneud gan frolio wrth ei fam.

'Dyna fachgen da. On'd yw e'n dda, Luis? Ti'n moyn i Mami rwto dy dra'd di?' Chwarddodd Llinos wrth weld yr olwg glwyfedig ar wyneb ei mab. Chwarddodd Luis hefyd. 'Wel, wy'n gobitho'i bod hi'n werth yr holl ymdrech, 'na gyd weda i,' ychwanegodd hi.

'Roedd yr arddangosfa'n wirioneddol dda, Llinos. Mae Rolant Pierce yn iawn, dylech chi fynd i' gweld hi, o ddifri.'

Parhaodd Llinos i baratoi'r llysiau gan gadw ei chefn tuag at Luis, ond roedd ei hanniddigrwydd wrth glywed enw'r actor yn amlwg yn ei llais wrth iddi ei ateb.

'Ie, wel, pan fydda i'n moyn cyngor Rolant Pierce fe ofynna i amdano fe, diolch. Estyn y ffrimpan i fi, Tomos, wnei di.'

'Mae e'n cofio atoch chi,' meddai Tomos gan roi'r badell ffrio yn llaw ei fam.

'Beth – welsoch chi Rolant, do fe?' gofynnodd Llinos gan droi i astudio wynebau'r ddau arall.

'Do, mae e'n foi diddorol...'

'Nage dyna'r gair 'sen i'n ei ddefnyddio i ddisgrifio Rolant Pierce!' saethodd hi ar ei draws.

'...ac yn ddoniol,' ychwanegodd, yn benderfynol o beidio â gadael i'w fam ei atal. 'On i ddim yn gwbod fod ti, Dad a fe yn Aberystwyth gyda'ch gilydd. Chi erio'd wedi sôn amdano fe o'r bla'n.'

'Ie, wel... rho 'ddi fel hyn, on ni ddim yn ffrindie penna.'

Synhwyrodd Luis ei bod hi'n bryd newid y pwnc a gadael i Rolant ymdoddi i anwedd y llysiau oedd yn ffrwtian yn y badell ffrio.

'Oedd, roedd yr arddangosfa'n wych,' cynigiodd e'n wan, gan straffaglu i feddwl ar frys am bwnc arall fyddai'n dderbyniol i'r ddynes hon yr eiliad hon. 'Mae hi yno am ryw fis eto.'

'Iawn,' atebodd hi, ond gallai Luis weld nad oedd dim byd yn iawn, yng ngolwg Llinos, ynghylch y sgwrs roedden nhw newydd ei chael. Synhwyrodd hefyd mai fe, rhywsut, oedd yn cael y bai ganddi am gyflwyno'i mab i le mor beryglus â Chapter ac i ddyn mor annuwiol â Rolant. Daliodd sylw Tomos, ond codi ei aeliau a wnaeth ei ffrind.

'Faint o'r gloch fydd te'n barod?' gofynnodd hwnnw ymhen ychydig. 'Achos ni'n gorfod bod yn dre erbyn wyth, fan bella.'

'On i ddim yn gwbod bo chi'n mynd mas.' Trodd Llinos oddi wrth ei thasg am yr eildro ac edrych yn herfeiddiol ar ei mab.

'Odyn.'

'A tithe hefyd, Luis?' gofynnodd hi gan fabwysiadu tôn dipyn meddalach.

'Ydw. Oes 'na broblem, Llinos?'

'Dim ond bod Nia Jenkins yn galw i dy weld di'n nes 'mla'n.'

'O, on i ddim yn gwbod,' atebodd e gan synhwyro bod trafferth yn crynhoi.

'Do, ffonodd hi prynhawn 'ma.'

Ni allai Luis ddychmygu noson waeth na bod yng nghwmni Nia Jenkins, beth bynnag oedd ei bwriad yn galw i'w weld, ond os oedd 'na unrhyw ronyn o bosibilrwydd fod ganddi fwy na diddordeb platonaidd ynddo, byddai'n fodlon rhedeg yn ôl ac ymlaen i Chapter gant o weithiau'n ddi-stop, meddyliodd.

'Mae'n ddrwg gen i, ond dwi wedi addo mynd efo Tomos rŵan,' meddai gan ffugio siom ond gan wneud yn siŵr yr un pryd na roddai awgrym i Llinos ei fod e'n rhy siomedig, chwaith.

'Fe gaiff hi siom. Beth sy mor fawr bod rhaid ichi fynd i'r dre heno 'te?'

Roedd ei chwestiwn yn ymddangosiadol ddidaro, ond o dan y geiriau roedd hi'n gynddeiriog, sylwodd Luis. Sylweddolodd am y tro cyntaf hefyd nad oedd hi'n gyfarwydd â cholli, yn enwedig i rywun fel fe.

'Ni'n cwrdd â rhai o'r bois. Maen nhw'n moyn dod i nabod ein gwestai arbennig!' meddai Tomos yn fwriadol ysgafn wrth weld bod ei ffrind ar fin colli'r frwydr gyda'i fam.

'Ti'n boblogaidd iawn, Luis,' oedd unig sylw Llinos, ond doedd dim byd ond coegni yn ei llais.

Pennod 6

AGORODD LUIS ei lygaid yn araf ac ymbalfalu am ei ffôn symudol wrth ochr y gwely cul. Gwelodd ei bod hi wedi troi hanner dydd. Caeodd ei lygaid drachefn a gadael i'w ben suddo'n ôl i feddalwch y gobennydd cynnes. Gwynegai ei gorff fel petai gyr o *guanacos* wedi bod yn carlamu drosto drwy'r nos, a griddfanodd yn isel. Roedd arno angen dŵr, litrau o ddŵr, ond ni allai wynebu'r daith fer ar draws y landin i'r ystafell ymolchi. Yn un peth, doedd ganddo ddim ffydd y llwyddai i gyrraedd heb chwydu dros bob man, ond y gwir reswm am ei gyndynrwydd o adael hafan y gwely oedd ei ofn y cwrddai â Llinos neu Gerallt ar y ffordd. Saethodd wynebau'r ddau i'w feddwl a thynnodd y duvet dros ei ben mewn ymgais wan i ohirio'r anorfod. Gwyddai y byddai'n rhaid iddo godi a goddef eu llid yn hwyr neu'n hwyrach, ond am y tro dewisodd yr hwyrach am nad oedd e'n barod am yr oriau hir oedd o'i flaen. Trodd ar ei fol a chladdu ei wyneb yn y gobennydd.

Doedd e ddim wedi bod mor feddw â hyn ers amser maith. Ac yntau ar drothwy ei ddeg ar hugain, nid dyna'i steil mwyach. Nid dyna'i steil erioed, mewn gwirionedd, ac eithrio ambell sesiwn wyllt yn y dyddiau cynnar ar ôl cyrraedd y ddinas fawr. Roedd hynny i'w ddisgwyl ac yn rhan o'i ryddid newydd ar y pryd, ond ni pharodd yn hir cyn troi'n fwy o fwrn na hwyl. Bellach, pan fyddai e a'r *chicos* yn mynd yn ôl i'w fflat ar nos Wener i yfed a thrafod y byd, eilbeth braf i bawb fyddai'r yfed i raddau helaeth a byddai llygaid pawb wastad ar eu *pesos* prin. Roedd yn arwydd o'r newid graddol ynddo, efallai. Ceisiodd amcangyfrif faint o *pesos* a wariodd e neithiwr gyda'r *chicos* Cymreig, a gwridodd. Roedd e wedi colli cownt, ond roedd yn arian mawr. *Puta.*

Prin oedd y cyfleoedd i feddwi yn Nhrelew, cofiodd Luis, yn enwedig i lanc o dras Gymreig a phawb yn adnabod pawb. Prin oedd yr awydd i ysgwyd llaw â Mamon mewn tref a sefydlwyd trwy fôn braich a dogn go fawr o biwritaniaeth. Dyna a dybiai, beth bynnag. Onid dyna a bedlerwyd iddo ar hyd ei oes? Ond un diwrnod, daeth Las Vegas i'r Wladfa a newidiodd tref Lewis Jones am byth. Bob nos Sadwrn am wythnosau ar ôl i'r casino agor, arferai ymgasglu gyda'i ffrindiau ger y ffynnon y tu allan i'r adeilad rhy olau, rhy ffug, gan geisio magu digon o blwc i fynd i mewn. Yn y diwedd, Alejandro Hughes a arweiniodd y fintai ddisgwylgar drwy'r drysau mawr gan honni na fyddai neb yn eu hadnabod ac na fyddai neb felly'n cario clecs. Y fath sŵn pechadurus! Y fath olygfa ddrwg! Fflachiai'r peiriannau gamblo i rythm eu curiadau *techno*, a rhaeadrai'r *pesos* sgleiniog ar hyd y llawr carpedog wrth i'r fintai fwrw yn ei blaen heibio'r byrddau *ruleta* a *blackjack* tuag at y bar. Symudon nhw ddim yn bell oddi wrth ardal y bar drwy'r nos. Digon oedd sefyllian gyda'i gilydd wrth y grisiau prysur gan lyncu'r cwrw a'r naws. A rhywbryd tua hanner nos, pan ymddangosodd rhyw grŵp roc-werin o ochrau Mendoza ar y llwyfan, aeth y lle'n wyllt. Gwenodd Luis wrth dynnu'r lluniau o ddyfnder ei gof. Ond heb os nac oni bai, mynd am bisiad rywbryd tua dau a chwrdd ag Ernesto Hughes, un o bileri'r gymdeithas ac un o gyfeillion pennaf ei dad, oedd pen llanw'r noson fawr.

'*Hola*, señor Hughes. *¿Qué tal?*' gofynnodd drwy niwl gormod o alcohol a gwynt sur y tŷ bach.

Trodd y capelwr selog i'w wynebu, ei geg ar agor a'i goc yn ei law. O'r funud honno, deallodd Luis ystyr rhagrith a gwyddai'r hen Ernesto ei fod e wedi piso ar ei dsips.

Rholiodd Luis yn ôl ar ei gefn yn y gwely bach ac ystyried tybed a oedd yntau bellach wedi gwneud yr un fath. Ceisiodd ail-fyw golygfeydd yr oriau mân pan ddychwelodd e a Tomos i'r tŷ. Cofiodd dalu am y tacsi. Cofiodd Tomos yn straffaglu â'i allwedd a Gerallt yn y diwedd yn agor y drws. Cofiodd Llinos yn sefyll yng nghysgodion y cyntedd. Ni ddywedwyd dim byd; nid dyna'u steil. Cofiodd ei ryddhad pan gyrhaeddodd yr ystafell wely, pan gaeodd e'r drws ar yr holl beth. Nawr, fodd bynnag, roedd e ar fin ei agor unwaith eto, a gwyddai o brofiad pell na fyddai'r siew ar ben.

Cododd ar ei eistedd a syllu ar ei ddillad a orweddai'n bentyrrau blêr ar hyd y llawr. Yna, agorodd y ffenest er mwyn ceisio cael gwared ar y gwynt cas a oedd yn siŵr o fod yn llenwi'r ystafell fach. Penderfynodd anfon neges destun at Tomos ar draws y landin, ond ni ddaeth ateb yn ôl. Roedd hwnnw wedi yfed llawer mwy nag e, cofiodd Luis, gan ddechrau yn Chapter a pharhau am weddill y dydd. Oli, lluniau Siwan, cwrdd â Rolant a ffrindiau Tomos, herio Llinos a chymylu ei threfn. Casglodd ei ddillad ynghyd a'u rhoi'n daclus dros gefn y gadair a gwenu wrth ystyried digwyddiadau'r diwrnod od. Roedd e wedi ei fwynhau, a chawsai groeso mawr gan y *chicos* Cymreig. Tynnodd ei drôns a lapio tywel am ei ganol cyn mentro o'r diwedd ar draws y landin i'r gawod.

*

Disgynnodd y grisiau'n dawel rhag dihuno'i ffrind. Roedd y gawod wedi ei lanhau a'i ddadebru a nawr teimlai'n ddyn newydd, yn barod i wynebu'r byd. Doedd dim smic i'w glywed yn y tŷ er ei bod hi'n tynnu am un o'r gloch, ond roedd Luis yn gyfarwydd â hynny erbyn hyn. Roedd yn swyddogol: tŷ tawel oedd hwn. Onid oedd Gerallt wedi dweud hynny? Hwyliodd trwy ddrws y gegin ond stopiodd yn stond pan welodd e Llinos yn sefyll â'i chefn tuag ato o flaen yr oergell.

'¡Hola!' cyhoeddodd e'n siriol, braidd yn rhy siriol, mewn ymgais i dorri'r garw a gwneud yn iawn yn syth. Daliai'r wraig ganol oed i lwytho'r menyn a rhyw gigach oer i'r oergell heb droi i gydnabod ei lais. 'Coffi?' gofynnodd e ychydig yn llai siriol na chynt.

'Dim diolch.'

'Fase ots gynnoch chi se...'

'Helpa dy hun. Ti'n gwbod lle mae popeth.'

'Llinos, mae'n wir ddrwg...'

'Mae Tomos wedi mynd mas.'

'Iawn, ond nid dyna on i'n mynd i...'

'A fydd e ddim 'nôl tan yn hwyr. Mae e wedi mynd am y dydd gyda Gwion. Gyda'i frawd.'

Ar hynny, caeodd hi ddrws yr oergell, cerdded draw at ddrws y gegin a'i gau ar ei hôl, gan adael Luis i sefyll ar ei ben ei hun yng nghanol hymian y peiriannau trydanol, mawr a mân. Plethodd ei fysedd ar ei gorun ac anadlu'n ddwfn. Yr hyn a'i brifai'n fwy na dim oedd y ffaith nad edrychodd hi arno, meddyliodd. Roedd e'n haeddu'r gweddill, chwarae teg. Petai hi ond wedi edrych arno byddai hynny wedi cynnig ffordd yn ôl. Yna, clywodd ddrws y ffrynt yn cau'n glep, a phenderfynodd Luis nad oedd arno eisiau ei choffi bellach. Dringodd y grisiau'n araf a phwrpasol i'w ystafell wely a thynnodd ei fag i lawr o ben y cwpwrdd dillad. Roedd yn wag ac eithrio'r *yerba mate* roedd ei fam wedi ei bacio mewn tun a'i wthio yn ei fag yn arbennig at ei daith. Agorodd y clawr a gwynto mwg cyfarwydd y dail. Twriodd yng ngwaelod y cwpwrdd dillad am weddill yr offer gwneud *mate* ac aeth yn ôl i'r gegin i ferwi dŵr.

Pan oedd y ddiod yn barod, fe'i cariodd allan i'r ardd gefn yn seremonïol. Roedd eisiau awyr iach arno a chyfle i anadlu drachefn. Roedd e'n mynd i ddod drwy'r bennod yma, penderfynodd, wrth sugno'r te sur-felys. Heno, fe gâi ddweud ei ddweud ac ymddiheuro'n llawn ac erbyn bore fory fe welai Llinos mai storm mewn cwpan *mate* oedd y cyfan! Arllwysodd ragor o ddŵr ar ben y dail llaith a gadael i'w lygaid grwydro at y potiau blodau lliwgar a addurnai'r patio bach o flaen y lawnt. O'r holl deuluoedd yng Nghaerdydd, pam dewis yr un yma? Ceryddodd ei hun am eiliad am iddo wrando ar ei fam a'i dad. *'Maen nhw'n swnio'n bobol hyfryd, yn deulu neis.'* Ond roedden nhw, fel yntau, wedi eu swyno. Roedd e'n mynd i Gymru! Y Morganiaid oedd ei allwedd aur. Dau o feibion. Cyfle i wella'i Gymraeg, cyfle i ymarfer Sbaeneg gyda'r mab a thrwy hynny câi lety am ddim. Ond roedd 'na bris i'w dalu. Gwyddai hynny bellach. Eisteddodd yn yr heulwen wan a cheisio gwthio'i anniddigrwydd o'i feddwl, ond dro ar ôl tro deuai geiriau Llinos yn ôl i'w blagio, i boeri yn ei wyneb, i ddangos mai ganddi hi roedd y llaw drechaf.

'Mae e wedi mynd am y dydd gyda Gwion. Gyda'i frawd.'

Felly, roedd Tomos wedi mynd yn ufudd a'i adael i wynebu ei fam. Roedd y teulu wedi tynnu ynghyd. Oedd, roedd e'n ei deall hi'n iawn. Roedd e'n deall eu gêm a doedd e ddim yn bwriadu ei chwarae. Fe godai ei bac a mynd cyn ildio i hynny. Pedair neu bum wythnos arall a deuai ei arian i ben, beth bynnag. Wedyn, câi fynd adref a fyddai neb damaid callach. Yng ngolwg pawb byddai'r antur fawr wedi bod yn llwyddiant a'r ddelwedd yn dal yn fyw. Onid dyna ffordd y Cymry, waeth ble roedden nhw'n byw?

'Ti'n moyn whare?' Edrychodd Luis yn gyflym i gyfeiriad y llais cyfarwydd a gweld Oli'n eistedd ar ben y wal rhwng gardd y Morganiaid a gardd y tŷ drws nesaf. 'Oli! ¿Cómo estás?'

'Beth?'

'Mae'n golygu "sut wyt ti?" yn fy iaith i.' Roedd Luis yn wirioneddol falch o'i weld yr eiliad honno.

'Ble mae Tomos?'

'Dwi ddim yn gwbod. Mae o wedi mynd allan efo'i frawd.'

'Ti'n moyn whare pêl-droed?' Ar hynny neidiodd y bachgen oddi ar y wal a glanio ar y lawnt yng ngardd ei gymdogion.

'Oes gen i ddewis?'

'Nag oes!'

Gwenodd y ddau.

''Sdim lot o le i chwarae pêl-droed yn iawn fan hyn. Beth am ganolbwyntio ar ymarfer sgilie am ychydig bach?' awgrymodd Luis yn ysbrydoledig. Doedd e ddim eisiau siomi'r crwt a lladd ei frwdfrydedd, ond roedd ei ben yn dal yn drwm a doedd e ddim yn rhy awyddus i redeg ar ôl pêl am oriau. 'Dw'inne hefyd yn gorfod mynd allan cyn bo hir.'

Treuliodd y ddau yr hanner awr nesaf yn pasio'r bêl yn ôl ac ymlaen rhyngddyn nhw ac yn anelu at darged roedd

Luis wedi ei osod yn erbyn y wal, ond roedd ei feddwl yn bell a doedd ei galon ddim yn y chwarae. Roedd angen iddo fynd oddi yno am ychydig, meddyliodd, ac anghofio'r Morganiaid a'u byd rhyfedd. Gwelodd wyneb mam Oli yn ffenest un o'r lloffftydd a syllodd arni'n herfeiddiol. Roedden nhw i gyd yn wallgof, penderfynodd. 'Reit, dyna ddigon am heddiw. Mae'n rhaid imi fynd.'

Dringodd Oli'n ôl dros wal yr ardd a chasglodd Luis ei gyfarpar gwneud *mate* ynghyd cyn diflannu i'r tŷ. Roedd ei fryd ar fynd i'r dref, i ganol pobl anhysbys. Âi i'r *locutorio* i anfon e-bost at Siwan. Ffoniai Gabriela i ddweud *'hola'*. Rhedodd i lawr y grisiau a'i siaced yn ei law. Caeodd ddrws y ffrynt yn glep ar ei ôl a cherdded i ganol Caerdydd.

*

Roedd Luis eisoes wedi tynnu'r allwedd i dŷ'r Morganiaid o'i boced pan oedd e hanner ffordd ar draws y parc ond nawr, ac yntau wedi cyrraedd drws y ffrynt, yn lle ei gwthio i dwll y clo yn ôl ei arfer, crwydrodd ei fys fymryn i'r dde a gwasgodd y botwm i ganu'r gloch. Doedd e ddim wedi bwriadu gwneud yr hyn a wnaeth, ond wrth iddo sefyll y tu allan i'r drws i rywun ddod i'w ateb, roedd e'n falch o'i brotest. Eiliadau'n ddiweddarach gwelodd siâp Tomos yn dod tuag ato trwy'r gwydr rhannol farugog a llamodd ei galon. Wrth ddynesu at y tŷ roedd e wedi ymgaledu ar gyfer y cyfarfod cyntaf â Llinos ers y bennod oeraidd yn gynharach ac roedd e'n barod amdani, ond doedd e ddim yn barod am ei mab.

'*Gaucho*, ti sy 'na! Paid gweud fod ti 'di colli dy allwedd,' heriodd hwnnw, yn falch o weld Luis.

'Rhaid 'mod i wedi'i gadael hi ym mhoced fy nhrowsus arall,' atebodd Luis gan wthio heibio iddo a mynd am y grisiau. Brasgamodd i fyny'r staer bob yn ail ris ar y tro, gyda Tomos yn dynn wrth ei sodlau, ac agorodd y drws i'w ystafell wely.

'Ti'n dishgwl yn ffycd,' meddai'r Cymro gan ei ddilyn i mewn i'r ystafell. 'Roedd 'y mhen i fel bwced bore 'ma, ond wy'n well nawr. Roedd hi'n noson fawr.'

Rhoddodd Luis ei siaced i hongian ar fwlyn y cwpwrdd dillad heb ymateb i sylwadau'r llanc oedd bellach wedi mynd i eistedd ar y gwely cul, ei benelinoedd yn pwyso ar ei bengliniau a'i geg yn barod am sgwrs. Y cyfan roedd ar Luis ei eisiau yr eiliad honno oedd llonydd. Roedd e wedi symud ymlaen. Roedd clywed llais Gabriela ar ben arall y ffôn gynnau wedi ei gryfhau. Roedd anfon e-bost at Siwan Gwilym wedi diwallu'r angen llethol oedd arno i wneud rhywbeth o'i ben a'i bastwn ei hun ac ar ei delerau ei hun, a'i atgoffa mai oedolyn oedd e. Erbyn hyn, roedd e'n gwbl fodlon sefyll yr ochr draw i'r ffin a dynnwyd a gwylio'r teulu hwn a'i gymhlethdodau o hirbell.

'*Gaucho*, o's rhwbeth yn bod?' holodd Tomos pan ddaeth hi'n amlwg nad oedd ei gyfaill yn mynd i ddweud gair. 'O's rhwbeth wedi digwydd? Beth sy'n bod, Luis?' mynnodd e.

'Dwi wedi blino, dyna i gyd.'

'Ffyc off. Mae rhwbeth wedi digwydd. Wy'n gallu gweld.'

Sythodd Tomos ei goesau ac eistedd ar ymyl y gwely, gan edrych yn ymbilgar ar Luis, a sylweddoli yr un pryd bod hon yn foment fawr. Yna, neidiodd ar ei draed a chamu tuag ato. 'Mae hi wedi gweud rhwbeth wrthot ti, on'd yw hi?'

'Pwy?'

'Paid whare 'da fi! Ti'n gwbod yn nêt am bwy dwi'n sôn. Honna lawr llawr. Mam. Llinos. Mae hi wedi gweud rhwbeth wrthot ti, on'd yw hi?'

Gwelodd Luis y gymysgedd o bryder ac ofn dilyffethair ar wyneb Tomos, fel petai hwnnw'n synhwyro ei fod ar fin ei golli. Roedd ei feddwl ar chwâl unwaith eto. Gallai'n hawdd fod wedi bwrw ei fol a chael diwedd ar bopeth yn y fan a'r lle. Bradychu Llinos. Iesu Grist, onid oedd ei rhagrith sychdduwiol yn haeddu cael ei ddinoethi? Craffodd ar wyneb y llanc a safai o'i flaen, a gwridodd. Roedd arno gywilydd ei fod e wedi ei amau.

'Mae o drosodd rŵan,' oedd yr unig eiriau y llwyddodd i'w llefaru.

'Nag yw, dyw e ddim drosodd, ddim eto,' atebodd Tomos gan anelu am y grisiau.

Gallai Luis glywed y gweiddi cyn iddo gyrraedd y gegin. Roedd e wedi dilyn Tomos er ei waethaf, ond nawr safai yn y cyntedd gan geisio penderfynu beth i'w wneud. Gallai glywed y panig yn llais Llinos drwy'r pared a bu bron iddo deimlo'n flin drosti. Roedd hi wedi gamblo popeth a nawr sylweddolai'r fam y gallai golli'r cwbl.

'... beth yn gwmws wedest ti wrtho fe? Achos mae'n amlwg dy fod ti wedi gweud rhwbeth.'

'Cer i ofyn iddo fe dy hun, os nag yw e wedi gweu' 'thot ti'n barod. Chi'n byw ym mhocedi'ch gilydd ddigon.'

'A! Dyna beth yw hi! Cystadleuaeth. Llinos yn colli gafel. Ond os ti ishe clywed y gwir, nag yw, dyw e ddim wedi gweud gair. Ti'n gweld, Mam, mae e'n well na 'na. Mae gyda fe steil. Dyw e ddim yn mynd am yr amlwg, fel dy siort di.'

'A beth yw'n "siort" i, Tomos bach? Pwy ydyn nhw?

Eglura wrth fenyw dwp sy'n colli gafel. Rwyt ti wedi gwneud yn dda ar gefen fy "siort" i ar hyd dy o's!' brathodd Llinos. 'Mae'n siort i'n ddigon da i dy frawd.'

'Ond dyw e ddim yn ddigon da i fi! Sa i'n llyncu'r bolycs. Sa i'n moyn e a sa i'n credu ynddo fe.'

'A beth yn gwmws **wyt** ti'n moyn?'

'Sa i'n moyn y celwydd, achos celwydd yw'r holl fusnes 'ma gyda Luis, beth bynnag rwyt ti'n meddwl mae e wedi'i neud i ti . . . ac rwyt ti'n gwbod hynny'n iawn.'

'Nage celwydd yw dod 'nôl fan hyn am dri o'r gloch y bore'n feddw gaib!'

'A beth amdana i 'te? On i 'na hefyd, cofia. Ti'n barod i droi'r foch arall yn achos dy fab jest rhag ofan bod 'na lygedyn o obaith o hyd y gelli di ddal dy afel yno' i.'

'Nes iddo fe ddod aton ni ot ti erio'd wedi dod adre'n feddw.'

'Be ti'n trio awgrymu, 'mod i'n sant? Achos os wyt ti, ti'n fwy diniwed nag on i'n feddwl . . . neu'n llawn cachu rhagrithiol.'

'Paid ti meiddio siarad â fi fel 'na.'

'Wel, gwyneba fe 'te. Agor dy lygaid. Wyt ti o ddifri'n meddwl taw nithwr o'dd y tro cynta i fi feddwi?'

'Ond nid fan hyn!'

'O, dwi'n gweld. Wy'n cael meddwi, ond nid fan hyn. Cyhyd â bo fi ddim yn hwdu ar stepen drws yr aelwyd barchus, mae'n iawn?'

'Na, dyw e ddim yn iawn. 'Y nghartre i yw hwn a'n rheole i sy'n cyfri.'

'Gwranda, Mam, os o'dd bai ar rywun nithwr, arna i o'dd hynny, nage Luis.'

'Roedd bai ar y ddau ohonon ni.' Trodd Tomos a Llinos i gyfeiriad y gosodiad moel. Clywsai Luis y cwbl o'r cyntedd ond nawr safai yn nrws y gegin. 'Ac mae'n wir ddrwg gen i,' ychwanegodd gan ddal sylw Llinos.

Gallai weld y gwylltineb yn ei llygaid a'r amharodrwydd i estyn ffordd yn ôl iddo er gwaethaf yr hyn roedd e newydd ei ddweud, a sylweddolodd fod y fenyw hon y tu hwnt i fod yn fregus bellach.

'Ein ffrae ni yw hon,' atebodd hi gan barhau yr un mor oeraidd â'i geiriau diwethaf iddo'n gynharach yn y dydd.

Dechreuodd Luis droi i fynd oddi yno, ond stopiodd pan glywodd lais toredig Tomos.

'Mam, mae Luis wedi ymddiheuro. Beth arall ti'n moyn? Mae e wedi neud mwy na fi. Pryd wyt **ti**'n mynd i ymddiheuro wrtho **fe**?'

Safai'r tri yng nghanol hymian cyfarwydd peiriannau'r gegin heb yngan gair, gan wybod bod gormod eisoes wedi ei ddweud. Roedden nhw wedi ymlâdd. Llinos oedd y gyntaf i dorri'r mudandod ymhen hir a hwyr. Cerddodd heibio i Luis, a safai o hyd yn y drws, heb edrych arno. 'Bydd swper am saith o'r gloch,' cyhoeddodd, a diflannodd i ran arall o'r tŷ.

Edrychodd Luis ar Tomos, ond syllai hwnnw ar ryw lecyn preifat, pell i ffwrdd. Yna, croesodd y gegin ac aeth allan i'r ardd.

*

'Shwt o'dd Mam-gu?' gofynnodd Gerallt er mwyn ceisio lleddfu'r lletchwithdod llethol o gwmpas y bwrdd. Gwnaeth ei orau i ymddangos yn ddidaro, ond doedd cynildeb ddim ymhlith cryfderau'r dyn hwn, sylwodd Luis, ac yn hynny o beth nid oedd mor annhebyg i'w wraig.

'Iawn, yn llawn direidi a jôcs amheus, fel arfer. Mae'n cofio at bawb,' atebodd Tomos heb godi ei olygon oddi ar ei blât.

'Am faint mae Gwion yn bwriadu aros draw 'na?'

'Wy'n mynd i' hôl e dydd Gwener. Mae gyda fe ddigon i' gadw fe'n fishi, medde fe. Mae e'n mynd i dorri'r brige 'nôl iddi a cliro'r ardd a rhyw bethe fel 'ny.'

'Go dda, go dda. Pwy yrrodd draw? Nage ti, gobitho.'

'Dad, walle bo fi'n dwp withe, ond sa i'n hollol anghyfrifol. Paid â becso, Gwion yrrodd a pan adewes i am bedwar on i'n hollol saff i yrru 'nôl. Addo.'

'Achos o't ti ddim ffit i . . .'

'Gwranda, sa i ishe pregeth arall, reit. Cadwa hynny i'r capel. Wy wedi neud 'y mhenyd a nawr wy'n moyn symud mla'n. Plis. A se'n dda se pobol erill yn gallu neud yr un fath.'

Ar hynny, cododd Tomos a mynd â'i blât brwnt drwodd i'r gegin. Dal i edrych yn syth o'i blaen heb ddweud gair a wnaeth Llinos, yn union fel y gwnaethai ers iddi ddodi'r bwyd a'r llestri ar y ford chwarter awr ynghynt. Ar un olwg, edmygai Luis ei hymgyrch ddi-ildio. Perthynai rhyw burdeb i'w hystyfnigrwydd ffwndamentalaidd, ond roedd e wastad wedi bod yn wyliadwrus o eithafiaeth ddigwestiwn am ei bod yn amhosib ei chynnal. Roedd y bar yn rhy uchel, a phan ddeuai'r cwymp, caled oedd y llawr.

'A shwt ddiwrnod wyt ti 'di ga'l, Luis?'

Ystyriodd Luis gyffredinedd cwestiwn Gerallt a bu bron iddo ei anwybyddu. Roedd ei ymdrech dila i gymodi'n ymylu ar fod yn ffars o gofio senario'r oriau cynt. O leiaf deallai Gerallt fod angen dogn o ragrith ysgafn bob hyn a hyn i gadw pethau i fynd, meddyliodd. I iro'r olwynion beunyddiol. Ond roedd 'na ragrith ac roedd 'na... ragrith. Fflachiodd wyneb Ernesto Hughes drwy ei feddwl a cheisiodd benderfynu ymhle ar y raddfa ragrith roedd Gerallt a Llinos o'u cymharu ag e.

'Diddrwg-didda,' atebodd, ac aeth yn ei flaen i orffen ei fwyd.

'Daeth Steph-drws-nesa rownd prynhawn 'ma.'

Roedd cyhoeddiad annisgwyl Llinos yn theatrig o swta, ac yn hynny o beth llwyddodd i ennyn yr ymateb a chwenychai. Trodd Luis i edrych arni er ei waethaf, ond Gerallt a ofynnodd yr amlwg.

'Beth o'dd hi'n moyn?'

'Roedd gyda hi neges i Luis,' parhaodd Llinos gan roi ei chyllell a'i fforc i orwedd ar ei phlât a sychu ymylon ei cheg â'i bys.

Chwiliai Luis ei hwyneb difynegiant am yr arlliw lleiaf o rybudd o'r hyn oedd ar fin cael ei gyhoeddi, ond ni welodd ddim byd. Cawsai'r wraig hon brynhawn cyfan i ymarfer ac roedd hwn yn berfformiad da. Pwysodd ei benelin ar y bwrdd a gwyro ymlaen i fagu ei ên yn ei ddwrn, ond roedd e'n benderfynol o beidio â holi dim.

'Dwyt ti ddim ishe clywed beth yw'r neges, Luis?' prociodd Gerallt yn ddiniwed pan ddaeth hi'n amlwg nad oedd y cwestiwn yn mynd i ddod ganddo.

Ni throdd Luis ei ben i'w gydnabod, ond yn hytrach cadwodd ei lygaid ar ei wraig a disgwyl.

'Wel, Llinos? Mas ag e,' anogodd ei gŵr.

'Neges Steph i Luis o'dd bod hi ddim ishe iddo fe whare 'da Oli ragor,' meddai gan droi ei phen i edrych ar Luis am y tro cyntaf ers iddyn nhw ddod i eistedd wrth y bwrdd.

'Ond mae Oli'n ffrind! Be sy'n bod 'da hi?' protestiodd Tomos, a oedd bellach wedi dychwelyd o'r gegin ar ôl clywed llais ei fam a synhwyro gofid.

'Dim ond rhoi'r neges i Luis ydw i. Dyna wedodd hi.'

'Wnaeth hi roi unrhyw reswm?' gofynnodd Luis o'r diwedd. Trwy gydol perfformiad Llinos bu'n astudio'r mân symudiadau yn y nerfau a'r cyhyrau o gwmpas ei llygaid a'i cheg. Nawr, gwelodd fod unrhyw ddicter a berthynai iddi gynt wedi ildio i fwynhad digamsyniol.

'Yr hyn wedodd hi o'dd bod hi ddim yn meddwl 'i bod hi'n briodol i ddyn o dy oedran di whare gyda bachgen deg oed.'

Rhythodd Gerallt ar ei wraig mewn anghrediniaeth.

'Wedodd Steph 'na? Ti ddim o ddifri?'

'Dyna wedodd hi.'

'Mae'r blydi fenyw 'na off ei phen,' ebychodd Tomos, ei lygaid yn gwibio'n wyllt rhwng ei fam, ei dad ac yna Luis.

'A beth wedest ti 'nôl wrthi?' gofynnodd Gerallt gan ganolbwyntio'n llwyr ar ei wraig.

'Beth allen i weud?'

'Gallet ti fod wedi gofyn iddi egluro, Llinos. Dy ddyletswydd di o'dd holi beth yn gwmws o'dd hi'n feddwl. Dyw e ddim yn ddigon 'i bod hi'n hanner awgrymu rhwbeth a cherdded bant, achos os dwi wedi'i deall hi'n iawn mae hi'n gwneud mwy na hanner awgrymu, ac mae'r hyn mae'n ei weud yn ddifrifol. Mae e hefyd yn ych-a-fi.'

Bu tawelwch llethol wrth i'r lleill ystyried crynhoad plaen Gerallt. Dal i fagu ei ên yn ei ddwrn a wnâi Luis gan rythu ar Llinos o hyd. Roedd e'n cytuno â'r asesiad trawiadol o syml, ond roedd ganddo hefyd ei asesiad ei hun.

'A beth ydych **chi'n** feddwl, Llinos?' gofynnodd e ymhen hir a hwyr. 'Licswn i wbod beth ydych chi'n feddwl.'

'Dyw e ddim yn bwysig beth ydw **i'n** feddwl,' saethodd hi'n ôl yn hunanfychanol mewn ymgais i ddibrisio'r hyder cynyddol a synhwyrai yn nhaerineb sydyn ei gwestai.

'O ydy, mae'n bwysig iawn. Mae'n sylfaenol i'n perthynas ni, dach chi ddim yn cytuno?'

'Fel wy wedi gweud yn barod, dim ond ailadrodd beth wedodd Steph ydw i, nad yw hi'n briodol. O'dd hi'n moyn iti wbod.'

'A beth mae hynny'n ei awgrymu i chi?' mynnodd Luis heb dynnu ei lygaid oddi arni.

'Mae'n awgrymu nag yw'r fenyw 'na'n iawn yn ei phen. Mae'n sâl!' ffrwydrodd Tomos.

'Dyna'n union mae'n ei awgrymu i finne hefyd,' ychwanegodd Luis heb wneud ymgais i gelu ei ddirmyg. 'Mae'n awgrymu i mi 'i bod hi'n gweld rhwbeth lle does dim byd i' weld. Mae pobol sy'n credu pethe fel 'na heb sail naill ai'n anonest neu'n ddrwg, ac mae angen help arnyn nhw.'

Gwthiodd Luis ei gadair yn ôl oddi wrth y bwrdd a chodi ar ei draed yn fwriadus heb dynnu ei lygaid oddi ar y wraig ganol oed. Gwelodd y penderfyniad iasol yn ei hwyneb a'i chred ddiysgog bod cyfiawnder o'i phlaid. Roedd hon yn anonest **ac** yn ddrwg, meddyliodd. Gadawodd yr ystafell heb ddweud gair arall a dringo'r grisiau'n araf i'w ystafell wely.

Ugain munud yn ddiweddarach, cariai ei fag drwy'r parc o flaen tŷ'r Morganiaid ar ei ffordd i chwilio am ystafell arall i dreulio'r nos ynddi.

Pennod 7

YR ENW A DDENODD Luis yn fwy na dim – Gwesty Brynhyfryd Hotel. Enwau diarth, di-ddim oedd gan y lleill cyhyd ag y gallai weld, ond hwn oedd yr unig le ag enw Cymraeg. Fel arall, doedd dim byd i'w wahanu rhag yr adeiladau llwm eraill yn yr un rhes. Wrth iddo orwedd ym mhant y gwely dwbl a gadael i'w lygaid archwilio'r parwydydd melynaidd, plaen yn ddiamcan, cwestiynodd pam roedd y fath enw arno. Wedi'r cwbl, doedd e ddim ar fryn ac roedd e ymhell o fod yn hyfryd, meddyliodd. Ond roedd e'n lân ac roedd e'n rhad a gwnâi'r tro yn berffaith am yr wythnosau nesaf hyd nes y dychwelai i'w wlad ei hun, a'i antur fawr ar ben. Ystyriaethau felly oedd yn bwysig iddo bellach. Byw o ddydd i ddydd. Gwneud y gorau o'r amser oedd ar ôl ganddo yng Nghaerdydd. Crwydrodd ei feddwl yn ôl i'r ystafell wely daclus yn nhŷ'r Morganiaid a adawsai prin ddeuddeg awr ynghynt, a gorfododd ei hun i roi'r gorau i'w synfyfrio ar unwaith. Doedd e ddim yn mynd i ddechrau cymharu. Doedd ganddo ddim amynedd.

Cododd ar ei draed a mynd i chwilio yn ei fag am ddillad glân i ddechrau ei gyfnod newydd sbon. Mwynhaodd dwrio ymhlith ei bethau cyfarwydd. Yn y diwedd, tynnodd grys-T glas allan ac arno lun gwyn o rywun yn syrffio ar frig y don. Dododd bâr o drôns a sanau glân yn barod gyda'r crys, a thynnodd ei jîns ymlaen dros ei gorff noeth er mwyn mynd am y gawod ym mhen arall y coridor. Gafaelodd yn ei fag ymolchi a thywel pinc yn perthyn i'r llety, chwiliodd am ei allwedd a chamodd yn droednoeth allan i'r coridor cul. Roedd y drws i'r ystafell ymolchi ynghlo pan gydiodd yn y bwlyn a cheisio'i droi, a gallai glywed dŵr y gawod yn tasgu'n swnllyd yn erbyn llen blastig yr ochr arall; felly, yn lle mynd i ffwrdd a dod yn ei ôl, arhosodd y tu allan rhag ofn iddo golli ei dro. Ymhen rhyw bum munud, agorodd y drws ac ymddangosodd dyn croenddu yn gwisgo dim byd ond pâr o drôns gwyn. 'Good morr-ning!' meddai wrth Luis a gwenu'n hael.

Gwenodd Luis yn ôl a throi i'w wylio'n diflannu i gysgodion y coridor cul nes bod dim byd i'w weld ond y trôns gwyn, llachar yn mynd yn llai ac yn llai. Caeodd y drws i'r ystafell ymolchi, ac eiliadau'n ddiweddarach safai o dan ffrwd gynnes y gawod. Roedd popeth yn berffaith, meddyliodd, wrth i'r dŵr lifo ar hyd ei gorff a'r teils glas golau. Roedd e wedi aros mewn gwaeth llefydd na hyn, fel y lle hwnnw yn y Gaiman pan gollodd e'r bws adref un tro ar ôl ei gadael hi'n rhy hwyr am iddo fethu torri'n rhydd rhag bronnau Cristina, merch leol oedd yn byw yn y pentref ac yn gweithio mewn banc yn Nhrelew. Ar ôl ei hebrwng yn ôl i'r tŷ, a'u dwyawr o drythyllwch anturus yng nghysgod cofgolofn Cristóbal Colón ar ben, dychwelodd i'r parc i aros am y bws. Pan ddaeth hi'n amlwg bod hwnnw wedi mynd hebddo, roedd gormod o gywilydd arno fynd i gyfaddef wrth Cristina a gofyn am lifft gan ei thad. Felly aeth i dreulio'r nos mewn llety. O leiaf roedd y gawod yn gweithio'n iawn yng Ngwesty Brynhyfryd, nododd Luis, a doedd dim llyn o ddŵr brwnt ar hyd y llawr. Camodd o'r gawod gan wenu, a sychu ei hun yn y tywel pinc.

Bum munud yn ddiweddarach, eisteddai ar ei ben ei hun

wrth un o'r pedwar bwrdd yn yr ystafell fwyta ddiffenest yng ngwaelod yr adeilad a disgwyl am ei frecwast.

'Dyma ti, cariad, Full Welsh. Gei di ddim gwell brecwast yn unman yn Ga'rdydd!' cyhoeddodd y fenyw siriol. Syrthiodd ei gwallt tonnog, golau o flaen ei hwyneb wrth iddi osod plataid anferth o gig moch, selsig, madarch, bara saim, tomatos, ffa pob a dau wy wedi eu ffrio o flaen Luis. 'Wy'n gwpod shwt i neud i ddyn dimlo'n gyffwrtus. Te ne goffi?'

'Coffi os gwelwch yn dda.'

'Coffi ar ei ffordd. Dere mla'n … byt cyn iddo fe oeri. Daw bola'n gefen,' meddai'n hwyliog cyn diflannu i'r cefn.

Ceisiodd Luis gofio ymhle roedd e wedi clywed y dywediad hwnnw o'r blaen. O leiaf deallai ei ystyr, bellach. Yna, cofiodd mai dyna a ddywedodd Llinos wrth iddi rofio rhagor o lasagne ar ei blât ar ei noson gyntaf yng Nghymru. Teimlai'r cyfan mor bell yn ôl, fel petai mewn gwlad arall. Yn yr un gadair, wrth yr un bwrdd, yr eisteddai neithiwr ar gyfer ei pherfformiad mawr. Ei hergyd olaf. Caeodd Luis ei lygaid ac ysgwyd ei ben yn egnïol er mwyn siglo'i hwyneb o'i feddwl. Doedd ganddo ddim amynedd. Edrychodd ar y wledd seimllyd o'i flaen a dechreuodd fwyta'n harti.

'Gyta llaw, Lynwen yw'n enw i,' cynigiodd y fenyw siriol wrth fynd i eistedd ar gadair gyferbyn â Luis a dechrau arllwys bob o gwpanaid o goffi iddyn nhw. 'Fe gwrddon ni wrth y ddesg nithwr, cofio?' Roedd Luis yn cofio'n iawn. 'Shwt ma gweud dy enw di?'

'Lw-îs,' meddai Luis.

'Nawr 'te, gwe' 'tho i, un o ble wyt ti? Achos ma acen 'yfryd 'da ti.'

Bu Luis yn ystyried dweud yr un peth amdani hi, ond

doedd e ddim yn deall digon ar ei hacen i fod yn hollol siŵr ai 'hyfryd' oedd y gair iawn. Doedd e erioed wedi clywed Cymraeg tebyg i hyn.

'Dwi'n dod o Batagonia, o Drelew, ond yn byw rŵan yn Buenos Aires,' atebodd gan lyncu darn o gig moch.

'Patagonia, myn yffarn i! Wel, ma 'na dro cynta i bopath. Man 'na ma'n nhw'n siarad Cwmrâg on'd ife . . . Patagonia?'

'Ie, dyna ti, ond bod llai yno rŵan.'

'Ma'r un peth yn wir fan 'yn. C'mer 'yn ardal i, Cwm Gwina. Pan on i'n groten fach o'dd jest pobun yn y pentre'n siarad Cwmrâg, ond mae'n mynd yn ffast. A 'sdim pwynt beio rheina sy'n dod i fyw 'na o'r tu fas achos dim ond llond dwrn o rai fel 'na sy yn Cwm Gwina. Y bobol leol sy ddim yn wilia Cwmrâg 'da'u plant wy'n beio, rheina sy ddim yn paso fe 'mla'n. Fe synnet ti. Ma'n nhw'n amal yn 'ala'u plant i'r ysgol Gwmrâg ac yn wilia Sisnag 'da nhw gatra. O, ŷn ni'n genedl od.'

'Ble mae . . . Cwm Gwina?' gofynnodd Luis mewn ymgais i ddangos diddordeb nad oedd ganddo mewn gwirionedd.

'Castell-nedd Port Talbot. Nawr, 'na enw twp ar shir os buws un erio'd. Shwt alle fe fod yn Gastell-nedd ac yn Bort Talbot yr un pryd? Mae fel y busnas Cymru a Lloegr ti'n clywed ar y newyddion drw'r amser. Ti'n ffilu byw yn y ddwy wlad yr un pryd . . . o, paid â dechra fi off! Shwt ma'r bwyd, bach?'

'Hyfryd, diolch,' meddai Luis gan ddefnyddio gair y foment.

Ar hynny, cyneuodd Lynwen sigarét hir a thynnu'r mwg yn ddwfn i'w hysgyfaint. Sylwodd e ar yr arwydd ar y pared y tu ôl i'w hysgwydd yn cyhoeddi bod ysmygu yn y fangre hon yn erbyn y gyfraith, ond penderfynodd Luis nad oedd Lynwen yn debygol o blygu glin i neb na dim heblaw ei chyfraith ei hun ar ei thomen ei hun, a gwenodd. 'Am faint o amser fyddi di'n moyn y stafell, bach?' gofynnodd.

'Mae'n anodd deud, ond dwi'n gobeithio parith yr arian am ryw dair wythnos i fis arall, falle mwy.'

'Wel, pan fyddi di'n gwpod, gwêd di am faint ti'n moyn aros a naf i'n siwr bod lle i ti fan 'yn. Ti'n gallu dibynnu ar Lynwen. Mae'n neis ca'l rhywun Cwmrâg 'ma.'

Pan ddaeth i ddiwedd ei sigarét, tynnodd Lynwen un arall o'r paced a'i chynnau tra'n diffodd y llall yn y soser lwch. Sylwodd Luis ar olion ei minlliw coch am y stwmpyn ac ar ei hewinedd hir a baentiwyd yr un lliw. Ar un o'i bysedd gwisgai fodrwy aur ac ynddi glamp o garreg ddu, ac am ei gwddwg roedd mwclis â cherrig o'r un lliw yn hongian yn isel yn erbyn yr agen rhwng ei bronnau a amlygid gan siâp ei thop o batrwm croen llewpart. Ceisiodd ddyfalu ei hoedran ond roedd hi'n anodd dweud. Gallai fod unrhyw beth rhwng deugain a thrigain, meddyliodd. Cuddiai ei cholur lawer o'i brychau, ond yn ei llygaid gallai weld bod bywyd wedi gadael ei ôl. Meddyliodd unwaith eto am Llinos, er gwaethaf ei addewid cynt i ymwrthod ag unrhyw demtasiwn i gymharu, a sylweddolodd fod yma ddwy fenyw o ddwy Gymru wahanol iawn i'w gilydd.

'Wy'n gobitho bod y stafell yn siwto. Bydd raid iti ddod nôl 'to miwn blwyddyn, a gei di weld, bydd pob rŵm yn *en suite* 'da fi erbyn 'ny. Wy 'di neud gwyrthia'n barod. 'Set ti 'di gweld y lle pan symutas i miwn. Arglwydd annwl, o'dd e fel twlc, ond mae'n dod yn slo fach. T'wel, wy wastod wedi lico project. Fel 'na wy 'di bod erio'd.'

'Ers faint wyt ti 'di bod 'ma?' holodd Luis yn ffug gwrtais. Roedd e'n awyddus i fynd. Roedd ganddo bethau i'w gwneud, ond gallai weld mai fe oedd ei 'phroject' yr eiliad honno, felly pwysodd yn ôl yn ei gadair a sipian ei goffi gan adael i Lynwen ei ddifyrru am ychydig eto. Ond doedd dim angen iddo boeni gormod, oherwydd funudau'n ddiweddarach cododd hi'n ddisymwth a chyhoeddi bod ganddi hithau fynydd o bethau i'w gwneud.

'Joia dy ddiwrnod, Luis bach. Ma dicon i' weld yn Ga'rdydd, cofia . . . ma itha buzz 'ma nawr . . . wy'n dwlu ar y lle. Wela i di'n nes 'mla'n.' A chydiodd yn y paced o sigaréts a diflannu i'r cefn am yr eildro gan adael y llestri brwnt ar y bwrdd.

Cododd Luis a mynd yn ôl i'w ystafell gan ystyried ei frecwast cyntaf yng Ngwesty Brynhyfryd a Lynwen, ei letywraig liwgar. Efallai fod mwy o weld ynddi nag y tybiasai, meddyliodd.

*

Bu'n fwriad ganddo fynd i'r Amgueddfa Genedlaethol ymhell cyn hyn, ond roedd ganddo esgus bob tro. Heddiw, fodd bynnag, doedd ganddo'r un. Câi fynd i werthfawrogi trysorau cenedl y Cymry fel twrist go iawn. Ar ben hynny, roedd y mynediad am ddim. Felly aeth yn llawen at y grisiau o flaen yr adeilad hardd, i mewn trwy'r drysau mawr a chwilio'n syth am yr orielau celf. Waeth pa mor aml yr âi gyda Gabriela i'r Bellas Artes yn Recoleta, byddai wastad yn crefu am fynd yn ôl. Byddai hi, fel yntau nawr, wedi meddwi ar y gweithiau gan Monet a Manet, Millet a Cézanne, Botticelli, Van Gogh, Renoir ac Augustus John a addurnai'r amgueddfa Gymreig. Roedd gwaith nifer ohonyn nhw'n addurno orielau'r Bellas Artes hefyd, yn gymysg â champweithiau gan arlunwyr o'i wlad ei hun. Treuliodd Luis ddwyawr yn ei binsio'i hun wrth ryfeddu at y dreftadaeth Ewropeaidd o'i gwmpas ac yn gresynu nad oedd meistri ei gyfandir e wedi cael yr un sylw ar y cyfandir lle roedd e'r funud hon. Darllenodd hanes y chwiorydd Davies a'u magwraeth Gristnogol a diolchodd i Dduw fwy nag unwaith am eu Methodistiaeth Galfinaidd lem. Doedd dim byd gwell na dogn o biwritaniaeth i blannu amheuon, i hogi cywilydd, i gymell yr euog i rannu ffortiwn annirnadwy, meddyliodd. Haleliwia! Chwarddodd yn isel wrtho'i hun am ben ei ragrith digywilydd. Go brin y byddai wedi gadael i'r fath syniadau ffuantus garlamu trwy ei feddwl ddiwrnod yn ôl. Ond roedd heddiw'n ddiwrnod newydd. Felly, i'r diawl!

Roedd hi wedi dechrau bwrw glaw pan gyrhaeddodd e'r allanfa eto. Edrychodd ar yr awyr lwyd yn hongian yn ddistaw dros y ddinas a derbyniodd yn ddirwgnach mai dyma oedd ei gosb am ei feddwl drwg. Petai ganddo arian, fe âi am goffi ac aros yng nghaffi'r amgueddfa nes bod y gawod yn dod i ben, ond doedd ganddo ddim arian. Doedd ganddo ddim i'w wastraffu beth bynnag, na gobaith o ennill arian chwaith. Roedd hynny'n erbyn y rheolau. Pwysodd yn erbyn un o bileri'r adeilad mawreddog a gwylio'r glaw yn disgyn yn drymach gyda phob munud. Roedd e mewn twll. Roedd digwyddiadau'r pedair awr ar hugain diwethaf wedi newid popeth, ac o hyn allan byddai ganddo lai o arian nag erioed. Ceisiodd ddychmygu'r dyddiau hir o gyni cyn iddo orfod ildio. Pa ddiben gadael i'r diflastod anochel rygnu yn ei flaen? Onid gwell fyddai gwario'r cyfan mewn un ffrwydrad o bleser dilyffethair a chael diwedd arni? Lledwenodd. Dychmygodd ei hun mewn parti un dyn. Gwelodd ei hun yn llowcio'i swper olaf wrth fwrdd bach i un yng nghornel rhyw fwyty cyffredin, go lew gan boeni nad oedd ganddo ddigon hyd yn oed i adael cildwrn parchus. Dyna werth ei ffortiwn yntau! Efallai ei bod hi'n bryd iddo ddechrau meddwl am fynd adref. A welsai ddigon ar y wlad fach, lawog hon? Yna, cofiodd na welsai fawr ddim am nad oedd e wedi bod y tu allan i'r brifddinas ers iddo ddod mewn tacsi drud o'r maes awyr. Ond pa ots? Roedd e'n dechrau gweld eisiau Gabriela. Yr eiliad honno roedd arno angen teimlo'i chorff, gweld ei gwên. Cododd goler ei siaced a rhedodd i lawr y grisiau i ganol y glaw.

Ar ôl munud o redeg ac ochrgamu'r pyllau dŵr mwyaf, ystyriodd dderbyn ei ffawd a dychwelyd i Westy Brynhyfryd, ond ni allai wynebu diwrnod cyfan o syllu ar barwydydd melynaidd ei ystafell anhyfryd. Yn wahanol i señor Alvarado, doedd e ddim yn deall naw deg naw y cant o gynnyrch y sianeli digidol ar y set deledu a grogai ar fframyn bregus gyferbyn â'i wely. Wedi'r cyfan, roedd e, Luis Arturo Richards, wedi mynd am y llall, yr unig un Gymraeg, ac o'r hyn a welsai ar honno, doedd fawr o reswm dros ruthro'n ôl. Felly gwibiodd ar hyd y palmentydd pyllog i gyfeiriad y ganolfan siopa dan do gan ddiolch bod y ddinas hon wedi ei chynllunio ar gyfer y glaw. Difyrrodd ei hun am awr drwy dderbyn â'i ddwy law bob sampl rad ac ddim a gynigiwyd iddo; persawr, siocled, achubiaeth gan yr Iesu, rhagor o bersawr. Gwyntai fel pimp mewn puteindy. Aeth i mewn ac allan o siopau dillad gan drio'r ffasiynau diweddaraf heb y bwriad lleiaf o brynu dim byd. A'r tu allan, dal i syrthio a wnâi'r glaw.

Ymhen awr arall cawsai ddigon, ac aeth i eistedd ar un o'r meinciau modern yn y ganolfan dan do a syllu'n syth o'i flaen yn union fel y gwnâi'r degau o rai eraill a fu'n eistedd yno ers tro. Doedd e ddim wedi siarad â neb ers amser brecwast a nawr dyheai am sgwrs. Tynnodd ei ffôn o'i boced a gweld nad oedd e wedi ei droi ymlaen ers neithiwr. Fe'i diffoddodd yn fwriadol er mwyn arbed poen i Tomos yn gymaint ag iddo fe ei hun. Nawr, brwydrai yn erbyn y demtasiwn i alw ei ffrind, ond doedd e ddim eisiau ei glywed yn ymddiheuro dros ei fam. Byddai hynny'n amhriodol. Beth bynnag a ddywedwyd ar ôl iddo fynd, doedd e ddim eisiau gwybod. Fe siaradai ag e'n hwyr neu'n hwyrach, ond roedd e'n grac o hyd. Gwthiodd ei ffôn yn ôl i'w boced a dechrau cerdded trwy'r dorf. Oedd, roedd e'n grac o hyd. Ar ôl ei anghrediniaeth gychwynnol wrth glywed ensyniadau Llinos, roedd e wedi ei frifo, ond nawr roedd e'n grac. Roedd e'n grac ag e ei hun.

Dim ond pan drodd i gau drws y caffi seiber ar ei ôl y sylweddolodd fod y glaw wedi peidio. Roedd e wedi croesi'r dref heb weld na theimlo dim. Aeth at y dyn ifanc, gwallt hir a eisteddai wrth gyfrifiadur y tu ôl i'r cownter a phrynu gwerth awr o amser seiber gan warafun y gost. Roedd yn ddrutach o lawer fan hyn na'r *locutorios* gartref, ond roedd Luis bellach yn gyfarwydd â thalu pris uchel am bopeth yn y wlad hon. Teipiodd y rhif arbennig a gawsai gan y dyn gwallt hir i mewn i'r cyfrifiadur ac arhosodd i'r peiriant fynd trwy ei bethau cyn ei dywys at ei e-byst. Dileodd y sbwriel arferol yn ei wahodd i wella'i fywyd rhywiol neu i fuddsoddi mewn cwmnïau amheus a dyblu ei arian dros nos, er cymaint apêl y ddau. Darllenodd neges amherthnasol gan Jorge at y *chicos* eraill yn eu hysbysu am eu gêm nesaf nos Wener, a llifodd ton o hiraeth drosto. Gadawodd i'r cyrchwr hofran dros enw Siwan Gwilym yn y rhes nesaf. Roedd e'n barod am siom. Wedi'r cyfan, onid hon oedd y ferch oedd wedi troi ei chefn arno yn y maes awyr funudau ar ôl iddo gyrraedd y wlad ffwcedig yma? Pam dylai hon fod yn wahanol i'r lleill? Ceryddodd ei hun am ei bwl digywilydd o hunandosturi cyn clicio ar ei henw ac agor ei neges.

Doedd hi ddim yn neges hir. Darllenodd Luis y geiriau Cymraeg dro ar ôl tro gan geisio gweld unrhyw ystyr gudd, rhywbeth a allai fod yno o dan yr wyneb, rhywbeth nad oedd yn amlwg i dramorwr fel fe. Ond doedd dim byd. Roedd hi'n diolch iddo am ei neges a'i eiriau caredig yn canmol yr arddangosfa, a gobeithiai ei fod e'n iawn. Doedd dim sôn am fusnes y maes awyr. Doedd dim sôn am gyfarfod eto. Pob hwyl, Siwan. Caeodd y neges a phwyso'n ôl yn y gadair blastig. Holodd ei hun a oedd e wedi disgwyl mwy, oherwydd os nad oedd, yna ni ddylai fod wedi teimlo siom. Eto, dyna'n union a deimlai. Doedd Siwan Gwilym yn ddim gwahanol i'r lleill. Cliciodd allan o'i e-byst ac aeth at safle La Nación i ddarllen y newyddion diweddaraf o'r Ariannin, ond collodd ddiddordeb ar ôl pum munud a dychwelodd at ei e-byst. Agorodd y neges oddi wrth Siwan drachefn a'i darllen o'r newydd fel petai ei hagor a'i chau ddigon o weithiau'n debygol o ddatgelu rhywbeth newydd. A dyna'n union a wnaeth. Ni allai ddeall pam na welsai cynt yr hyn oedd mor amlwg iddo'r eiliad honno. O dan ei henw ar waelod y neges darllenodd y rhif ffôn oedd yno ers y tro cyntaf. Syllodd ar y rhifau unigol fel plentyn yn cael ei swyno gan hud a lledrith dewin mewn parti pen-blwydd. Y ffŵl! Gwenodd wrth sgriblo'r rhif ar gefn ei law. Caeodd ei e-byst, caeodd ei sesiwn a chaeodd ddrws y caffi seiber ar ei ôl cyn camu allan i strydoedd gwlyb Caerdydd â hyder newydd yn ei waed.

*

Pan gyrhaeddodd Luis Westy Brynhyfryd, roedd e'n falch nad oedd Lynwen wrth y dderbynfa. Rhuthrodd heibio i'r ddesg wag ac aeth yn syth i'w ystafell am fod ganddo bethau i'w gwneud. Roedd e am ffonio Siwan i gynnig cyfarfod. Ac yntau wedi treulio'r hanner awr ddiwethaf yn pendilio rhwng ei gydwybod a'i flys cynamserol, o'r diwedd roedd e wedi llwyddo i'w argyhoeddi ei hun y byddai hi'n disgwyl yn eiddgar am ei alwad. Roedd diwrnod cyfan wedi mynd heibio ers iddi anfon ei neges. Roedd hi'n dderbyniol, felly, iddo'i ffonio nawr. Drwy gydol ei siwrnai yn ôl i'r gwesty bu'n ymarfer ei eiriau rhag iddo ymddangos yn rhy hy. Ceisiodd gofio sut un oedd hi o'u cyfarfod byr ar yr awyren bythefnos yn ôl, ond yr eiliad honno câi drafferth cofio'i hwyneb, heb sôn am sut un oedd hi. Cydiodd yn ei ffôn a'i droi ymlaen. Arhosodd am hydoedd cyn cael signal, ond gwywodd ei hyder fel codiad diflanedig pan welodd fod ganddo bedair neges oddi wrth Tomos a rhybudd ei fod e wedi colli galwadau di-rif.

Gorweddodd yn ôl ar y gwely a gadael i'r ffôn syrthio o'i law. *Puta*. Yn gymaint â'i rwystredigaeth, roedd arno gywilydd. Caeodd ei lygaid, ond y cyfan a welodd oedd enw Tomos bedair gwaith, rhes ar ôl rhes yn llenwi ffenest fach y ffôn. Dylai fod wedi cysylltu ag e ymhell cyn hyn. Cododd ar ei eistedd yn sydyn a chydio yn ei ffôn. Agorodd y neges gyntaf ac fe'i trywanwyd gan y panig yn y geiriau moel.

Ble wyt ti? Ti'n iawn? Ffonia fi.

Sgroliodd i ddiwedd y neges a nodi faint o'r gloch y cawsai ei hanfon; deg munud wedi wyth, ond erbyn hynny roedd e, Luis, ymhell ar ei ffordd o dŷ'r Morganiaid a'i fryd ar gyflawni rhywbeth dieflig, rhywbeth gwyllt.

Luis, ble wyt ti? Ffonia fi! Wyt ti'n saff?

Oedd, roedd e'n saff ac yn fwy bodlon ei fyd yng ngwesty Lynwen.

Ffycin ffonia fi, wnei di!

Cofiodd y pryder yn llygaid Tomos bedair awr ar hugain ynghynt pan sylweddolodd hwnnw am y tro cyntaf fod rhywbeth mawr o'i le. Bryd hynny, bu'n werth brwydro o hyd am nad oedd pethau wedi troi'n ffradach llwyr. A brwydro a wnaeth. Fe frwydrodd Tomos â'i fam a mentro popeth. Wrth i Luis ddarllen y geiriau yn ei law, y peth lleiaf y gallai ei wneud, fe sylweddolodd, oedd cadw ei obaith yn fyw.

Plis ffonia. Plis.

Gwasgodd y botymau a daliodd y ffôn yn erbyn ei glust.

'Ble ti 'di bod, y basdad?' Doedd dim o'r ysgafnder arferol yn llais Tomos. Yn hytrach, llefarodd y geiriau â gwacter rhywun oedd wedi ymlâdd.

'Mae'n ddrwg gen i. Wyt ti'n iawn?'

'Lle ddiawl ti 'di bod?'

'Fe wnes i ddiffodd y ffôn.'

'Mae hynny'n amlwg. Pam wnest ti 'na, Luis? Wnest ti ddim meddwl y bydden i am ffono, am siarad â ti, am geisio helpu? Pam wnest ti ddiffodd dy ffôn? Gwêd wrtha i.'

'I arbed poen i'm ffrind.'

'I arbed poen i dy ffrind. Go dda, *gaucho*! Llongyfarchiade ar dy foesoldeb.'

'Mae'n wir . . . ac i arbed poen i fi fy hun hefyd.'

'Wel, fe lwyddest ti i neud y gwrthwyneb yn fy achos i.'

'Mae'n ddrwg gen i, Tomos.'

Clywodd Luis ei eiriau'n adleisio yn ei ben fel sgrechiadau haid o wylanod yn pigo dros weddillion eu cyfeillgarwch a llenwi'r mudandod mawr rhyngddyn nhw eu dau yr eiliad honno. Doedd mudandod erioed wedi chwarae rhan yn eu perthynas fer, meddyliodd, a nawr roedd yn fyddarol.

'Ti'n gweld, ti'n ffilu jest cerdded miwn i 'mywyd i ac yna cerdded mas. 'Smo ti'n deall . . . ?' Tawelodd llais crynedig Tomos yn ddisymwth a chlywodd Luis ymdrechion ei ffrind i'w atal rhag torri'n llwyr. 'On i'n dibynnu arnat ti, Luis. Ti o'dd y peth gore i ddod i'n tŷ ni erio'd . . . ac fe ddest ti jest miwn pryd.'

Cododd Luis yn araf oddi ar y gwely a cherdded ar draws yr ystafell foel, ei holl gorff yn ferw. Edrychodd yn ddi-weld drwy'r ffenest ar oleuadau pŵl y traffig aneglur a wibiai heibio, a chododd ei law i sychu'r lleithder o gornel ei lygad. 'Rwyt ti'n gallu dibynnu arna i o hyd,' meddai o'r diwedd.

'Odw i, Luis?'

'Wyt.'

Ni ddywedodd y naill na'r llall ddim byd am eiliadau hir, ond gwyddai Luis fod trobwynt wedi ei basio a bod popeth yn iawn.

'Tyrd draw,' meddai cyn i Tomos ymateb. 'Mae'n bryd inni siarad.'

'Ble wyt ti?'

'Dwi ddim wedi mynd yn bell. Dwi'n aros mewn gwesty ar Ffordd Casnewydd. A tyrd â rhywbeth i' fwyta efo ti. Dwi'n llwgu.'

Pennod 8

''Na FACHAN NEIS yw dy bartnar di,' meddai Lynwen wrth estyn llond mẁg o goffi poeth i Luis.

Roedd hi'n tynnu am hanner dydd ac roedd Luis wedi bwriadu mynd allan i ganol llwydni prynhawn arall, ond cawsai ei ddal gan Lynwen a nawr safai yn ei chegin fawr gan sipian y ddiod ffres yn ddiolchgar. Roedd e'n ddiolchgar am y sgwrs yn gymaint â dim, ac ar ben hynny roedd e'n hoffi cwmni'r westywraig gyfeillgar. Hyd y gallai weld, dim ond nhw eu dau a Jacqui – y fenyw denau, lwydaidd ei golwg a gâi ei chyflogi gan Lynwen i lanhau'r ystafelloedd – oedd yn y gwesty y funud honno. Wedi dau ddiwrnod o aros ym Mrynhyfryd, roedd yn destun rhyfeddod cyson i Luis fod pob un o'i gydletywyr yn llwyddo i ddiflannu i ryw gornel ddirgel o'r ddinas am dalp mawr o'r dydd. Yn dawel bach, cenfigennai wrthyn nhw.

'Fy mhartner?' atebodd e gan grychu ei drwyn.

'Ia, ti'n gwpod, dy sbonar di.'

'Mae'n ddrwg gen i, ond dwi ddim yn deall beth ydy... sbonar.'

Sugnodd Lynwen yn hir ar ei sigarét gan wneud ei gorau i ddod o hyd i air arall i helpu'r sgwrs yn ei blaen.

'Dy... shwt alla i weud... dy *boyfriend* di.'

Edrychodd yn hunanfoddhaus ar Luis, yn fodlon bod ei hymdrech ddiweddaraf i gynnig esboniad wedi llwyddo, ond buan y toddodd ei hymarweddiad buddugoliaethus pan ddangosodd y dryswch a oedd yn dal i fod yn llygaid Luis nad oedd e fawr callach.

'Damo, wy'n ffilu meddwl shwt i' weud e. Dere weld ... dy gariad ... 'na fe, 'na beth yw sbonar!' Tynnodd Lynwen sigarét arall o'r paced yn ei llaw fel gwobr am ei dycnwch geiriol, ond wrth wneud, collodd y syndod oedd wedi lledu ar draws wyneb cegagored ei gwestai.

'Fy nghariad?'

'Ia, mae e'n fachan neis iawn o beth wy 'di'i weld. 'Wnna o'dd 'ma nithwr.'

'Tomos ti'n feddwl? Tydan ni ddim yn gariadon!'

'Nag ŷch chi? O, 'na fe, ond meddwl on i achos 'i fod e wedi mynd o 'ma mor 'wyr, 'na gyd. Grinda, 'sdim tamad o ots 'da fi. Pawb at y peth y bo, weta i. Gy't â bod neb yn ca'l ei nafu, dyw e ddim busnas i neb arall. Ti 'di cwrdd ag Andy a Nausherwan? Dyna ti bâr 'yfryd. T'wel, Moslem yw Nausherwan, a ma fe'n lletwith iddo fe fod fel ma fe'n moyn bod. Smo'i deulu fe'n bylon, so mae'r ddou o nhw'n byw fan 'yn 'da fi'n deidi a 'sneb damed callach. Mae'n well fel 'na.'

'Lynwen, tydy Tomos a fi ddim yn gariadon. Fo ydy'n ffrind gore i yng Nghaerdydd. Dim mwy.'

''Na fe, bach, wy ddim yn gweud llai. Ond ma pobun isha cwmpni witha, mae'n naturiol.'

'Ti'n ofnadwy, Lynwen!'

Gwenodd y ddau a chroesodd Luis lawr teils y gegin cyn cofleidio Lynwen yn chwaraeus. Oedd, roedd e'n dechrau hoffi'r ddynes hon yn fawr, penderfynodd.

'So, beth yw dy blans am 'eddi, Luis bach?' gofynnodd hi ar ôl i'r ddau fynd yn ôl i yfed eu coffi unwaith eto.

'Wel, dwi'n mynd i gwrdd â merch, fel mae'n digwydd,' atebodd Luis gan edrych yn awgrymog i fyw ei llygaid.

'Beth wetas i? Ma pobun isha cwmpni!'

'Lynwen! Mi ddeuda i o eto... ti'n ofnadwy!'

'Pwy yw'r ferch lwcus 'te?'

'Ei henw ydy Siwan ac fe gwrddon ni ar yr awyren y diwrnod des i Gymru'n gynta.'

'Rhamantus! Wnest ti ddim bratu lot o amsar fan 'na, naddo fe! Ond ma fe yn eich gwa'd chi on'd yw e, chi bobol Patagonia. Eich gwa'd *Latino*. Chi'n fwy be-chi'n-galw na ni.'

'Dwi ddim yn mynd i ateb hwnna,' meddai Luis gan anelu am y drws. 'Diolch am y coffi a'r sgwrs... ddifyr,' ychwanegodd yn wên o glust i glust.

'Wel, cofia fi at Siwan a gwêd wrthi fod croeso iddi ddod i Frynhyfryd unrhyw bryd mae'n moyn. Se fe'n neis clywad mwy o Gwmrâg abythdu'r lle.'

'Hwyl, Lynwen!'

'So long, Luis bach!'

*

Pwyso yn erbyn y rheiliau a'i chefn at y dŵr roedd Siwan Gwilym pan sylwodd Luis arni gyntaf. Ar ôl poeni drwy gydol y daith i Fae Caerdydd na fyddai'n cofio'i hwyneb wedi eu cyfarfod cyntaf, byr ychydig wythnosau ynghynt, adnabu Luis y ffotograffydd ar unwaith. Arafodd ei gamau'n fwriadol er mwyn cael mwy o amser i'w hastudio o bell cyn iddi ei weld a'i orfodi i ildio'i fantais. Roedd hi fymryn yn dalach nag y cofiai. Gwisgai siaced lwyd, fer a jîns du, tynn a'r gwaelodion wedi eu gwthio i mewn i bâr o esgidiau du a godai dros ei phigyrnau, fel esgidiau pererin o'r Oesoedd Canol. Am ei gwddwg roedd sgarff ysgafn, borffor wedi ei chlymu'n llac, ac yn lletraws dros ei siaced gallai weld strap tenau ei bag bach nad oedd ond ychydig yn fwy na phwrs. Ond yn ddi-os, ei gwallt cwta, golau oedd ei nodwedd amlycaf. Yn ei llaw daliai lyfr, ac wrth iddo ddynesu tuag ati, trôi'r tudalennau'n hamddenol, yn ddi-hid o bawb o'i chwmpas. Roedd ei harwahanrwydd yn ei siwtio, meddyliodd Luis, ond nid mewn ffordd grachlyd chwaith.

'Llyfr da?' holodd e pan safai lai na metr oddi wrthi.

'Luis! *¿Cómo estás?*' Ar hynny, caeodd Siwan ei llyfr a chlosio ato gan anwybyddu ei law estynedig. Yn hytrach, plannodd gusan ysgafn ar ei foch. 'Dyna'r peth cynta wedest ti wrtha i pan gwrddon ni ar yr awyren,' meddai gan gamu'n ôl ac edrych i fyw ei lygaid.

'Be ti'n trio awgrymu . . . 'mod i'n ailadroddus, ynte ddim yn wreiddiol iawn?'

'Dim un o'r ddau . . . busneslyd, fyddwn i'n gweud.'

'Nawr pwy sy'n llym ei thafod?' atebodd Luis gan wenu.

'*Touché*! Mae golwg dda arnat ti, Luis. Rhaid bod Cymru'n dy siwto.'

'Hm, wn i ddim am hynny,' meddai gan godi un o'i aeliau.

'Pam yr amheuaeth?'

'Mae'n stori hir.'

'O?'

'A ches i mo'r dechrau gore,' ychwanegodd, gan wfftio'r gosodiad diwethaf â'i law fel petai'n ysgubo gwybedyn plagus o flaen ei wyneb. 'Tyrd, awn ni am ddiod?'

'Iawn, ond dwyt ti ddim yn ca'l gweud rhwbeth fel 'na heb ymhelaethu. Beth ddigwyddodd i ti?'

'Fe eglura i wedyn. Ble awn ni?'

'Awn ni i ishte mas tu fas, ife? Hei, mae'r haul newydd ddangos ei wyneb ac mae hynny'n beth digon prin yng Nghymru!'

Dechreuodd y ddau gerdded ar hyd glannau'r cei gan ymarfer eu mân siarad gofalus fel unrhyw bâr arall o ddieithriaid rhonc. Wedi'r cwbl, doedd sgwrs chwarter awr ar awyren ac ychydig o gecru diniwed mewn maes awyr prin ei Gymraeg ddim yn ddigon o sail i honni bod cyfeillgarwch mawr rhyngddyn nhw, sylweddolodd Luis. Eto, ni allai lai na meddwl eu bod nhw'n fwy na dieithriaid, ond doedd e ddim yn siŵr pam yn union y dylai feddwl hynny chwaith. Cymerodd hi lawer mwy o amser na hynny i ffurfio perthynas â Gabriela, fe gofiodd, ac roedd Gabriela'n agored iawn. Efallai ei bod hi'n haws peidio â gweld y rhwystrau a'r cynildebau wrth siarad mewn iaith arall, meddyliodd, neu ei bod hi'n haws dewis eu hanwybyddu. Neu efallai nad oedd dim byd mwy arbennig iddi na'r ffaith taw hon oedd y person cyntaf erioed iddo siarad Cymraeg â hi y tu allan i Chubut. Dyna oedd swm a sylwedd ei harwyddocâd. Dim mwy a dim llai.

'Fan hyn?' cynigiodd Siwan gan gerdded tuag at fwrdd a dwy gadair wag o dan ambarél coch, gwyn a gwyrdd.

'*Perfecto.*'

'Be gymri di? Fi sy'n talu.'

'Gymra i gwrw bach . . . a diolch.'

'Dau gwrw, felly,' meddai hithau gan droi i fynd i mewn i'r caffi-bar.

Ni fyddai byth yn dod i arfer â gorfod mynd at y cownter i archebu bwyd a diod mewn caffi, meddyliodd Luis. Doedd e ddim yn teimlo'n iawn, rhywsut. Erbyn i rywun fynd i sefyll mewn rhes a thalu ymlaen llaw cyn gwthio'i ffordd yn ôl at y bwrdd, a oedd bob amser yn fudr ac yn llawn o lestri brwnt am nad oedd gweinydd i'w clirio, a'r diodydd yn slochian yn y soser neu ar hyd yr hambwrdd, roedd y pleser wedi hen ddiflannu. Pwysodd yn ôl yn y gadair alwminiwm, sgleiniog a gadael i'w lygaid grwydro at yr adeiladau godidog ym mhen draw'r bae. Felly, dyma galon wleidyddol y Cymry. Theatr eu grym. Hoffai adeilad y Senedd yn fawr, er ei fod yn edrych allan dros y dŵr at Loegr yr ochr draw i'r môr gan gadw ei gefn at ei wlad ei hun.

'Mae'n llachar pan ti'n dod 'nôl mas,' cyhoeddodd Siwan gan osod y diodydd ar y ford alwminiwm a thynnu sbectol haul o'i bag. 'Mae'n ddigon i ddallu rhywun.'

'Hm? Sori, on i'n bell i ffwrdd,' meddai Luis gan neidio'n ôl o'i freuddwydio.

'A ble'n gwmws ot ti, Buenos Aires?'

'Ddim hanner mor bell â hynny. On i draw fan 'na, yn eich senedd chi,' atebodd gan amneidio at yr adeilad modern.

'Waw! Ti'n dewis y llefydd mwya cyffrous!' meddai Siwan yn goeglyd. 'Gyda llaw, nid senedd yw hi. Dyna maen nhw'n galw'r adeilad ond dyw hi ddim yn senedd go iawn, nid fel mewn gwledydd go iawn. Efalle bod pobl yn neidio lan a lawr am fod mwy o bwerau deddfu gyda ni nawr, ond dal i orfod dilyn system gyfreithiol Lloegr mae'r Cymry. A dal i orfod derbyn hynny o arian mae Llunden yn ei roi i ni, fel plant yn derbyn arian poced. Fydde senedd go iawn ddim yn caniatáu hynny.'

'Pam nad oes senedd go iawn efo chi?'

'Achos 'yn bod ni'n ddifater ac yn anaeddfed ac achos bod ofon ein cysgod arnon ni. Tase gyda ni senedd, bydde'n rhaid i ni feddwl droson ni'n hunain . . . ac rŷn ni wedi cael ein rheoli'n rhy hir i allu meddwl yn annibynnol.'

Astudiodd Luis ei hwyneb y tu ôl i amddiffynfa'r sbectol haul, ond ni wyddai'n iawn am beth y chwiliai. Roedd ei phen wedi troi'r mymryn lleiaf oddi wrtho fel petai hi'n edrych heibio iddo tua'r dŵr a befriai yn y bae.

'Cyfaddawd yw e, fel bron popeth arall yng Nghymru. Senedd mewn enw'n unig. Hunan-dwyll. 'Sdim byd fel mae'n ymddangos yn y wlad 'ma. Ti'n siŵr o fod wedi gweld hynny drosot ti dy hun, nag wyt?' ychwanegodd Siwan.

Llwyddodd Luis i godi gwên wan ac am funud bu mudandod rhwng y ddau. Doedd e ddim yn mynd i lyncu'r abwyd er y gallai ddweud digon. Roedd hi'n iawn, wrth gwrs, meddyliodd. Doedd dim byd fel yr ymddangosai. Oni welsai hynny dro ar ôl tro? Eto, doedd e ddim yn gyflawn aelod o dylwyth y Cymry, ac felly doedd hi ddim yn briodol iddo ddweud rhagor, ond doedd hynny ddim yn golygu nad oedd ganddo farn. 'Os wyt ti isho gweld hunan-dwyll, tyrd i'r Ariannin. Ni ydy pencampwyr hunan-dwyll De America gyfan,' meddai o'r diwedd mewn ymgais i ochrgamu ei chwestiwn pryfoclyd.

'Dyw'r Cymry ddim yn bencampwyr ar ddim byd, hyd yn oed rygbi dim rhagor! Gwlad y festri capel yw Cymru, yn llawn amaturiaid. Dŷn ni ddim hyd yn oed yn gallu difa cwpwl o foch daear heb wneud cawlach o'r cyfan!'

'Moch daear?' holodd Luis gan droi i edrych yn ddryslyd arni a dechrau hanner chwerthin.

'Ti ddim ishe gwbod. Mae'n ddigon i godi'r felan arnat ti.'

Eisteddai'r ddau mewn mudandod am yr eildro gan edrych draw dros y bae. Cododd teulu yn eu hymyl i adael a chyrhaeddodd un arall i gymryd ei le'n syth. Clustfeiniodd Luis er ei waethaf pan glywodd eu sgwrs Gymraeg a gwenodd wrtho fe'i hun wrth wrando ar eu trafodaeth ddwys ond di-ddim ynglŷn â beth i'w fwyta. Fel hyn y dylai fod, mae'n debyg, meddyliodd. Pethau fel hyn oedd yn bwysig i bobl ar hyd a lled y byd, waeth ble roedden nhw'n byw, a hunan-dwyll oedd meddwl fel arall.

'Gallwn ni fynd i mewn i'r Senedd os ti'n moyn,' cynigiodd Siwan ymhen ychydig, 'er mwyn iti weld democratiaeth y Cymry ar waith. O leia mae'r adeilad yn werth ei weld.'

'Ydy pobl fel ni'n cael mynd i mewn?'

'Ydyn. Ti'n gorfod pasio drwy'r system ddiogelwch yn gynta, tebyg i'r rheina mewn meysydd awyr, ond mae'n ddigon hawdd mynd i mewn oni bai bod gyda ti fom yn dy fag.'

'Gobeithio'i bod hi'n haws na trio mynd heibio swyddogion mewnfudo maes awyr Caerdydd!' ebychodd Luis.

'Ie, beth ddigwyddodd i ti? Ar ôl i fi fynd drwodd i gasglu 'mag, bues i'n aros amdanat ti yn y pen arall ond doedd dim golwg ohonot ti. On i'n mynd i gynnig rhannu tacsi gyda ti.'

Roedd Siwan wedi aros amdano, felly. Ystyriodd Luis y darn newydd yma o wybodaeth a phenderfynu ar unwaith bod yr hyn a glywsai yn dda. Roedd hi'n iawn, doedd dim byd fel yr ymddangosai ar yr olwg gyntaf, meddyliodd. 'Bu ond y dim i fi gael 'y nhroi 'nôl,' meddai gan ddewis peidio ag ymateb yn uniongyrchol i'r hyn roedd hi newydd ei ddatgelu. 'Roedd y dyn yn y maes awyr yn cadw gofyn cwestiyne i fi'n Saesneg a finne ddim yn deall gair. Felly on i'n methu ateb yn iawn ac...'

'Roedd e'n siŵr o fod yn meddwl taw terfysgwr ot ti oherwydd dy bryd tywyll, garw. Ac ot ti heb siafo ers tridie o leia! Erbyn meddwl, roedd golwg eitha...'

'Diolch am dy gydymdeimlad ac am asesiad mor gytbwys o'r sefyllfa! Wrth gwrs, 'sdim byd hiliol o gwbl yn ei gylch o!' meddai Luis gan ffugio protest a theimladau clwyfedig. 'Be ti'n ddeud ydy bod pawb o Dde America'n edrych yn amheus, ie? Ychydig bach yn seimllyd falle? Anonest?'

Chwarddodd Siwan.

'O, mae Luis wedi cael ei frifo,' heriodd hithau.

'Mae'n cymryd llawer mwy na hynny i frifo rhywun fel fi, señorita Gwilym! Dwi'n hanu o linach dipyn caletach. Rwyt ti'n anghofio bod y Cymry aeth allan i'r Wladfa wedi diodde pob math o galedi yr eiliad camon nhw oddi ar y *Mimosa*... a daethon nhw drwy'r cyfan yn fyw. 'Dan ni ddim yn gadael i ychydig o eirie tila fel 'na'n brifo ni.'

'Gwranda, yr agosa rwyt ti wedi dod i brofi mimosa yw ei wynto fe ar far o sebon! Ti'n llawn cachu, Luis!'

'Wel, am ffordd i siarad ag ymwelydd!'

'Dere, cyn i fi ddechrau teimlo'n flin drosot ti,' meddai Siwan gan godi ar ei thraed, yn barod i fynd.

'Dwi ddim 'di gorffen 'y niod eto. 'Dach chi'r Cymry wastad ar frys. 'Dach chi ddim yn gwbod sut i ymddwyn mewn caffi a dyna pam 'dach chi ddim yn haeddu dim byd gwell.'

'Am beth wyt ti'n malu awyr nawr?' Tro Siwan oedd hi i edrych yn ddryslyd.

'Anghofia fo,' atebodd Luis yn chwareus, 'mae'n ddigon i godi'r felan arnat ti!'

*

Gwylio'r pêl-droed ar y teledu gan anwybyddu'r sylwebaeth annealladwy oedd Luis pan ddaeth cnoc ar ddrws ei ystafell. Roedd e wedi blino braidd ers cerdded yn ôl i Frynhyfryd ar ôl ei brynhawn yng nghwmni Siwan, ond er gwaethaf ei goesau trwm cododd i ateb y drws.

'Ti wedi byta 'eddi?'

Safai Lynwen yn y drws yn gwisgo blows wen, trowsus du a brat coch ac arno lun o bêl rygbi ar hyd un ochr a llun o genhinen ar hyd yr ochr arall gyda geiriau rhyw gân yn Saesneg rhwng y ddwy.

'Lynwen! Ydw... fe ges i frecwast,' atebodd yn ddiplomataidd.

'Wy'n gwpod 'na, y dwlbyn. Fi roiws e i ti. Ond ti 'di byta ers 'ny?' mynnodd Lynwen gan hanner amau ateb Luis cyn iddo'i lefaru.

'Nac ydw,' atebodd yn lloaidd gan obeithio y byddai ei eiriau diaddurn yn ddigon i fodloni chwilfrydedd ei letywraig a pheri iddi fynd.

'On i'n meddwl. Ti'n lico caserol... cig idon?'

'Ydw, ond Lynwen does gen i ddim lot o arian i...'

'Wnes i ofyn am arian? Dere lawr i'r gecin miwn cwarter awr a paid â bod yn 'wyr.' Ar hynny, trodd Lynwen a diflannu i gysgodion y coridor cul nes bod dim byd i'w weld ond cefn ei blows wen yn mynd yn llai ac yn llai.

*

'So, 'le fuoch chi 'te? Ti a Siwan.'

Sylwodd Luis fod llygaid Lynwen yn pefrio â bywyd chwilfrydig am y tro cyntaf ers iddo gyrraedd Brynhyfryd. Edrychai'n iau yn sydyn reit.

'Rwyt ti'n waeth na Mam!' protestiodd yntau.

'Dim ond gofyn. Diddordeb iach wy'n galw 'wnna.'

'Busneslyd ydy'r gair sy'n dod i'm meddwl i.'

'Wel, ma lot gwa'th i' ga'l na bobol fusneslyd yn yr 'en fyd 'ma. Wy ar ochor dy fam. A ta beth, ma isha catw tabs arnoch chi ddynon,' saethodd Lynwen yn ôl a gwthio fforcaid o gig o gwmpas ei phlât yr un pryd yn barod i'w roi yn ei cheg. ''Le fyddech chi 'epddon ni?'

Edrychodd Luis arni a phenderfynu ochrgamu ei chwestiwn fel y gwnaethai'n gynharach gyda Siwan. Roedd e'n dechrau troi'n hen law ar ddefnyddio tacteg o'r fath, meddyliodd.

'Aethon ni i'r Bae os oes gwir angen iti wbod.'

'O, wy'n dwlu ar y Bae. Nawr, dyna ti le sy 'di newid. On i'n arfar catw tafarn lawr yn y Bae ... y Rising Sun.'

'Beth oedd yr enw eto?' gofynnodd Luis.

'Y Rising Sun.'

'Beth ydy ystyr hynny?'

'Wy'n anghofio o 'yd fod ti'n ffilu siarad Sisnag. 'Sdim gair 'da ti nag o's e?'

'Dim un o werth, Lynwen.'

'Mae'n meddwl ... dere weld ... cwnnad ... codiad yr haul. Mae'n swno'n fochadd yn Gwmrâg, on'd yw e!' a phlygodd ei phen yn ffug wylaidd cyn chwarae â'r bwyd ar ei phlât. Pan gododd ei golygon ymhen ychydig eiliadau, gwelodd fod Luis yn dal i wenu wrtho'i hun.

'Pryd oedd hynny?' holodd Luis ar ôl gadael bwlch bwriadol yn y sgwrs.

'Faint sy, gwêd? Dere weld . . . pum mlynadd yn ôl. O's, ma bown' o fod pump.'

'Beth wnaeth iti roi'r gore i gadw'r lle?'

'Mae'n stori 'ir, bach. Stori 'ir iawn.'

Yn sydyn, gwelodd Luis fod Lynwen wedi colli llawer o'i heulwen ei hun wrth sôn am y Rising Sun, felly canolbwyntiodd ar ei fwyd yn hytrach na'i holi ymhellach, ond buan yr aeth Lynwen yn ei blaen fel petai'n awyddus i gau briw a agorwyd yn anfwriadol.

'On i'n arfar catw'r lle 'da 'mhartnar, Lance, a cyn 'ny o'dd clwb 'da ni lan ynghanol y ddinas. Ond collon ni 'wnna pan a'th lot o fusnesa erill i'r wal, so symuton ni i'r Rising Sun yn y Bae. O'dd e'n le bach neis i wala. O'dd isha 'ala arian arno fe, wy ddim yn gweud llai, ond o'dd potensial 'na ac on i'n barod i witho'n galed. Fel 'na wy 'di bod erio'd. Ond o'dd pethach erill ar feddwl Lance. O'dd ei lycid ar glwb yn Malaga yn Sbaen, ac on i'n meddwl bo fi'n rhan o'i blans e, ond o'dd e ddim i fod. A'th e bant 'da rhyw fenyw o Loegr . . . Mandy. Ia, Mandy o blydi 'Uddersfield. Gwrddon ni â hi a'i gŵr tra on ni yn Malaga ar wylia jest cyn ffindo'r clwb, a dethon ni 'mla'n yn nêt. Ond cwpwl o wthnosa ar ôl inni ddod 'nôl i Ga'rdydd i ga'l popath yn barod i symud mas 'na am byth, a'th y diawl bant 'da 'onna. Y basdad. Wna i fyth fadda iddo fe.'

Erbyn hyn roedd Luis wedi gorffen bwyta ac roedd Lynwen wrthi'n cynnau sigarét. Eisteddai'r ddau yn dawel am rai munudau, hithau'n tynnu'r mwg i'w cheg ac yntau'n ystyried stori'r fenyw gyferbyn ag e. Petai rhywun wedi gofyn iddo ddyfalu ei hoedran yr union eiliad honno byddai wedi mentro rhif oedd yn nes at drigain, meddyliodd.

'Ond gatwi di byth gorcyn dan ddŵr, Luis bach!' meddai hi'n sydyn gan ymsythu yn y gadair fel petai wedi cael ail wynt. ''Na beth o'dd Dad wastod yn gweud pan on i'n fach, ac mae'n wir 'ed. Achos fydda i byth ar y gwilod yn 'ir. Golles i'n rhieni dair blynadd yn ôl. Buon nhw farw o fewn pedwar mish i'w giddyl. Torras i 'ngalon ond allen ni byth â mynd 'nôl i Gwm Gwina i fyw, so gwerthas i'r tŷ a geso i damed bach o arian ar eu gôl nhw 'efyd, dim lot cofia, a pyrnas i Brynhyfryd. A fan 'yn wy 'di bod ddar 'ny.'

Astudiodd Luis wyneb Lynwen wrth iddi bendilio rhwng y llon a'r lleddf, rhwng deugain a thrigain oed. O'r blaen, byddai wedi teimlo'n chwithig wrth wrando ar hanes o'r fath, ond nid felly nawr. Roedd yn arwydd o'r ffordd roedd e wedi dechrau newid ers iddo ddod i Gymru, meddyliodd. Nid ei fod e wedi cael ei fwrw i lawr gymaint â Lynwen, ond gallai weld y mymryn lleiaf ohono fe'i hun yn y ddynes hon. Doedd dim yn well na brwydrwr i ennyn cydymdeimlad.

'So beth ti'n mynd i' neud?' gofynnodd Lynwen wrth estyn dros y bwrdd i gasglu ei blât.

'Ynglŷn â beth?'

'Ti'n mynd i aros yng Nghymru am chydig 'to neu ti'n mynd i fynd sha thre i Buenos Aires cyn bod ti'n moyn? Sa i'n becso'r dam am lanw dy stafell. Nace dyna pam wy'n gofyn. Isha gwpod ydw i beth ma Luis yn moyn neud yn ei galon.'

Gwyliodd Luis hi'n casglu'r llestri ynghyd a'u rhoi nhw fesul un yn y peiriant golchi mawr. I rywun na wyddai'n wahanol, gallai fod yn wraig tŷ ddosbarth canol, yn fam neu'n fodryb hoffus yn llawn ffws a ffwdan, ond doedd Lynwen ddim yn gweddu i'r un o'r disgrifiadau hynny. Oedd, roedd hi'n hoffus ond yn fwy arwyddocaol na dim, roedd ganddi'r ddawn i weld yn bell.

'Bydda i'n mynd pan fydd yr arian yn darfod,' atebodd gan gyfeirio'i eiriau at ei chefn.

'Mae fel tynnu gwa'd o garreg, ddyn!' protestiodd hi wrth dynnu ei chadair yn ôl oddi wrth y bwrdd ac eistedd arni unwaith eto. 'Ti'n barod i fynd 'nôl 'to? Achos os nag ŷt ti, paid â mynd.'

'Os nad oes arian gen i, does dim dewis gen i ond mynd,' heriodd Luis.

'A fel 'na ti'n mynd i fod bob tro ti'n ritag mas o arian, ife? Duw 'elpo ti, 'na gyd weta i. Grinda, os ŷt ti'n moyn aros, ffinda ffordd. Ffinda ffordd o ennill arian.'

'Lynwen, dwi ddim yn cael gweithio yng Nghymru. Mae'n erbyn y gyfraith.'

'Ma lot o betha'n erbyn y gyfrath, Luis bach. Ma 'anner y blydi wlad 'ma'n neud petha'n erbyn y gyfrath. Witha 'sdim dewish 'da ti os ti'n moyn byw,' a chyneuodd un arall o'i sigaréts i brofi ei hachos. 'O's crefft 'da ti? Be ti'n gallu neud?'

'Dim llawer. On i'n arfer gweithio mewn cartre i hen bobol, ond gall unrhyw un wneud hynna,' atebodd Luis.

'Fe synnet ti. Ti 'di cwrdd â Yele?'

'Yele? Dwi ddim yn . . .'

'Ti'n siwr o fod wedi'i weld e abythdu'r lle. Mae e'n dod o Nigeria . . . bachan 'yfryd.'

'Mae'n bosib 'mod i wedi'i weld o'n dod allan o'r gawod bore ddoe,' cynigiodd Luis gan gofio'r dyn a'i cyfarchodd yn y coridor cul.

'Siwr o fod. Wel, mae Yele'n gwitho miwn cartra i 'en bobol yn y Rhath, ddim yn bell o fan 'yn. Man 'na ma Kayleigh, merch Jacqui'n gwitho 'efyd. Hi gas y job i Yele. Ti'n moyn i fi ga'l gair 'da Jacqui pan ddaw hi miwn bore fory i ofyn o's 'na rwpath yn mynd yn y cartra? Cwpwl o oria i ti. Ma'n nhw'n amal yn whilo am bobol o bant achos ma'n nhw'n ca'l traffarth ffindo pobol leol sy'n barod i witho 'na, yn ôl y sôn. Sa i'n cretu bod nhw'n talu'n ofnadw o dda ond mae'n well na cic yn dy din. Be ti'n feddwl?'

'Ond alla i ddim, Lynwen! Gallwn i fynd i drwbwl mawr.'

'Pwy sy'n mynd i wpod? *Cash in hand*... arian yn dy law... fydd dim byd yn mynd drw'r llyfra. 'Sneb byth yn gofyn dim byd i Yele a ma fe wedi bod 'na ers tri mish. Wel?'

'Ond dwi ddim yn siarad Saesneg.'

'Ti 'di clywad Sisnag Yele? Ti'n gwpod beth i' neud... ma profiad 'da ti. A ta beth, ma Kayleigh'n siarad Cwmrâg. A'th hi i Ysgol be-ti'n-galw – yr un 'na bwys y bont - Glantaf. Fe wnaiff hi ddishgwl ar dy ôl di. Mae'n groten fach neis. A ti byth yn gwpod, walle bydd un ne ddou o'r 'en bobol yn siarad Cwmrâg achos ma mwy a mwy o ni yn Ga'rdydd nawr. Ac os na, wel gei di siawns i ddysgu tamad bach o Sisnag.' Ar hynny, gwenodd Lynwen wên lydan. 'Wy'n siwr bydd Siwan yn falch pan glywiff hi fod ti'n aros.'

Pennod 9

Aeth trefniadau Lynwen fel watsh, achos pan gyrhaeddodd Luis Dumbarton Court yng nghwmni Yele am bum munud i saith y bore Llun canlynol, roedd Kayleigh yn disgwyl amdano ar y pafin y tu allan i'r cartref henoed. Roedd merch Jacqui wedi cadw at ei gair, yn union fel roedd Lynwen wedi ei addo.

'Good morr-ning, Kayleigh,' cyfarchodd Yele hi yn ei ffordd siriol, arferol.

'Hiya Yele, orrigh?' atebodd Kayleigh gan lygadu Luis o'i gorun hyd at ei draed. Diffoddodd ei sigarét ar y pafin â blaen ei thrainers pinc a gwyn cyn gwthio'i dwylo i bocedi dyfnion ei chot gwiltiog. Ar hyd yr ymylon roedd ffwr ffug a hwnnw, fel gweddill y got, yn wyn.

'This is Luis. He is new worker.'

'Orrigh, Luis, sut mae'n mynd?' cyfarchodd hithau gan ddal i archwilio'i chydweithiwr newydd â lefel o ddrwgdybiaeth a fyddai wedi ennyn edmygedd unrhyw un o'r swyddogion mewnfudo ym maes awyr Caerdydd.

'I leave you speak own language,' meddai Yele gan fynd am y drws. 'I go in now.'

'Thank you,' mentrodd Luis gan ddeall dim mwy nag un neu ddau o eiriau unigol Yele, ond digon i ddirnad byrdwn yr hyn a ddywedodd y dyn hynaws. Byddai señor Alvarado yn falch iawn o'i ymdrechion glew i siarad Saesneg mor goeth, meddyliodd yn chwareus, ond gwyddai Luis nad oedd ei allu i ddweud mwy na rhyw ugain gair yn yr iaith estron honno'n debygol o fynd ag e'n bell iawn. Roedd yn hwyl, er hynny, penderfynodd.

'Roedd mam fi'n dweud bod chi wedi gweithio mewn lle fel hon o'r blaen,' meddai Kayleigh. 'Mae'n OK 'ma, ond mae'n gallu bod yn *shit* weithiau.'

'Dyma oedd fy ngwaith i yn Buenos Aires cyn i fi ddod i Gymru.'

'Ble?'

'Buenos Aires, prifddinas yr Ariannin,' atebodd Luis yn anogol, ond roedd Kayleigh eisoes wedi troi am y drws, a phethau uwch ar ei meddwl na daearyddiaeth y blaned a chyfle i ehangu gorwelion ei byd.

'Well inni fynd mewn neu fydd Mrs Carmichael yn cael epi os ydyn ni'n hwyr. Mae hi'n gwneud pen fi mewn. Mae fel bod 'nôl yn yr ysgol.'

Cerddodd Luis y tu ôl i Kayleigh i mewn i'r cyntedd teiliog, tywyll ac ar unwaith llenwyd ei synhwyrau ag atgofion blynyddoedd o ofalu am hen bobl. Ni fyddai'n amlwg i'r ffroenau dibrofiad, meddyliodd, am fod rhywun wedi gwneud ei orau i'w guddio â sawr trwm fanila, ond i Luis roedd y gwynt yn ddigamsyniol. Byddai Gabriela wedi mynnu bod pob drws a ffenest yn yr adeilad yn cael eu hagor led y pen, ond doedd tywydd y wlad hon ddim o blaid gweithredoedd mor eithafol na byrfyfyr, felly cedwid y ffenestri a'r drysau ar gau rownd y rîl a doedd dim diwedd i'r hyn a allai ddigwydd y tu ôl i ddrysau caeëdig.

'Bydd Mrs Carmichael eisiau siarad â chi nawr, ond byddaf i yno gyda chi, iawn?' cyhoeddodd Kayleigh pan ddaethon nhw i swyddfa fach dywyll ym mhen draw'r cyntedd.

Menyw yn ei chwedegau cynnar oedd Mrs Carmichael, barnodd Luis. Gallai weld hefyd ei bod hi'n anferth o dew, cymaint felly fel ei fod e'n weddol sicr mai rhyw gyflwr meddygol, cymhleth yn hytrach na diffyg hunan-ddisgyblaeth oedd wrth wraidd ei phwysau sylweddol. Y naill ffordd neu'r llall, golygai ei maint corfforol fod Mrs Carmichael i bob pwrpas yn gaeth i'r gadair lle'r eisteddai y tu ôl i ddesg hen ffasiwn ac arni bentyrrau anniben o bapurach a ffeiliau. Gallai weld ymhellach ei fod e'n sefyll yng ngŵydd brenhines ar ei gorseddfainc.

'Good morr-ning, Lewis, and welcome to Dumbarrton. I'm Jean Carrmichael, and I own this establishment with my husband, Donald.'

Ar hynny, bu saib annisgwyl yn ei haraith wrth i Mrs Carmichael gyfnewid geiriau am wichiadau meginaidd tra oedd yn ymladd am ei gwynt. Gorfododd Luis ei hun i beidio â chwerthin am ben y cartŵn hunanbwysig o'i flaen, er gwaethaf ei awydd llethol i wneud hynny. Roedd rhywbeth rhyfedd ynghylch y ffordd y siaradai, fe sylwodd, er na ddeallodd fawr ddim heblaw 'good morr-ning'. Dyna y byddai Yele yn ei ddweud hefyd, ond roedd yn well ganddo'r ffordd y siaradai Yele. Roedd yn llai cwynfanllyd. Ac am fod acen hon yn gwynfanllyd, roedd ei llais hefyd yn gwynfanllyd, ymresymodd Luis. Ynteu fel arall roedd hi?

'Now then, we rrun a tight ship and we have a few rrules and rregulations – worrk harrd, no stealing and no squealing. Underrstood?' Stopiodd Mrs Carmichael am sesiwn arall o anadlu dwfn a chyflym gan ddisgwyl am ymateb i'w pherorasiwn gan ei gweithiwr diweddaraf, ond sefyll yn llonydd a disgwyl am ganiatâd i fynd er mwyn bwrw iddi a wnâi Luis.

'Lewis?'

Dihunodd Luis o'i fyfyrio arwynebol a gwibiodd ei lygaid draw yn awtomatig i gyfeiriad Kayleigh.

'Luis can't understand you, Mrs Carmichael,' mentrodd hithau gan gamu i'r bwlch. 'He can only talk Welsh...oh, an' Spanish like...but I can tell him anything you wants him to know.'

'In that case, we'd best keep him away frrom the "inmates", dearrie! Tell him he can...'

'But he's got loads of experience 'cos he used to work in a care home back where he's from,' ychwanegodd Kayleigh.

'OK, well he can starrt in the kitchen helping with brreakfast. Then he can wipe down the surrfaces and clean the toilets. We'll rreview things afterr lunch. It's forrty pounds a day, take it orr leave it.'

Derbyn wnaeth Luis, er bod Lynwen wedi ei rybuddio na ddylai fodloni ar lai na hanner canpunt. Ond gallai weld bod Mrs Carmichael yn hen law ar drafod tramorwyr prin eu Saesneg, yn enwedig gan fod ganddi'r fantais seicolegol o wybod nad oedden nhw mewn sefyllfa i daro bargen well. Doedd profiad a safonau ddim yn cyfrif yr un iot os nad oedd ganddyn nhw hawl i weithio'n gyfreithlon. Meddyliodd Luis am y miloedd o *bolivianos* a *peruanos* prin eu hawliau a weithiai yn Buenos Aires, a gwridodd.

Pan gyrhaeddon nhw'r gegin, fe'u croesawyd gan y cogydd a oedd wrthi'n barod yn ymgiprys â degau o selsig anystywallt dan y gril. Ag un llaw trôi'r selsig fesul un ac â'r llall trôi'r uwd oedd yn ffrwtian mewn sosban anferth oedd wedi gweld dyddiau gwell.

'Where the fuck 'ave you been? It's manic in 'ere!' oedd ei eiriau cyntaf.

'Piss off, Josh. You knows where I've been. The fat cow wouldn't shurrup. By the way, this is Luis if you're interested,' atebodd Kayleigh a'i llygaid yn fflachio'n ffyrnicach na'r fflamau o dan y gril.

'Hi mate. Welcome aboard!'

'Good morning,' meddai Luis wrth y dyn wynepcoch.

Tynnodd Kayleigh ei chot a'i rhoi i hongian ar fachyn gan annog Luis i wneud yr un fath â'i siaced. Aeth ag e ar wibdaith trwy'r gegin gan ddangos y prif bethau iddo am y tro, a rhoddodd orchymyn iddo ddodi deg ar hugain o wydrau bach ar ddau hambwrdd mawr a'u llenwi â sudd oren. Roedd Luis yn hen gyfarwydd â gweithio dan bwysau a daeth i ben â'i dasg yn gyflym.

'Beth nesa?' gofynnodd i Kayleigh.

'Rhowch y dŵr ymlaen i ferwi a helpwch fi i roi marj ar y bara.'

Llenwodd Luis y tegell mawr â dŵr ffres a'i roi ar y stôf i dwymo. Yna, dychwelodd i sefyll wrth ochr Kayleigh, gan gydio mewn pentwr o fara tafellog a dechrau taenu'r marjarîn drostyn nhw. Roedd e'n gyflymach na Kayleigh a gwyddai fod y ferch wrth ei ochr yn sylweddoli hynny. Cyn iddi dynnu ei chot drwchus roedd yn anodd gweld ei siâp yn iawn, ond roedd hi'n denau, yn union fel ei mam, nododd Luis. Ar ei braich chwith roedd ganddi datŵ o bili-pala coch a glas ac roedd ei hewinedd wedi eu cnoi i lawr i'r byw.

'Beth sy'n bod?' holodd hi'n sydyn pan sylweddolodd fod Luis yn edrych arni trwy gil ei lygad.

'Dim byd,' atebodd hwnnw. 'Dwi jest yn edmygu dy datŵ. Mae'n neis.'

'Anrheg pen-blwydd wrth mam fi,' meddai dan wenu'n falch.

Gwenodd Luis yn ôl. Doedd e ddim yn hoffi tatŵs o gwbl ond doedd dim byd o'i le ar gelwydd golau nawr ac yn y man, meddyliodd, yn enwedig ynghylch rhywbeth mor fregus a diniwed â phili-pala.

*

Aeth y bore'n gyflym. Rhoddodd Luis help llaw i baratoi a chlirio'r brecwast a sgwriodd y cownteri a drysau'r cypyrddau nes eu bod yn sgleinio. Wedyn, dechreuodd ar y llawr. Am hanner awr wedi deg aeth Kayleigh am baned o goffi a sigarét y tu allan i ddrws y gegin ac aeth Luis gyda hi. Doedd y coffi ddim yn blasu fel coffi, gan mai dŵr berwedig ar ben llwyaid o bowdwr brown oedd y drefn yn Dumbarton Court, ond yfodd Luis e'r un fath.

'Rydych chi'n dda yn eich gwaith,' meddai Kayleigh gan droi ei phen i wynebu Luis a chodi ei llaw i guddio'i llygaid rhag yr haul gwan. 'Rydych chi'n gyflym.'

Edrychodd Luis arni heb ymateb ar lafar. Yn lle hynny, cododd ei aeliau a gwenu cyn yfed llymaid arall o'i goffi diflas.

'Felly, chi'n lico'r tatŵ?' gofynnodd hi gan redeg ei bysedd yn dyner dros y pili-pala ar ei braich.

'Ydw.'

Roedd rhywbeth plentynnaidd yn ei chylch, sylwodd Luis,

fel petai'n rhoi maldod i anifail anwes, byw. Doedd e erioed wedi cael ei ddenu at luniau corfforol o'r fath. Iddo fe, roedden nhw'n ddiog ac yn ystrydebol ac yn arwydd allanol o obsesiwn truenus pobl â nhw eu hunain. Ond wrth wylio Kayleigh yr eiliad honno a thystio i'w balchder arwynebol, sylweddolodd nad oedd dewis tatŵ yn fwy ystrydebol na dewis darlun i'r lolfa. Dyna oedd penllanw mynegiant creadigol miliynau o bobl ledled y byd. Rhywbeth i'w wneud i lenwi'r gwacter.

'Felly, tydy Jacqui ddim yn gallu siarad Cymraeg fel ti?' holodd Luis er mwyn llenwi'r gwacter.

'Na, ond mae'n deall ychydig, dim llawer. Roedd taid fi'n gallu siarad Cymraeg. Roedd e'n dod o Blaenau Ffestiniog yn ngogledd Cymru, ond mae e wedi marw nawr.'

'Ai dyna pam est ti i'r ysgol Gymraeg? Oherwydd dy daid?'

'Ie, dyna chi. Ac roedd mam fi eisiau i fi siarad Cymraeg hefyd. Roedd hi eisiau i fi cael addysg da er mwyn cael job da.'

Edrychodd Luis heibio i Kayleigh a chododd ei law ar Yele a oedd wrthi'n gwacáu llwyth o focsys gan arllwys eu cynnwys i mewn i'r biniau sbwriel tal a safai mewn rhes ar hyd wal bellaf y cwrt bach. Uwch ei ben roedd haid o wylanod yn sgrechian yn farus.

'Mae Yele'n foi neis,' meddai'n ddiffuant.

'Ydy, mae e'n orrigh,' atebodd Kayleigh. 'Ond rydych chi'n orrigh hefyd,' ychwanegodd hi'n frysiog. 'Rydych chi'n siarad â fi fel person.'

'Awn ni mewn, ie?' cynigiodd Luis a thaflu cip sydyn ar y pili-pala ar ei braich. 'Mae gen i lawer i' wneud cyn amser cinio.'

*

Treuliodd Luis y ddwyawr nesaf yn glanhau'r tai bach fel roedd Mrs Carmichael wedi ei orchymyn. Arhosodd Kayleigh yn y gegin er mwyn helpu Josh i baratoi cinio. Pan orffennodd e lanhau'r tai bach, tynnodd ei fenig rwber melyn ac aeth i lawr i'r gegin at y ddau arall. Roedd gwynt gormesol blodfresych yn berwi yn llenwi'r ystafell. Heb i neb ofyn iddo, aeth ati i ddodi'r platiau'n barod ar y cownter er mwyn i Kayleigh roi'r bwyd arnyn nhw'n gyflym fel y gallai fynd â'r cyfan drwodd i'r ffreutur ar y troli cyn iddo oeri. Sylwodd ar y diffyg lliw ar y platiau. Yr un lliw gwyn budr oedd ar y tatws stwnsh a'r blodfresych a hwnnw wedi ei gymysgu â rhyw fath o saws cawsiog a oedd hefyd yn wyn budr. Dim ond y moron oedd yn wahanol, ond doedd fawr o flas ar y rheiny chwaith yn ôl eu golwg, barnodd Luis, am eu bod wedi treulio gormod o amser yn nŵr berwedig sosban anferth Josh.

Yna, cafodd syniad a diflannodd i'r cwrt bach yn y cefn lle bu'n sgwrsio â Kayleigh yn gynharach. Tra oedden nhw'n sefyllian wrth ddrws y gegin yn malu awyr, gwelsai fod tamaid o ardd ddigon di-ddim yng nghornel bellaf y clos gyferbyn â'r biniau sbwriel, patshyn o bridd yn fwy na gardd mewn gwirionedd, lle tyfai blodau bach amryliw o hyd a hwythau'n herio bygythiad yr hydref oedd yn prysur agosáu. Doedd Luis ddim yn gwbl sicr o'u henw, ond cofiodd weld rhai tebyg yng ngardd odidog ei fam a'i dad yn Nyffryn Camwy pan oedd yn iau. Yna, daeth yr enw. Pys pêr y byddai ei fam yn eu galw, a nawr, wrth iddo dorri llond llaw o'r blodau bach prydferth yn y pwt o ardd yma ym mhen arall y byd, gallai weld pam yr arferai eu galw'n bêr. Llenwyd ei ffroenau â'r arogl hudolus. Eiliadau'n ddiweddarach rhuthrodd yn ôl i'r gegin mewn pryd i ddal Kayleigh cyn iddi ddechrau gwthio'r troli tua'r ffreutur.

'Aros! Paid â mynd...un eiliad, dyna i gyd,' galwodd arni.

Trodd Kayleigh i wylio Luis yn llenwi hanner dwsin o wydrau bach â dŵr glân cyn rhoi sbrigyn amryliw ymhob gwydryn. Yna, dododd y gwydrau ar y troli rhwng y platiau di-liw a sefyll yn ôl i edmygu ei syniad ysbrydoledig.

'Dyna ti. Gei di fynd â fo drwodd rŵan. Cofia roi blodyn yr un ar bob bwrdd,' meddai a gwenodd wrth weld y syndod a oedd wedi ymledu ar draws wyneb ei gydweithwraig ifanc.

*

Tua chanol y prynhawn, tynnodd Josh ei gap bach gwyn a'i hongian ar fachyn wrth ochr ei ffedog. Gwisgodd ei siaced ledr ddu a chau'r sip hyd at ei ên.

'Cheers mate,' meddai wrth Luis, 'you've been a real 'elp today. *Hasta mañana*, like.' Yna, diflannodd trwy'r drws gan adael i Luis a Kayleigh orffen eu cinio hwyr wrth un o'r cownteri alwminiwm.

'*Chau!*' galwodd Luis ar ei ôl, ond roedd Josh eisoes wedi mynd.

'Mae e'n gorffen am tri o'r gloch bob dydd er mwyn mynd i casglu ei blant o'r ysgol,' eglurodd Kayleigh wrth weld bod Luis yn disgwyl rhyw fath o esboniad am ddiflaniad sydyn y cogydd.

'Pwy fydd yn gwneud swper, felly?' gofynnodd Luis gan hwpo peth o'r blodfresych cawsiog o gwmpas ei blât â blaen ei fforc. Doedd arno fawr o awydd ei fwyta am nad oedd fawr o flas arno, yn union fel roedd e wedi ei amau, ond llenwai dwll ac roedd am ddim.

'Josh, wrth gwrs. Dyw e ddim wedi gorffen gweithio eto.'

Edrychodd Luis arni heb ddeall yn iawn.

'Ond rwyt ti newydd ddeud 'i fod o'n gorffen am dri bob dydd.'

'Ond bydd e'n dod 'nôl erbyn pump,' atebodd Kayleigh. 'Mae e'n gorfod mynd i hôl y plant o'r ysgol ac aros gyda nhw nes bod ei wraig e'n dod adre. Mae hi'n gweithio mewn *call centre* yn y dre a dyw hi ddim yn gorffen tan pedwar.'

'Faint o blant sy efo fo?'

'Tri. Maen nhw'n mynd i'r ysgol Gymraeg ar waelod y stryd lan fan hyn. Mae ei fab ifanca, Liam, yn *really cute*.'

'Mae ei ddiwrnod o'n hir iawn, felly.'

'Ie, bydd e ddim yn mynd adre tan saith o'r gloch heno.'

'Faint o'r gloch fyddwn ni'n mynd o 'ma?'

'Pump, jest cyn i Josh dod 'nôl. Felly, mae lot gyda ni wneud prynhawn 'ma i helpu fe i baratoi swper.'

'Well i ni gychwyn arni 'te,' awgrymodd Luis a chodi ar ei draed.

'*God! Slow down!* Dwi ddim wedi gorffen bwyd fi eto,' protestiodd Kayleigh, ond roedd Luis eisoes wedi agor drws y peiriant golchi llestri ac wrthi'n llwytho'r mynydd o blatiau a gwydrau brwnt a'r cyllyll a ffyrc o amser cinio i'w grombil.

*

Hanner awr yn ddiweddarach, cafodd wŷs i fynd i dalu gwrogaeth i Mrs Carmichael a oedd yn dal i eistedd ar ei gorseddfainc yn y swyddfa fach dywyll. Aeth Kayleigh gyda fe i gyfieithu, a rhoddodd hyn bleser anghyffredin i Luis. Wrth iddo wrando ar lais cwynfanllyd ei bennaeth newydd yn rhygnu yn ei flaen, dychmygai olygfeydd a welsai droeon ar y teledu lle byddai arlywyddion anghyfiaith yn cwrdd, yn wên boliticaidd i gyd, gan ysgwyd llaw â'i gilydd yn frwdfrydig o flaen rhyw ddarlun neu le tân hynafol er mwyn camerâu'r newyddiadurwyr. Bydden nhw'n dal i wenu ac ysgwyd llaw yn lletchwith wrth i'r cyfieithwyr ddehongli perlau'r naill a'r llall am funudau lawer. Go brin y gellid disgrifio cyfraniad Kayleigh yn yr un modd, a go brin y byddai Mrs Carmichael am lapio'i llaw gnawdog am ei law yntau, ond roedd dychmygu sefyllfa o'r fath, waeth pa mor annhebygol, yn hwyl.

'I've been hearring verry good things about you, young man. You'rre a good worrker and you show plenty of initiative, and I'd like you to come back tomorrow,' meddai'r Albanes gan edrych ar Kayleigh i gyfieithu ei pherlau hithau i Luis.

'Mae hi'n dweud bod chi'n dda ac mae hi eisiau i chi dod 'nôl fory,' meddai Kayleigh.

Ar hynny, rhoddodd Mrs Carmichael ddau bapur ugain punt i Luis yn dâl am ei ymdrechion ers saith o'r gloch y bore hwnnw, a dychwelodd e a Kayleigh i'r gegin i baratoi te prynhawn i breswylwyr Dumbarton Court.

'*Merienda*' dan ni'n galw hwn yn fy ngwlad i,' cyhoeddodd Luis wrth iddo fe a Kayleigh roi'r cwpanau a'r soseri ar y troli gyda'r bisgedi, y te, y siwgr a'r llaeth.

'Galw beth?'

'Hwn – te diwedd prynhawn.'

'Ac mae gair arbennig gyda chi?'

'Oes. Am ei fod o'n achlysur arbennig. Pan mae rhwbeth yn arbennig, mi ddylia fod gair arbennig ar ei gyfer o,' gwamalodd Luis. Roedd yn hawdd siarad â hi, meddyliodd, er bod cryn ddeng mlynedd o wahaniaeth yn eu hoedran.

'Chi eisiau dod gyda fi i gwrdd â'r hen bobl?' gofynnodd hi.

'Mi faswn i wrth fy modd. *Vamos.*'

Gwthiodd Kayleigh y troli drwy ddrysau dwbl y gegin a dilynodd Luis hi ar hyd y coridor sawr fanila nes iddyn nhw gyrraedd y lolfa â'i ffenest fae, lydan. Hon oedd yr ystafell a welsai o'r stryd pan gyrhaeddodd yng nghwmni Yele naw awr yn gynharach, nododd e. Y peth amlycaf o bell ffordd yn y lolfa oedd y teledu mawr. Bloeddiai sŵn o'i grombil er nad oedd enaid o neb yn ei wylio. Gwelodd Luis mai rhaglen i blant a lenwai'r sgrin fawr fodern, ond doedd neb wedi ystyried newid y sianel i rywbeth mwy addas ar gyfer y ddarpar gynulleidfa hon. Ar hyd y parwydydd o amgylch yr ystafell gysurus eisteddai rhyw bymtheg o bobl mewn cadeiriau cefn uchel, rhai'n cysgu ac eraill yn pendwmpian gan fwmial rhyw eiriau dirgel wrthyn nhw eu hunain am brofiadau a chyfnodau pell yn ôl. O gwmpas bwrdd yn y canol eisteddai grŵp o ddynion a gwragedd mwy effro. Canolbwyntiai pob un ohonyn nhw ar y gêm roedden nhw'n ei chwarae a phwysai ambell un draw i gyfeiriad yr un yn ei ymyl er mwyn ei helpu i ddefnyddio'r teils bach plastig oedd yn eu dwylo. Adnabu Luis y gêm ar unwaith a gwenodd wrth gofio señor Alvarado a'i griw yn trafod ac yn dadlau dros y geiriau posib a'r rhai amhosib eu ffurfio gyda'r teils oedd ganddyn nhw. Weithiai byddai e neu Gabriela neu un o'r lleill yn gorfod cymodi a mynd â'u sylw, fel y byddai rhiant yn ei wneud gyda phlant, nes bod y storm drosodd, ond roedd yn well bod fel 'na nag eistedd yn ddof, meddyliodd. Yn sydyn, edrychodd un ohonyn nhw i gyfeiriad y drws a bywiogodd y grŵp bychan.

'Here she is! Our little princess,' cyhoeddodd y wraig ifancaf yr olwg gan godi ar ei thraed ac ymestyn ei breichiau er mwyn cofleidio Kayleigh. 'And who's this hunk you've got with you, Kayleigh?' gofynnodd hi, gan droi i astudio Luis.

'This is Luis, Yvonne.'

'Oh, isn't he handsome? Come by 'ere, love, and let me have a good look at you,' gorchmynnodd Yvonne er mawr ddifyrrwch i weddill ei chronis o gwmpas y bwrdd.

'Good morning,' meddai Luis gan wenu.

'Oh, did you hear his drop-dead-gorgeous accent? It's afternoon now, love, but who gives a bugger? I don't care if it's morning, evening or night. You can jump into bed with me anytime!' ebychodd Yvonne gan barhau'r diddanwch cyffredinol. Ar hynny, cafwyd bonllefau o chwerthin wrth i bawb edrych ar Luis a churo dwylo'n chwareus. Chwarddodd Luis hefyd, er na wyddai'n hollol pam.

'Behave yourself, Yvonne Mason. Luis is from Buenos Aires and, by the way, he can't understand a word you're saying, thank God,' dwrdiodd Kayleigh yn wên o glust i glust.

'*Guapo! Guapo!*' galwodd dyn pen moel, tew a eisteddai o gwmpas y bwrdd.

Chwarddodd Luis drachefn a dechrau arllwys te i'r cwpanau ar y troli yn barod i'w rhannu. Ar ôl i bawb o gwmpas y bwrdd gael paned yr un a phlataid o fisgedi rhyngddyn nhw, symudodd Kayleigh a Luis yn eu blaenau gan adael Yvonne a'i ffrindiau i drafod y newydd-ddyfodiad o ben draw'r byd, eu byd bach hwythau bellach yn gyfoethocach ac yn llawnach. Treuliodd y ddau'r deng munud nesaf yn gweithio'u ffordd trwy'r lolfa, gyda Kayleigh yn penlinio wrth ochr ambell un i dynnu sgwrs tra bod Luis yn rhannu te a bisgedi a gwên. Pan gyrhaeddon nhw ben draw un o'r rhesi, gwelodd e fod un ddynes yn eistedd mewn cadair ar ei phen ei hun a mymryn ar wahân i'r lleill. Am ei chlustiau roedd clustffonau bach ac roedd ei llygaid ynghau. Gwelodd e hefyd fod hon wedi ei gwisgo'n fwy chwaethus na'r lleill. Am ei gwddwg roedd sgarff sidan, batrymog a honno wedi ei thynnu ynghyd trwy fodrwy arian, drwchus dros siwmper o wlân cain, glas golau. Gwisgai sgert las tywyll, ac am ei thraed roedd esgidiau lledr, glas tywyll yn hytrach na'r sliperi a wisgai'r rhan fwyaf o'r menywod eraill.

'Enid, wakey-wakey! It's tea-time,' meddai Kayleigh gan anwesu ei llaw esgyrnog yn ysgafn. Agorodd y ddynes wallt llwyd ei llygaid a thynnu'r clustffonau'n araf.

'Hello, dear,' meddai wrth Kayleigh, 'I was miles away. And who is this young gentleman?' gofynnodd gan droi at Luis a gwenu'n hael. 'It's always such a delight to see a new face, especially one so handsome.'

'Dyma'r ail un i ddweud bod chi'n olygus! Yvonne yn gyntaf a nawr Enid!' ebychodd Kayleigh gan droi at Luis a'i bwnio'n chwareus ar ei ysgwydd. Cyn i Luis ymateb, cododd Enid yn ei chadair ac edrych yn ôl ac ymlaen rhwng y ddau weithiwr ifanc cyn codi ei llaw at ei cheg.

'Kayleigh, wyddwn i ddim dy fod ti'n siarad Cymraeg!'

'On i ddim yn gwybod bod chi'n gallu siarad Cymraeg chwaith,' atebodd Kayleigh yr un mor syn.

'I feddwl 'mod i 'di gwastraffu cymaint o Saesneg arnat

ti ers blwyddyn a mwy. Wyddwn i ddim. O, mae hyn yn…mae'n golygu pob dim i mi.' Ar hynny, tynnodd hi Kayleigh tuag ati a phlannu cusan ar ei boch. 'Erbyn meddwl, pam dyliat ti, 'ngeneth i? Tydw i ddim y person mwya siaradus, a does neb yn fama'n medru'r iaith. Doedd gen ti ddim rheswm i feddwl fel arall. O Kayleigh, rwyt ti 'di llonni 'nghalon i.' Yna, tynnodd hances o'i llawes i sychu'r lleithder oedd wedi dechrau cronni yn ei llygaid llwydlas.

Sylwodd Luis fod Kayleigh yn rhedeg ei bysedd yn ôl ac ymlaen yn nerfus dros y pili-pala ar ei braich denau ac yn cnoi ei gwefus. Mor ymddangosiadol anghymharus oedd y ddwy Gymraes o'i flaen, meddyliodd e, ond gwyddai'r ddwy fod eu darganfyddiad wedi newid popeth am byth. O dipyn i beth, ymlaciodd wyneb Kayleigh a gwelodd Luis y boddhad oedd mor amlwg, bellach, yn ei hymarweddiad, fel petai hi newydd sylweddoli ei bod wedi gwneud gwahaniaeth go iawn am y tro cyntaf yn ei byw. Roedd e eisiau mynd a'u gadael i fwynhau eu heiliad fawr gyda'i gilydd, a gafaelodd ym mraich y troli er mwyn symud yn ei flaen.

'Luis, peidiwch mynd.'

'Luis. Dyna dy enw di,' meddai Enid gan ymestyn am ei fraich a'i gwasgu'n dyner.

''Dach chi ddim ar eich pen eich hun wedi'r cyfan,' meddai hwnnw gan fynd i'w gwrcwd a chraffu ar lygaid llaith yr hen wreigan.

'Nac ydw, 'y machgan i. Ddim rŵan,' a throdd ei phen i edrych ar Kayleigh.

'Arhoswch fan hyn am ychydig. Dwi'n siŵr bydd Enid yn hoffi cael cwmni,' meddai Kayleigh. 'Af i 'nôl i'r gegin i dechrau paratoi swper. Fydd Josh ddim yn hir.'

'Ia, tyrd i eistedd yn fama hefo fi,' anogodd Enid gan bwyntio at y gadair yn ei hymyl. 'Felly, un o ble wyt ti, Luis?'

'Patagonia, wedyn Buenos Aires, ac os arhosa i yng Nghaerdydd am dipyn eto mi fydda i'n medru ychwanegu Cymru at y rhestr!' atebodd Luis dan wenu.

'Buenos Aires, y ddinas sy byth yn cysgu.'

Fflachiodd wyneb Nia Jenkins drwy feddwl Luis wrth iddo gofio ei bod hithau wedi defnyddio'r un geiriau'n union ym mharti Meryl dro yn ôl. Ond wrth iddo edrych ar wyneb Enid yr eiliad honno, gwyddai fod cefnfor o bellter rhwng bydoedd y ddwy Gymraes. A gwyddai hefyd nad oedd gan Nia Jenkins ddim o ddyngarwch Kayleigh i fedru cau'r bwlch.

'Ydy Teatro Colón mor hardd ag erioed?' holodd Enid.

'Mae'n harddach os rhwbeth. Mi gafodd ei hadfer ar gyfer daucanmlwyddiant y wlad. Ond sut ydych chi'n gwbod am Teatro Colón?'

'Mi wnesh i dreulio ychydig fisoedd yn eich prifddinas ar ddechra'r pumdega pan own i'n gweithio fel ysgrifenyddas i'r Gwasanaeth Llysgenhadol. Wnesh i hyd yn oed gyfarfod ag Eva Perón!'

'Beth? O ddifri? Enid, 'dach chi'n bwysig!'

'Wnaeth o ddim para fwy nag eiliad, ond mae'n wir, mi wnesh i gyfarfod â hi ac ysgwyd ei llaw.'

Gwenodd yr hen wraig wrth weld y syndod oedd yn gwrthod gadael wyneb Luis.

'Mewn parti oeddan ni. On i 'di cael 'y ngwahodd i fod yno efo'r bobol fawr i gyd yn rhinwedd fy swydd. On i'n crynu fel deilan a minna'n hogan ifanc o berfeddion Sir Ddimbech. Paid â sôn! Ond doedd dim isho i mi deimlo felly achos mi oedd pawb mor glên. Roedd y gwragedd i gyd yn eu ffrogia crand a'r dynion mor olygus, yn union fatha ti, Luis.' Bu saib yn ei hatgofion wrth iddi edrych yn awgrymog ar Luis drwy gil ei llygad. Gwenodd y ddau. 'Ac mi roedd pawb yn ei dilyn hi i bob man â'u llygaid. Eva Perón oedd tywysoges y parti, ond lai na blwyddyn wedyn roedd hi wedi marw, y graduras. Doedd hi ddim llawar hŷn na fi.'

'Roeddech chi'n hoffi'r ddinas, mae'n amlwg,' meddai Luis er mwyn ceisio newid trywydd y sgwrs pan welodd y cwmwl oedd wedi disgyn dros wyneb yr hen wraig.

'On i wrth 'y modd yno, wrth 'y modd.'

'Rhaid bod eich Sbaeneg yn dda, felly.'

'Duwcs, nac ydy. Dwi'n medru deud amball air ond mi gesh i'n symud oddi yno'n reit handi. Dyna oedd y drefn yr adag honno, tri mis fan hyn, chwe mis yn rhwla arall. Bu'n rhaid imi godi 'mhac a mynd ... i Nairobi, os dwi'n cofio'n iawn.'

'Fel 'na mae'n Saesneg i,' meddai Luis.

'Dyliat ti fynd ati i ddysgu, felly. Mae'r Saesneg yn iaith hyfryd, wyddost ti. Mae'n goeth. Tydy hi ddim mor annwyl nac mor bersonol â'r Gymraeg, mae'n rhaid deud, achos bod y Gymraeg 'mond yn perthyn i ni'r Cymry – a chi, bobol y Wladfa wrth gwrs. Ond mae'r Saesneg yn werth ei dysgu, ac mae gen ti glust dda.'

Yfodd lymaid o'i the a chynigiodd fisgïen i'w hymwelydd.

'Fyddi di yma eto fory?' gofynnodd hi. 'Dwi'n gobeithio y byddi di, Luis. Rwyt ti fel chwa o awyr iach.'

'Bydda, a bydda i'n siŵr o ddod i'ch gweld chi. Dwi'n addo. Ond rŵan well imi fynd i helpu Kayleigh.'

'Fedra i'm credu bod Kayleigh yn siarad Cymraeg. Pwy fasa'n meddwl?'

Caeodd Luis ei ddwy law am law esgyrnog Enid cyn codi ar ei draed a cherdded yn araf trwy'r lolfa yn ôl i'r gegin. Taflodd gip yn ôl dros ei ysgwydd a gweld ei bod hi wedi cau ei llygaid unwaith eto. Rhaid ei bod hi tua'r un oed ag oedd yntau nawr pan gyfarfu ag Eva Perón, meddyliodd. Tybed pwy arall yn Dumbarton Court oedd yn gwybod ei bod hi wedi ysgwyd llaw â rhywun mor enwog?

Pan gyrhaeddodd e'r gegin, roedd Kayleigh wrthi'n gorffen llwyo darnau o ffrwythau o dun mawr i mewn i bowlenni gwydr a oedd yn eistedd mewn rhes hir ar un o'r cownteri. Yna, cydiodd yn y tun a mynd ar hyd y rhes gan arllwys gweddill y sudd ar ben y ffrwythau cyn dodi'r powlenni gyda'i gilydd ar y troli a'u gorchuddio â lliain glân.

'Reit, mae'r pwdin yn barod ac mae'r *fish pie* wnaeth Josh cyn mynd yn coginio yn y ffwrn. Bydd Marko yma unrhyw funud, fe ydy'r shifft nos. Wedyn rydyn ni'n gallu mynd.'

Ar hynny, gwisgodd Kayleigh ei chot gwiltiog wen a mynd i gael sigarét y tu allan i'r drws cefn. Tynnodd Luis ei siaced oddi ar y bachyn, ei ddiwrnod cyntaf o gyflogaeth anghyfreithlon yn Dumbarton Court ar ben. Teimlodd ym mhoced ei jîns am y ddau bapur ugain punt a gawsai am ei ymdrechion, ac yna anfonodd neges destun at Tomos i roi gwybod iddo ei fod e'n rhydd am weddill y dydd. O fewn eiliadau, daeth ateb yn ôl gan Tomos yn dweud ei fod e ar ei ffordd i gwrdd ag e o'r gwaith a bod y car ganddo. Yna, ymunodd â Kayleigh wrth ddrws y gegin ac aros am yr arwydd i fynd.

'Oeddet ti'n gwbod bod Enid wedi cyfarfod ag Eva Perón?' gofynnodd e iddi.

'Pwy ydy **hi**?'

'Mae hi 'di marw bellach, ond yn ei dydd roedd hi'n un o'r merched enwoca yn y byd i gyd.'

'Beth? Fel Lady Gaga, like?' holodd Kayleigh gan ddangos mwy o ddiddordeb yn sydyn reit.

'Ie, mae'n debyg . . . rhwbeth felly,' atebodd Luis.

'Waw! Bydde fi'n caru cwrdd â Lady Gaga. Mae Enid yn llawn cyfrinachau, on'd ydy hi?'

Funud yn ddiweddarach, cyrhaeddodd Marko a gadawodd Kayleigh a Luis yn syth.

*

Roedd Tomos eisoes yn disgwyl amdano pan gerddodd Luis trwy ddrysau mawr Dumbarton Court, a chanodd y corn i adael i Luis wybod ei fod e yno. Gwelodd Luis ei gyfaill yn eistedd wrth y llyw ryw bedwar car i fyny'r stryd a dechreuodd gerdded tuag ato gyda Kayleigh yn dynn wrth ei ochr, ond cyn iddyn nhw gyrraedd, agorodd Tomos y drws.

'Shwt a'th hi 'te?' holodd. Cyn i Luis gael cyfle i ateb, dyma Kayleigh yn torri ar draws y sgwrs arfaethedig.

'I knows you. Didn't you used to go to Glantaf?' gofynnodd hi.

'Yeah.'

'I thought so. It's Tomos innit? You're one of those brainy ones who used to talk Welsh all the time.'

'Dyna ti,' atebodd Tomos gan gilwenu.

'God, mae heddiw wedi bod mor od. Yn gyntaf Enid a nawr chi. Dwi ddim wedi siarad cymaint o Gymraeg ers yr ysgol feithrin!' cyhoeddodd Kayleigh gan anelu ei geiriau at Luis ac yna Tomos. 'Mae wedi bod yn dda.'

'Pwy yw Enid?'

'Fe eglura i wedyn,' meddai Luis wrth ei ffrind.

'Ti'n moyn lifft?' gofynnodd Tomos i Kayleigh.

'Na, mae'n orrigh diolch. Dwi'n byw rownd y gornel.'

'Ond falle bydd Yele isho dod efo ni,' meddai Luis gan gofio'n sydyn am ei gydweithiwr arall.

'Na, mae e wedi mynd ers *ages*,' atebodd Kayleigh. 'Reit, wela i chi fory 'te. Hwyl!'

Gwyliodd Luis hi'n diflannu ar hyd y pafin fel rhyw Siani flewog animeiddiedig yn ei chot gwiltiog, wen â'r ffwr ar hyd yr ymylon. Fe'i gwyliodd nes iddi droi'r gornel ym mhen draw'r stryd a diflannu o'r golwg fel pili-pala ar yr awel.

Pennod 10

'Luis!'

'*Hola*, Mami. *Qué lindo . . .*'

'Be sy wedi digwydd?'

Gostyngodd Luis y sain ar y teledu a chodi ar ei eistedd yn y gwely pantiog er mwyn ei orfodi ei hun i ddadebru'n gyflym o'i gyflwr cysglyd. Bu'n disgwyl yr alwad hon ers dyddiau lawer, a gwyddai wrth dôn ddi-lol ei fam ei bod hithau'n disgwyl atebion.

'Pam ti'n ffonio mor gynnar? Tydy hi ddim yn chwech o'r gloch eto draw fan 'na.' Gwingodd wrth glywed y geiriau'n gadael ei geg. Gwyddai o brofiad chwerw na fyddai tacteg o'r fath yn tycio gyda rhywun fel ei fam. Doedd dargyfeiriad ddim yn perthyn i'w geirfa mewn unrhyw iaith.

'Pam? Mi ddeuda i wrthot ti pam. Mae dy dad yn poeni'i enaid amdanat ti a dwi inne jest â mynd yn wallgo. Prin bod yr un ohonon ni wedi cysgu fwy nag awr drwy'r nos. Ffonies i Llinos Morgan neithiwr gan nad oedden ni wedi clywed yr un gair wrthot ti ers dros fis, a deudodd hi dy fod ti wedi mynd. Wyddai hi ddim ble oeddet ti. Y cyfan ddeudodd hi oedd dy fod ti wedi codi dy bac a mynd. Rŵan, beth sy'n digwydd draw yng Nghymru? Luis, dwi isho gwbod.'

'Dim, 'sdim byd . . .'

'Dim byd! Wyt ti'n meddwl 'mod i'n wirion, hogyn? Ble wyt ti? Dwi wedi trio dy ffonio sawl gwaith ers neithiwr. Wyt ti'n saff?'

'Ydw, Ma. Dwi'n gwbl saff. Paid â phoeni. O ddifri, dwi'n hollol saff.'

'Ond ble wyt ti?'

'Dwi'n aros mewn gwesty.'

'Dwyt ti ddim yn gallu fforddio aros mewn gwesty.'

'Gwesty rhad . . . ond mae o'n dda.'

'Ble mae o?'

'Ddim yn bell o dŷ'r Morganiaid.'

'Os felly, pam wnest ti adael fan 'na? Beth ddigwyddodd? Rhaid bod **rhwbeth** wedi digwydd.'

Byddai wedi bod yn haws siarad â'i dad, meddyliodd Luis. Roedd hwnnw'n llai emosiynol. Yn llai diwyro. Roedd ei dad yn llai parod i dwrio ac i orfodi atebion anodd. Roedd e wastad yn deall pryd i adael i rywbeth fod. Ond ni fyddai'r un o'r ddau'n deall petaen nhw'n clywed ei resymau go iawn dros adael tŷ'r Morganiaid, pam nad oedd ganddo'r un dewis arall ond mynd. Roedd Luis wedi hen benderfynu na fydden nhw byth yn clywed y stori honno. Hyd yn oed yn anterth ei ddicter, penderfynodd na fyddai'n gadael i Llinos Morgan chwalu delfryd oes. I wladfawyr pybyr fel ei rieni, pobl neis oedd y Cymry. Doedd dim diben difwyno'r darlun hwnnw, yn enwedig am na fydden nhw byth yn ei weld â'u llygaid eu hun.

'Roeddwn i isho mentro allan ar fy mhen fy hun am dipyn,' atebodd e gan wingo am yr eildro.

'Be sy'n bod arnat ti, Luis? Beth ydy'r obsesiwn 'ma sy efo ti? Rwyt ti wastad isho symud ymlaen. Man gwyn, man draw. Dyna dy hanes di erioed. Ar ôl popeth wnaeth y Morganiaid drosot ti. Mae cywilydd arna i, oes wir.'

Caeodd Luis ei lygaid ac anadlu'n ddwfn.

'Ond dwi ddim wedi torri cysylltiad â nhw,' mynnodd.

'Pam nad oedd Llinos Morgan yn gwbod ble oeddet ti, felly?'

'Mae Tomos, ei mab, yn gwbod yn union lle ydw i achos mae o'n dod draw 'ma unrhyw funud. Dwi'n bwriadu mynd am dro yn y car efo fo. Dwi ddim wedi bod ymhellach na Caerdydd ers imi lanio yn y maes awyr, ac mae 'na lot i' weld o hyd mewn amser byr.'

'Ond pam nad oedd hi'n medru deud wrtha i pan . . . Beth sy'n digwydd, Luis?'

'Dwi 'di cyfarfod pob math o bobol ers symud i'r gwesty,' cynigiodd hwnnw gan synhwyro cymhlethdod yn llifeiriant ei fam am y tro cyntaf ers iddo glywed ei llais ar ben arall y ffôn. Aros yn dawel wnaeth Elvina Richards, gan ddewis anwybyddu'r darn diweddaraf o newyddion gan ei mab. Bron y gallai Luis gyffwrdd ei diffyg diddordeb ystyfnig, ond sylweddolodd yr un pryd fod y sgwrs wedi cyrraedd trobwynt posib. 'Mae'r ddynes sy'n cadw'r gwesty'n gofalu amdana i'n dda, chwarae teg iddi,' ychwanegodd mewn ymgais i selio'r newid cyfeiriad. 'Ei henw ydy Lynwen. Mae hi'n siarad llond ceg o Gymraeg.'

Tawel o hyd oedd Elvina Richards a dechreuodd Luis wenu wrth ddychmygu ei fam yn eistedd yn ei chot nos wrth fwrdd y gegin fach a'i hwyneb fel symans. Ar ôl saib derbyniol, ac oherwydd ei hawydd anorchfygol i glywed rhagor, llwyddodd yr Archentwraig i ymateb o'r diwedd. 'A beth ydy enw'r gwesty 'ma?'

Trawodd Luis ei ddwrn yn fuddugoliaethus ar fatras y gwely. Roedd y storm ar ben! Roedd chwilfrydedd dihysbydd ei fam ynglŷn â phopeth Cymraeg a Chymreig yn drech na'i chyndynrwydd unwaith eto. 'Brynhyfryd.'

'Cwm Hyfryd?'

'Na, nid Cwm ond Bryn, Brynhyfryd.'

'Mi fase Cwm Hyfryd yn rheitiach enw,' oedd unig sylw Elvina Richards.

Unwaith erioed y bu Luis yng Nghwm Hyfryd, a hynny pan oedd e'n ddeg oed. Anghofiai fyth mo'r siwrnai ddiddiwedd ar draws gwacter annirnadwy'r paith melynfrown â'i awyr anferth yng nghwmni ei fam a'i dad a'i frawd. Eisteddfod Trevelin oedd pen llanw'r hirdaith, a mawr fu'r disgwyl a mawr fu'r cyffro yn ystod y dyddiau cyn cychwyn am yr Andes pell. Ond oriau cyn gadael, dyma'i fam yn cyhoeddi y byddai eu teulu bach nhw'n teithio gyda'i gilydd yn y trŷc yn hytrach na mynd ar y bws gyda gweddill criw'r dyffryn. A dyna'n wir a fu. Ond wrth i'r ffordd unionsyth rwygo trwy'r camp, doedd straeon ei rieni am helyntion yr hen Gymry a'u hymdrechion glew i sicrhau tiroedd newydd yng nghysgod y Cordillera dros ganrif ynghynt byth yn mynd i wneud yn iawn am ei ddiflastod wrth iddo ddychmygu'r hwyl a fwynhâi Alejandro Hughes a'r bechgyn eraill ar y bws. Cyndyn fu ei fam erioed o dderbyn bod angen mwy na hanes ac iaith ar ei mab i fyw bywyd normal.

'O ardal Rhydaman mae'n teulu ni'n dod yn enedigol, ynde, Ma?' Roedd ei gwestiwn yn ymylu ar fod yn ddidaro.

'F'ochr i, ie. Mae teulu dy dad yn dod o Flaenau Ffestiniog. Pam?'

'Dwi'n meddwl mynd yno heddiw efo Tomos.'

'I Rydaman?'

'Ie. Beth wyt ti'n wbod amdanyn nhw?'

'Luis bach, be sy arnat ti'n gofyn y fath gwestiyne mor fore!'

'Mor fore? Ti ffoniodd fi, cofia!'

'A dwi wedi deud wrthot ti pam!'

'Vale, ond paid â mynd 'nôl dros hynny eto. Be ti'n wbod amdanyn nhw?'

'Be ti isho'i wbod?'

'Atgoffa fi, beth oedd enw'r teulu?'

'Philips. Ac Arthur Philips ddaeth allan i fan hyn yn ... aros funud, pa flwyddyn oedd hi? Dylwn i wbod yn iawn. 1881, dwi'n credu. Ie, dyna ti. Fo oedd dy hen, hen dad-cu. Gadawodd o Rydaman yn ddyn ifanc i gychwyn bywyd newydd yn y Wladfa, ar ei ben ei hun, cofia, heb ddim na neb. Roedd o'n iau na ti. Dychmyga'r peth.'

'Be oedd enw'i fam a'i dad o?'

'Luis bach, tydw i ddim yn gwbod! Hynny ydy, dwi ddim yn cofio rŵan, yr eiliad yma. Bydd raid imi fynd i chwilio'u hanes nhw. Pam ti isho gwbod hynny, beth bynnag?'

'Er mwyn mynd i chwilio am eu bedd. Ffonia fi 'nôl. 'Sdim raid i fi gael y wybodaeth heddiw, ond ffonia fi 'nôl, iawn?'

'Gwranda arno fo! Dwi ddim yn bwriadu dy ffonio heddiw, iti gael gwbod. Dwi'n mynd 'nôl i 'ngwely. Mae gen i bethe rheitiach i' neud na ...'

'Iawn, ond ffonia fi 'nôl.

'Fe glywes i ti'r tro cynta, Luis Arturo Richards. Rŵan, cymer di ofal yn y gwesty 'na ... ac yn Rhydaman. Tyn ddigon o lunie. Ydy Tomos yn yrrwr da?'

'Am gwestiwn! Ydy, mae o'n yrrwr gwych ac mae o newydd gyrraedd, iti gael gwbod.' Croesodd Luis y carped tenau er mwyn agor y drws. 'Dwi'n gorfod mynd.' Amneidiodd ar ei ffrind i ddod i mewn gan wthio'r ffôn i'w law ar yr un pryd. 'Deuda *hola* wrth fy mam!'

Llenwyd wyneb Tomos â braw wrth iddo godi'r ffôn at ei glust. Ceisiodd brotestio wrth Luis, ond roedd hwnnw wedi troi ei gefn arno ac wrthi'n tynnu crys-T dros ei ben.

'*Hola.* Shwd ŷch chi?' meddai Tomos cyn estyn y ffôn yn ôl i'w ffrind yn frysiog.

'Ti newydd siarad â Chymro go iawn, wel, rhyw fath o Gymro! *Chau* Mami! Gorfod mynd. Cofia ffonio.'

Pwysodd Luis ei gefn yn erbyn y pared melynaidd a chau ei lygaid cyn rhyddhau rhes o regfeydd o rywle'n ddwfn ym mherfeddion ei frest.

'Beth sy'n bod arnat **ti**?' gofynnodd ei ymwelydd syn.

'Paid â gofyn.' Gadawodd Luis i'w gorff lithro i lawr y pared a dod i stop pan na allai fynd yn is. Eisteddodd yno yn ei gwrcwd gan fagu ei wyneb yn ei ddwylo. 'Mae hi'n gwbod 'mod i wedi gadael eich cartre chi.'

'*Shit.*'

'Ffoniodd hi'ch tŷ chi neithiwr i holi amdana i a deudodd dy fam 'mod i ddim yn byw yno mwyach, a doedd hi ddim yn gwbod lle on i.'

'Mae'n wir, dyw hi ddim.'

'O leia doedd hi ddim yn deud celwydd, felly.'

'Dyw Mam byth yn **gweud** celwydd ... dim ond **byw** celwydd.' Eisteddodd Tomos wrth ochr ei ffrind ar y llawr â chefnau'r ddau yn erbyn y pared.

'Tydy hi erioed wedi holi lle ydw i?' gofynnodd Luis heb droi ei ben i edrych arno.

'Nag yw, a sa inne wedi sôn gair. Dyw e'n ddim o'i busnes

hi. Collodd hi'r hawl yna y diwrnod gadawodd iti fynd o'i chartre.'

Eisteddodd y ddau mewn tawelwch am rai munudau. Doedden nhw ddim wedi gwyntyllu'n llawn ddigwyddiadau'r diwrnod tyngedfennol hwnnw ers i Luis ddod i Frynhyfryd dros bythefnos yn ôl. Hyd yn oed pan gafodd Tomos hyd iddo ar ôl pedair awr ar hugain o boeni bod eu cyfeillgarwch ar ben, chafodd Llinos Morgan ddim lle amlwg yn eu sgwrs. A chyda phob diwrnod newydd o normalrwydd, roedd pobl newydd a digwyddiadau newydd wedi ei gwthio ymhellach i'r cyrion. Roedd trueni wedi hen ddisodli dicter yng nghalon Luis.

'Sut maen nhw, dy rieni?' gofynnodd e o'r diwedd.

'Iawn, am wn i. O leia maen nhw'n siarad eto,' atebodd Tomos. Gwyrodd Luis ymlaen a throdd ei gorff i astudio wyneb ei gyfaill. 'Ar ôl iti fynd o'dd lle y diawl ar yr aelwyd barchus. Wy 'rio'd wedi gweld Dad mor grac. Ond maen nhw'n siarad â'i gilydd 'to erbyn hyn.' Syllu ar ei benggliniau a wnâi Tomos trwy gydol y datguddiad yma. 'Wedi gweud 'na, mae hi'n dal i gysgu yn dy hen stafell di. Symudodd hi miwn 'na y nosweth gadewest ti a 'na le mae'n cysgu o hyd. Beth ma hynny'n ei weud, ti'n meddwl?'

Aros yn dawel wnaeth Luis a gadael i'w gefn suddo'n ôl yn erbyn y pared drachefn. Roedd e wedi rhoi'r gorau i feddwl. Dyna'r gwir amdani. Ymhen ychydig, cododd ar ei draed a cherdded draw at y ffenest i edrych allan ar y mynd a dod beunyddiol. Gwelodd e Yele'n prysuro ar hyd y pafin i gyfeiriad y siopau a'r adeiladau crand gan godi ei law i gyfarch rhyw ferch ar y pafin gyferbyn, a rhyngddyn nhw roedd y rhes ddi-dor arferol o draffig yn cripad yn araf i mewn ac allan o ganol y ddinas. Mwyaf sydyn, roedd arno chwant mynd allan ac ymuno â'r siew ddynol.

'Awn ni?' awgrymodd e gan droi'n ôl tuag at yr ystafell. Wrth glywed llais Luis, cododd Tomos ei ben ac eiliadau'n ddiweddarach disgynnai'r ddau y grisiau carpedog a mynd i chwilio am Lynwen.

*

Roedd Lynwen yn clirio'r byrddau brecwast yn yr ystafell fwyta ar lawr isaf y gwesty pan ruthrodd y ddau i mewn.

'Bore da!' cyfarchodd Luis hi'n siriol.

'Ma pobol yn marw yn eu gwelya,' atebodd y Gymraes yn bryfoclyd. 'Bora da, bach,' ychwanegodd gan gyfeirio'i chyfarchion at Tomos.

'Lynwen, ti'n cofio Tomos, fy "sbonar" i?'

'Cer o fan 'yn, y diawl,' atebodd hi gan bwnio Luis yn chwareus ar ei fraich. 'Wel, on i ddim yn gwpod nag on i, pan wetas i'n ddiniwad reit! Paid c'meryd sylw o'r dwlbyn, Tomos bach, a dere i ishta lawr.'

'Ni'n methu aros . . . 'dan ni'n mynd allan,' torrodd Luis ar ei thraws.

'Paid â bod mor blydi dwp, ddyn, ti 'eb ga'l brecwast 'to. Ti'n ffilu mynd mas 'eb ddim byd yn dy fola. Beth sy'n bod arnat ti?'

Gwenodd Tomos wrth wylio'r perfformiad bwrlésg o'i flaen. Gallen nhw fod yn fam a mab, meddyliodd. Ceisiodd gofio sut y bu rhwng Luis a'i fam yntau yn ystod yr wythnosau cyntaf cyn ei pherfformiad rheoledig hithau, a gwridodd yn fewnol. Cwrteisi a gofal oedd prif nodweddion y berthynas honno, i gychwyn o leiaf, am mai dyna a ddisgwylid. Dyna a ganiateid ganddi. Roedd ei fam wedi ffeirio rhwyddineb a naturioldeb ei magwraeth am statws a sicrwydd unionsyth, diymwad mewn byd a oedd yn llawn troadau. Roedd yn well ganddo'r hyn a dystiai iddo'r eiliad honno, meddyliodd, waeth pa mor anghynnil oedd e.

'Tomos, ti 'di byta 'eddi?' gofynnodd Lynwen gan droi ato'n sydyn a'i dynnu'n ôl o'i fyfyrdodau.

'Odw diolch.'

'Ti'n siwr?'

'Odw, ces i rwbeth cyn dod mas.'

'Ti'n moyn dishglad o de? Neu o's well 'da ti goffi?'

'Coffi, diolch,' atebodd e, ond roedd Lynwen eisoes ar ei ffordd i'r gegin a'i bryd ar lenwi boliau.

'A beth ŷt ti'n neud 'te, Tomos?' oedd cwestiwn cyntaf y westywraig pan ddychwelodd hi i'r ystafell fwyta â llond plât o frecwast i Luis yn y naill law a choffi i Tomos yn y llall.

'Sori?'

'Ti'n gwitho neu beth?'

'O, fi'n gweld. Nagw, wy'n bwriadu mynd i'r brifysgol flwyddyn nesa, ond cyn 'ny, licswn i drafaelu a gweld y byd.'

'Ma pobol ifanc 'eddi mor lwcus. Ma bown' o fod miliyna ohonoch chi'n crwydro'r blaned yr eiliad 'ma. 'Sen i 'di dwlu gweld y byd,' oedd ei sylw breuddwydiol.

'Pam na wnei di ddim 'te?' meddai Luis.

'Paid â bod mor sofft. 'Le elen i? A shwt allen i fynd i weld y byd wrth 'yn 'unan fach?'

'Tyrd i aros ata i yn Buenos Aires iti gael gweld beth ydy bywyd go iawn mewn dinas go iawn. Wnawn ni ddim dy fyta di.'

'Canolbwyntia di ar fyta dy frecwast, 'y machgan glân i!' saethodd Lynwen yn ôl. 'Mae'n oreit i ti siarad, ti'n ifanc.'

'Gwranda ar Nain!'

'A ta beth, smo'r byd mawr yn barod am Lynwen fach 'to!'

Gwenodd y tri ohonyn nhw, ond wrth i Luis wthio darn arall o selsig i'w geg, roedd e'n gwbl grediniol bod Lynwen fach yn fwy na pharod i weld y byd mawr er gwaethaf ei phrotestiadau fel arall a bod yr awydd hwnnw wedi bod ynddi erioed. Hunan-dwyll fyddai defnyddio diffyg cyfle'r gorffennol i'w rhwystro eto, meddyliodd.

'Mae Tomos yn dod i aros ata i,' ychwanegodd, gan gadw ei lygaid ar ei frecwast helaeth.

'Ma Tomos yn ifanc, ac ma fe'n siarad Sbaeneg. Fydden i ddim yn diall gair.'

'Pan dries i ddefnyddio esgus tebyg mi wnest ti wfftio pob gair, er bod mynd i weithio'n rhwle heb fedru deall fawr ddim o'r iaith yn fwy o beth o lawer na mynd ar wylie!'

'Mae'n lot rhy bell i rywun fel fi. Cwmpen i'n farw ar yr awyren cyn cyrraedd,' atebodd Lynwen gan osgoi edrych ar ei gwestai o ochr arall y byd.

'Dyna'r esgus mwya pathetig – heb sôn am gelwyddog – dwi erioed wedi'i glywed. Ti'n cwmpo'n farw ar yr awyren? *¡Creo que no!* Methu mynd heb sigarét am fwy na hanner awr – dyna fase'n dy ladd di.'

'Be ti'n feddwl ohono fe'n ca'l jobyn 'da'r 'en bobol?' gofynnodd Lynwen gan droi at Tomos yn fwriadol.

'Paid â newid y pwnc. Ti'n gwbod 'mod i'n deud y gwir,' dwrdiodd Luis yn hanner difrifol. 'Gyda llaw, anghofies i sôn 'mod i wedi gwneud ymholiade ar dy ran di y tro dwetha on i'n gweithio. Sonies i wrth Mrs Carmichael 'mod i'n nabod rhywun oedd yn awyddus i roi'r gore i bopeth cyn ei hamser – ei breuddwydion, ei gobeithion, bywyd yn gyffredinol - a mynd i fyw atyn nhw yn y cartre. Ond yr unig broblem ydy, mae'n rhaid i bawb fod yn hen cyn cael stafell yno! Yn **hen**!'

'Ma nhw'n meddwl y byd ohono fe,' parhaodd Lynwen gan ddewis anwybyddu ei eiriau diwethaf.

'Pwy sy'n deud?' gofynnodd Luis gan ffugio difaterwch.

'Jacqui.'

'Ife hi yw mam Kayleigh?' gofynnodd Tomos.

'Ia, 'na ti. Shwt ŷt ti'n napod Kayleigh 'te?'

'O'dd hi yn yr un flwyddyn â fi yn yr ysgol.'

'Wel, yn ôl Jacqui, mae Kayleigh'n ffilu stopid siarad abythdu 'wn fan hyn. Duw a ŵyr pam,' meddai Lynwen. Ei thro hithau oedd hi i ffugio difaterwch. 'Fe yw'r peth gora erio'd i gered trw ddrws y cartra 'na, medda Kayleigh, os galli di gretu shwt beth.' Ar hynny, plethodd ei braich am fraich Luis a'i dynnu tuag ati. 'A fe yw'r peth gora erio'd i gered trw ddrws Brynhyfryd 'fyd,' ychwanegodd hi. 'Mae e'n sbeshal.'

Ni ddywedodd Tomos yr un gair, dim ond gwylio'r ddynes ganol oed a eisteddai gyferbyn ag e. Roedd ei bodlonrwydd yn amlwg a'i theyrngarwch yn ddiysgog. Crwydrodd ei lygaid draw at Luis, a oedd wrthi'n ceisio codi fforcaid o fwyd at ei geg â'i law rydd. Petai rhywun yn dweud wrtho bod y tramorwr o'i flaen yn ymwelydd lledrithiol o blaned arall a gawsai ei anfon i'w plith gan ryw bŵer arallfydol er lles y ddynolryw, câi drafferth anghytuno, meddyliodd.

'Mae'n drueni nag o's mwy o Gymry fel chi'n dod i aros 'ma.' Lynwen a dorrodd ar y tawelwch.

'Nid Cymro ydw i,' heriodd Luis.

'Ti'n gwpod beth wy'n feddwl. Allen i gyfri ar un llaw faint o bobol Gwmrâg sy wedi sefyll 'ma. Mae mor neis clywad chi'ch dou.'

'Ma ishe iti gael gwefan,' awgrymodd Tomos.

'Beth yw 'wnna, bach?'

'*Website.*'

'Ar y be-ti'n-galw, y cyfrifiadur, ti'n feddwl? "Gwefan". 'Na air bach da. Mae'n well yn Gwmrâg, nag ŷch chi'n meddwl?' Gwenodd Lynwen wên plentyn wrth ystyried ei darganfyddiad geiriol.

''Se gwefan gyda ti, gallet ti hysbysebu Brynhyfryd ar-lein a denu mwy o Gymry Cymraeg,' ychwanegodd Tomos. 'Dyna'r dyfodol.'

'Ond sa i'n gwpod shwt i neud un, bach.'

'Gallen i greu un i ti os ti'n moyn,' cynigiodd y Cymro, a'i frwdfrydedd yn mynd o nerth i nerth. 'Wy wedi neud rhai i bobol erill o'r bla'n. Dyna beth wy'n mynd i' astudio yn y brifysgol, os af i.'

'Be ti'n feddwl "os af i"?' saethodd Lynwen yn ôl fel bwled.

'Wel, os af i i weld y byd, walle wna i ddim dod 'nôl neu walle fydda i ddim yn moyn mynd i'r coleg.'

'Beth yw dy enw **di** – Luis? Grinda, mae'n ddicon drwg bod 'wn fan hyn wedi dewish y llwybr nath e, 'eb fod titha'n neud yr un peth. Cer i weld y byd ond dere 'nôl i ga'l addysg. Paid â becso,' meddai gan edrych ar Luis wrth ei hochr, 'wy ddim wedi cwpla 'da ti 'to. Gei di breceth arall cyn mynd sha thre. So, ti'n gallu neud gwefan i fi?' gofynnodd hi gan droi'n ôl at Tomos.

'Odw. Be ti'n moyn rhoi arni?'

'Jiw, sa i'n gwpod. Rho amsar i fi feddwl.'

'Gallai hi fod yn dairieithog – Cymraeg, Saesneg a Sbaeneg – a gallen ni roi llun ohonot ti a'r gwahanol staf–'

'Na, myn yffarn i, 'sdim llun ohono i'n mynd i fod arni!'

'Pam lai?'

'Na! Ond ma croeso i chi'ch dou fod arni. Dou ddyn golygus. Esgus bo chi'n aros 'ma. Bydd raid ichi 'elpu fi 'da'r sgrifennu, cofiwch. Cyffrous! Wy wastod wedi lico ca'l project.'

'Galla i ofyn i Siwan dynnu'r llunie,' meddai Luis.

'Mae'n 'en bryd i fi gwrdd â Siwan,' atebodd Lynwen, 'i fi ga'l gweld shwt un yw hi.'

Gwenodd y tri.

'Iawn 'te, well i ni fynd,' meddai Luis gan godi ar ei draed.

'Ble'n gwmws chi'n mynd?'

'Rhydaman.'

'Rhydaman? Cer â fe i rwla teidi, Tomos, er mwyn yr arglwydd! 'Sdim byd i dwristiaid yn Rhydaman.'

'O fan 'na mae 'nheulu'n dod,' atebodd Luis yn amddiffynnol. ''Sdim isho bod yn snobyddlyd jest achos bo ti'n mynd i gael gwefan!'

''Na fe 'te, ond dyw Castell Carreg Cennen ddim yn bell. Cerwch i' weld e cyn iddo fe gwmpo lawr yn gyfan gwbwl,' mynnodd Lynwen yn daer. 'Ac erbyn ichi ddod 'nôl walle bydd cwpwl o syniada 'da fi ar gyfer y *wefan*,' ychwanegodd gan bwysleisio'i hoff air newydd.

Pennod 11

Safai Luis a Tomos yng ngheg yr arcêd siopau gan syllu ar y glaw yn chwipio topiau'r ceir yn y maes parcio gyferbyn. Dechreusai fwrw bron yr union eiliad y cyrhaeddodd y ddau Rydaman, ac ymhen dim, roedd hi'n ei harllwys hi gan orfodi pawb, boed yn siopwyr lleol neu'n ymwelwyr tramor prin ar drywydd greal personol, i gwato dan do. Doedd Luis erioed wedi ystyried mai fel hyn fyddai ei ymweliad cyntaf â thref enedigol Arthur Philips.

"Sdim ffycin rhyfedd fod yr hen foi wedi codi'i bac a dianc i ben draw'r byd,' meddai Tomos fel petai'n darllen meddwl ei gyfaill siomedig. "Sen inne wedi mynd hefyd.'

Ni ddywedodd Luis ddim byd. Ychydig iawn a welsai yn ystod y deg munud ers iddyn nhw adael y car yn y maes parcio hanner gwag a rhuthro drwy'r pyllau dŵr am ganol y dref, ond roedd yn ddigon i ddiffodd unrhyw lygedyn o gyffro a feddai cynt, waeth pa mor amhriodol. Ni chawsai gerdded yn ôl troed ei hen, hen dad-cu fel roedd e wedi ei ddychmygu lawer gwaith wrth gynllunio'i drip i Gymru. Roedd y glaw wedi mynnu mai rhedeg ar garlam â'i ben i lawr oedd yr unig ddewis call, yn hytrach na chrwydro pafinoedd cul Rhydaman yn ling-di-long a chanddo ddim byd mwy i'w wneud na cheisio ymdeimlo ag arwyddocâd ei foment fawr. *Tyn ddigon o lunie.'* Clywodd eiriau ei fam yn ei ben a gwenodd yn flinedig. Gallai ei dychmygu'r eiliad honno'n brolio wrth ei dad ac wrth y cymdogion bod *'Luis ni yn Rhydaman ar drywydd ei dreftadaeth'*, neu ryw linell arall o wallgofrwydd ffyddlon na allai neb ond hi ei llefaru. Byddai'n rhaid aros tan rywbryd eto i dynnu'r lluniau, meddyliodd. Fe dorrai ei fam ei chalon petai'n gweld Rhydaman yn y glaw.

Wrth i'r fath ystyriaethau lenwi ei feddwl, doedd Luis ddim wedi sylwi bod dau arall wedi dod i sefyll yn eu hymyl. Dim ond pan hwyliodd cwmwl o fwg sigarét o flaen ei wyneb y trodd ei ben i edrych arnyn nhw. Gwelodd eu bod nhw'n iau o dipyn na Tomos. Roedd y ferch tua phymtheg oed a'r bachgen ychydig yn hŷn efallai, ond roedd yn anodd bod yn sicr. Rhannai'r ddau yr un sigarét gan ei hestyn yn ôl ac ymlaen rhyngddyn nhw bob tro y byddai'r naill neu'r llall yn gorffen sugno llond ceg o fwg i'w ysgyfaint. Yn sydyn, daeth y ferch yn ymwybodol bod Luis yn edrych arnyn nhw a syllodd yn ôl arno'n herfeiddiol. Edrychodd Luis i ffwrdd.

'Awn ni?' awgrymodd e wrth Tomos.

'Dwy funud arall a rhedwn ni am y car,' atebodd hwnnw. 'Mae'n dechre slaco.'

'Dwi'n licio dy ffydd di.'

Tan hynny, doedd y bachgen na'r ferch ddim wedi yngan gair â'i gilydd, ond wrth glywed lleisiau'r ddau yn eu hymyl dechreuodd y bachgen fwmial rhyw synau aneglur er mawr ddifyrrwch i'r ferch. Rhythodd Tomos arnyn nhw, ond roedd y ddau eisoes wedi troi eu cefnau er mwyn parhau â'u hadloniant amrwd heb orfod edrych ar darged eu gwatwar. Syllu'n syth o'i flaen a wnaeth Luis. Tramorwr oedd e o hyd. Er gwaethaf ei gysylltiad ysbrydol â thref ei gyndeidiau, atgoffodd ei hun nad oedd yn gyflawn aelod o'r llwyth; oherwydd hynny doedd ganddo ddim hawl beirniadu na theimlo'n ddig rhag iddo frifo teimladau'r brodorion. Onid dyna'r drefn ledled y byd? Gadael wnaeth ei deulu e, ond roedd y rhain yma o hyd.

'Beth yw dy broblem di, was?' gofynnodd Tomos yn sydyn gan gyfeirio'i gwestiwn annisgwyl at y bachgen. Stopiodd y chwerthin ar unwaith. Trodd y ddau i wynebu eu cyd-Gymro ond ni ddaeth ateb gan y naill na'r llall. Trodd Luis yn reddfol i wylio'r olygfa ddi-ddal a oedd yn prysur ddatblygu.

'Gad o rŵan,' meddai gan gydio ym mraich Tomos. 'Tyrd.'

'Na, wy'n moyn gwbod be sy'n becso'r boi 'ma gynta,' heriodd Tomos heb dynnu ei lygaid oddi ar y bachgen. 'Be sy mor ddoniol?'

'Nothin' like. Iss jest that 'e talks funny, tha's all,' atebodd y bachgen o'r diwedd. Erbyn hyn, roedd y ferch wrth ei ochr wedi dechrau giglan unwaith eto, ond plygodd ei phen pan welodd nad oedd Tomos yn mynd i ildio.

'And how would **you** know that he talks funny?' gofynnodd Tomos.

'Cos 'e do.' Edrychodd y bachgen yn frysiog ar y ferch wrth ei ochr a chwarddodd y ddau yn nerfus.

'So foreigners who speak Welsh aren't allowed to have an accent, are they? But it's OK for you to sound like a tit in English.'

'Le's go, Ger,' meddai honno, ''ni'n gorffod bod 'nôl erbyn dou, cofio?'

Gwibiodd llygaid Luis rhwng y bachgen a'r ferch pan glywodd e'r newid iaith, ond gostwng eu trem yn ansicr a wnaeth y ddau. Yna, taflodd y ferch weddill y sigarét ar y llawr pyllog wrth ei thraed a diffoddwyd y mwg gwan ar unwaith. Ni chafodd rhagor ei ddweud gan neb. Symudodd y ddau allan o gysgod yr arcêd a dechrau croesi'r maes parcio gwlyb, ond doedden nhw ddim wedi mynd yn bell pan stopiodd y bachgen yn ei unfan ac edrych dros ei ysgwydd. Cerdded yn ei blaen wnaeth y ferch. 'Sori, o'n ni ddim wedi meddwl wherthin,' galwodd e.

Cododd Luis ei law i gydnabod yr ymddiheuriad a chododd y bachgen ei law yntau cyn ymuno â'r ferch yr ochr draw i'r rhes o geir ac ymdoddi i ganol y glaw.

*

Araf oedd y siwrnai yn ôl i Gaerdydd. Araf a distaw. Edrychodd Luis yn syth o'i flaen a'i lygaid yn dilyn y llafnau'n symud yn ôl ac ymlaen, yn ôl ac ymlaen, wrth i'r glaw bwnio'n ddi-ildio yn erbyn ffenest flaen y car. Dim ots pa mor galed y gweithiai'r llafnau, dal i syrthio'n donnau a wnâi'r glaw, gan gymhlethu'r olygfa a'i throi'n gam. Ceisiodd roi trefn ar y diwrnod. Ar ei bererindod od. Cofiodd ei ymdrechion i gladdu ei siom gychwynnol wrth sylweddoli y byddai'n rhaid gohirio'i gyffro llawn tan y tro nesaf, a chan wybod ar yr un pryd nad oedd gobaith iddo fod mor llawn yr eildro.

Gwibiodd wyneb y bachgen drwy ei feddwl wrth i hwnnw alw ei ymddiheuriad mewn Cymraeg glân. Rhyfedd sut y gellid dibynnu ar fywyd i fod mor annibynadwy, meddyliodd. Roedd hynny wastad wedi bod yn destun syndod iddo. Ond os oedd e wastad yn annibynadwy, onid oedd hynny'n golygu ei fod e'n gwbl ddibynadwy? Yn sydyn, rhoddwyd taw ar ei synfyfyrio hunanfaldodus ac fe'i hyrddiwyd ymlaen yn ei sedd pan sgrechiodd y car i stop y tu ôl i gar oedd wedi ei barcio er mwyn gadael i lori fynd trwy'r bwlch cul yn y ffordd. 'Sori,' ymddiheurodd Tomos, 'withe 'sdim dewis ond ildio!'

Gwenodd Luis ac aeth ati i sychu'r anwedd o'r ffenest ochr â chefn ei law. Trwy'r gwydr clir darllenodd yr arwydd wrth ochr y ffordd a gwenodd eto. 'O fan hyn mae Lynwen yn dod,' meddai.

'Gwauncaegurwen?'

'Na, Castell-nedd Port Talbot.'

'Ie, ond dyna'r enw ar y sir, ar yr ardal. Beth yw enw ei phentre?'

'Cwm-rhwbeth-neu'i-gilydd.'

'O 'na fe 'te, beth am stopo i ofyn ble ma Cwm-rhwbeth-neu'i-gilydd? Maen nhw i gyd yn blydi Cwm-rhwbeth-neu'i-gilydd, twonc.'

'Tydy Gwauncae-be-'di-enw-fo ddim yn Cwm-rhwbeth-neu'i-gilydd!' heriodd Luis yn bryfoclyd.

'Ha blydi ha! Man a man iddo fe fod. Unweth ti 'di gweld un, ti 'di gweld nhw i gyd.'

'Gwranda ar señor Caerdydd...y prifddinesydd!' meddai Luis yn ffug ddilornus.

'"Prifddinesydd"? Sa i'n credu bod y fath air yn bodoli!' oedd ateb parod Tomos.

Trodd Luis ei ben i edrych drwy'r ffenest unwaith eto ar y rhesi diddiwedd o dai llwyd, gwlyb a'r pafinoedd gwag o bobl. Ceisiodd ddychmygu Lynwen yn bump ar hugain oed yn hwylio ar hyd un o'r palmentydd hyn yn ei hesgidiau sodlau uchel ac yn llond ei chot (hynod liwgar, wrth gwrs) fel rhyw Eva Perón, a'r pennau'n troi. Tybed pa bryd y sylweddolodd hi nad oedd Cwm-rhwbeth-neu'i-gilydd yn mynd i fod yn ddigon mawr i gynnal ei diddordeb di-ben-draw mewn bywyd? Ai dyna yrrodd Arthur Philips ifanc o Rydaman yn 1881 i ddechrau bywyd newydd mewn gwlad newydd draw dros y môr a'r tonnau?

Gwthiodd ei law rhwng y sedd a'r drws a thynnu'r bwlyn er mwyn gwthio cefn y sedd yn ôl. Caeodd ei lygaid a breuddwydio'r holl ffordd adref i Frynhyfryd.

*

Cadw ei llygaid ar sgrin y cyfrifiadur o'i blaen a wnaeth Lynwen pan gerddodd Luis a Tomos drwy ddrws ffrynt y gwesty. Yno yn y dderbynfa roedd hi wedi bod ers iddyn nhw adael am y gorllewin y bore hwnnw, ac roedd hi'n amlwg o'r olwg ddwys ar ei hwyneb fod pethau amgenach ar ei meddwl nag ymateb i gyfarchion dibwys.

'"Gawsoch chi amser da, fechgyn? Naddo, ond diolch am ofyn. Sut oedd Rhydaman? Gwlyb, ond diolch am ofyn. Neis eich gweld chi 'nôl yn saff".' Edrychodd Luis ar ei ffrind am gefnogaeth wrth iddo bryfocio'i letywraig.

'Aisht! Wy'n syrffo,' oedd ateb Lynwen wrth iddi sgriblan nodiadau ar ddarn mawr o bapur wrth ochr y bysellfwrdd.

'A shwt ma'r syrff?' holodd Tomos ac yntau bron â ffrwydro chwerthin.

'Mmm?' gofynnodd hi a'i meddwl ymhell. Ar hynny, dyma hi'n rhoi'r gorau i'w chwilio brwd am y tro a throi i wynebu'r ddau arall am y tro cyntaf ers iddyn nhw ymddangos yn ei chyntedd cartrefol. 'Wy 'di bod mor fishi ers ichi fynd, mae 'da fi bob math o syniada am y wefan. O . . . shwt a'th hi yn Rhydaman?'

'Ddim yn dda iawn. Ceson ni law drwy'r dydd, felly dethon ni 'nôl yn gynnar,' atebodd Tomos.

'Cera! 'Smo ni 'di gweld diferyn o law yn Ga'rdydd. Nace bo fi wedi rhoi 'nhrwyn mas trw'r drws, cofia. Wy 'eb symud o fan 'yn. Wy 'di clico ar gymint o lefydd i weld shwt ma *hotels* erill yn neud petha, a ma 'da fi restr siopa 'yd 'y mraich. A sôn am fraich, mae hon yn dechra rhoi lo's i fi. Allen i byth ag ishta o fla'n cyfrifiadur drw'r dydd fel ma rhai'n gorffod neud,' meddai gan rwto'i phenelin.

'Gobitho bod y rhestr ddim yn rhy–'

'Y peth cynta wy angen yw logo. Rhwpath *snappy* fel Croeso Cynnes Cymraeg . . . Warm Welsh Welcome,' meddai gan bwysleisio'r cyflythrennu. 'Shwt ma gweud 'ny yn Sbaeneg?'

'Bydd raid i fi feddwl,' meddai Luis, 'achos 'dan ni isho cadw'r un effaith efo'r llythrenne a tydio ddim yn gweithio'r un fath yn Sbaeneg. Gallen ni drio gweithio o gwmpas . . . *Bienvenidos* . . . Brynhyfryd . . . B B . . . mi feddylia i am rwbeth.'

'Gadawa i 'wnna i ti. Nawr 'te, mae isha i'r cwbwl fod yn syml ac yn rhwydd i' ddefnyddio. Dyna'r gyfrinach. Walle gallen ni gynnwys rhwla i bobol roi eu barn. Bydd isha i'r cyfeiriad, rhif ffôn ac e-bost fod yn amlwg ac mae'n rhaid i'r llunia fod yn dda. Gest ti air 'da Siwan?'

'Lynwen, dwi 'di bod yn Rhydaman drwy'r dydd. Dwi heb gael cyfle eto!' protestiodd Luis gan droi at Tomos am gefnogaeth yr eildro.

'Wel siapa hi, *gaucho*. Mae'n amlwg fod Lynwen ar

hast!' atebodd hwnnw a chrychu ei wefusau'n wawdlyd chwareus.

'O's isha i fi feddwl am ga'l *wi-fi*?' holodd Lynwen gan fwrw yn ei blaen drwy'r rhestr siopa a cholli'r herian ysgafn rhwng y ddau arall.

'*God*, Lynwen, bydde hynny'n wych!'

'Grinda, amsar wy'n neud rhwpath, wy'n neud e'n iawn. 'Sdim pwynt stopo 'anner ffordd,' cyhoeddodd hithau gan fabwysiadu rhyw dôn hunanbwysig newydd nad oedd yn argyhoeddi neb.

Gwenodd y ddau arall am ben ei hymddygiad gwraig fusnes, ddi-lol. Prin bod y cyhoeddiad mawreddog wedi gadael ei cheg pan newidiodd ei thôn yn llwyr.

'Jawch, shgwlwch ar yr amser. Ma 'eddi wedi diflannu. Ma isha i fi neud bwyd!' a chliciodd ar y cyfrifiadur er mwyn dod â'i gyrfa newydd fel syrffwraig seiber i ben am y tro. 'O, anghofias i weud, Luis. O'dd Yele'n whilo amdanat ti gynna. Ma Mrs Carmichael yn moyn iti witho fory.'

Pennod 12

PWYSAI LUIS yn erbyn y wal frics coch yn yr iard fach yng nghefn Dumbarton Court. Roedd e'n falch o'r tawelwch a'r awyr iach ar ôl gweithio dan do ers saith o'r gloch y bore hwnnw. Doedd dim golwg o Kayleigh pan ddaeth yn ôl i'r gegin i chwilio amdani. Fel arfer bydden nhw'n treulio'u chwarter awr o ryddid yng nghwmni ei gilydd, hithau'n smygu ac yntau'n gwrando arni'n adrodd pob manylyn am hanes diweddaraf rhyw ganwr neu actor doedd e erioed wedi clywed sôn amdanyn nhw am nad oedden nhw'n enwog yn ei ran ddi-Saesneg e o'r blaned. Gadawodd i'w lygaid grwydro'n freuddwydiol ar hyd y cwrt bach. Sylwodd fod y blodau, y pys pêr, wedi marw o'r diwedd. Byddai'n rhaid iddo feddwl am rywbeth arall i'w roi ar y byrddau o hyn ymlaen. Tynnodd ei ffôn symudol o'i boced a chlicio ar enw Siwan.

'Luis! Shwd wyt ti?'

'Iawn. Gwranda, dwi'n methu siarad yn hir achos dwi ar ganol fy egwyl.'

'Rwyt ti'n gweithio **eto** heddi! 'Sdim rhyfedd 'mod i byth yn dy weld ti. Shwd mae'r gwaith yn mynd, gyda llaw?'

Ystyriodd Luis yr hyn roedd e newydd ei glywed a phenderfynodd ei fod yn ei hoffi. Os clywodd e'n iawn, roedd Siwan Gwilym yn cwyno. Cwyn fach dyner, chwareus efallai, ond cwyn oedd hi'r un fath. Roedd hi'n gweld ei eisiau, felly.

'Y gwaith? Be fedra i ddeud? Gwaith 'di gwaith. Beth

bynnag, dyna'n union pam dwi'n ffonio . . . i ofyn wyt ti ar gael i fynd i Rydaman efo fi. On i 'di meddwl picio draw un ai dydd Gwener neu ddydd Sadwrn yma.'

Hanner gwenodd wrth glywed y celwydd golau'n llithro mor ddiymdrech oddi ar ei dafod. Nid dyna pam roedd e wedi ei ffonio, ond ffolineb fyddai gwastraffu cyfle mor annisgwyl, meddyliodd. Doedd cyfleoedd euraid ddim yn dod yn aml ac, fel unrhyw *argentino* o waed coch cyfan, gwyddai pryd i fynd amdani, pryd i beidio â gadael i ddarpar berthynas lithro o'i afael. Onid oedd hynny'n rhan o'i dreftadaeth wrywaidd? Onid oedd e yn y gwaed *Latino* nad oedd ganddo? Roedd hyd yn oed Lynwen wedi dweud cymaint â hynny. Trodd yr hanner gwên yn wên lawn.

'Mae dydd Gwener neu ddydd Sadwrn yn iawn. Dewis di,' atebodd hi.

'Dydd Gwener 'te.'

'Gwych. Ond pam Rhydaman?'

'O fan 'na mae 'nheulu'n dod yn wreiddiol, ar ochr fy mam, beth bynnag. Wnes i ddim sôn wrthot ti?'

''Sda fi ddim cof.'

'Crwydro mynwentydd fyddwn ni, cofia,' ychwanegodd e'n frysiog.

'Rhamantus iawn!'

Roedd e'n methu credu ei glustiau! Pam dywedodd hi hynny? Pam y gair hwnnw? A oedd e wedi deall yn iawn? Ceisiodd benderfynu ai camgymeriad esgeulus o'i rhan hi oedd e, a'i bod hi'n diawlio dweud y fath beth yn syth ar ôl agor ei cheg. Ceisiodd ddychmygu ei hwyneb yn cochi. Ond efallai mai dyna oedd ei bwriad o'r cychwyn cyntaf. Y fath ymddygiad digywilydd, Siwan Gwilym! Hyfdra pur!

'Faint o'r gloch?' gofynnodd e gan geisio swnio'n ddidaro.

'Diwedd y bore. Gallen ni fynd ar y trên.'

'Mae 'na drên, oes? Da iawn!'

''Na fe 'te. Tecsta fi i weud faint o'r gloch yn gwmws.'

'Tyrd â dy gamera efo ti.'

'Mae'n mynd i bobman gyda fi.'

'Wnest ti ddim dod â fo i'r Bae y tro dwetha inni gyfarfod!'

'Hwyl, Luis!'

'Chau!'

Gwasgodd Luis y botwm coch i ddod â'r alwad i ben a stwffiodd y ffôn i'w boced. '*Sí, sí, síí!*' galwodd yn fuddugoliaethus cyn pwyso'n ôl yn erbyn y wal ac ystyried ei lwc anghyffredin o dda. Ni pharodd ei lesmair yn hir. Fe'i dihunwyd o'i feddyliau lled erotig pan wthiodd Kayleigh ddrws y cefn ar agor led y pen a rhedeg tuag ato. Gwelodd e'r dychryn dilyffethair ar ei hwyneb wrth iddi groesi'r pwt o iard. Powliai'r dagrau i lawr ei bochau.

'Helpwch fi, Luis! Mae rhywbeth ofnadwy wedi digwydd i Enid. Plis, helpwch fi. Plis!'

'Be sy? Be sy?' Gafaelodd Luis yn ei hysgwyddau a'i dal hi'n gadarn er mwyn ceisio'i thawelu. Gallai deimlo'i chrynu afreolus trwy ei ddwylo. Yna, ymryddhaodd Kayleigh o'i afael a dechrau rhedeg yn ôl am y drws.

'Dewch! Luis, dewch!'

'Ble mae hi?'

'Yn ei stafell. Ond mae hi'n *unconscious*.'

'Sori?'

'Rydw i'n methu deffro hi.'

Rhedodd Luis gyda hi'n ôl trwy'r drws agored a thrwy'r gegin wag i gyfeiriad yr ystafelloedd preifat. Yn wyrthiol, doedd neb yn crwydro'r coridorau drycsawrus i dystio i'r argyfwng oedd yn datblygu. Pan gyrhaeddon nhw ystafell Enid, rhuthrodd Luis i mewn a phenlinio o flaen y gadair lle roedd yr hen wraig yn eistedd yn ddiymadferth. Roedd ei cheg ar agor a phwysai ei gên ar ei brest.

'Cau'r drws,' gorchmynnodd wrth Kayleigh, a safai y tu ôl iddo, ei chorff tenau'n ysgwyd i gyfeiliant ei llefain.

'Mae hi wedi marw! God, worr am I gonna do?'

'Bydd ddistaw am eiliad.'

Cydiodd Luis yn llaw'r hen wraig ac aeth ati i deimlo'i phỳls, ond y cyfan a deimlai oedd ei bỳls ei hun yn curo'n wawdlyd ym mlaenau ei fysedd wrth iddo chwilio a chwilio'n ofer. Tynnodd ei ddwylo'n ôl ac anadlu'n ddwfn i geisio arafu'r adrenalin oedd yn rhuthro trwy ei gorff. Roedd yn gwbl ymwybodol o'r angen i fod yn glir ei feddwl er mwyn gwneud y penderfyniadau cywir. Gwnaethai benderfyniadau tebyg o'r blaen a gwyddai beth i'w wneud. Roedd e'n brofiadol. Ond roedd angen gweithio ar frys. Cododd ar ei draed a phlygu ymlaen tuag at Enid. Rhoddodd ei glust at ei cheg a gwrando. Chwiliodd am yr arwydd lleiaf o anadl, waeth pa mor wan.

'Enid! Enid!' galwodd gan ysgwyd ei braich yn dyner. Sylwodd fod ei chroen yn dal yn gynnes. Anadlodd yn ddwfn unwaith yn rhagor. Gwyddai beth i'w wneud. Gwyddai'n iawn beth i'w wneud. Adroddodd y mantra yn ei ben. Gosododd ei fysedd ar ochr ei gwddwg a chwiliodd yn fwy taer am guriad ei chalon. Eiliadau'n ddiweddarach, ymlaciodd ei ysgwyddau a thaflodd gip wysg ei gefn ar Kayleigh a ddaliai ei llaw o flaen ei cheg, ei llygaid yn rhythu ar Enid.

'Dwi 'di cael rhwbeth,' meddai Luis. 'Mae'n wan, ond dwi'n teimlo rhwbeth.'

Syrthiodd Kayleigh ar ei phengliniau a beichio crio.

'Tyrd yn dy flaen. Tyn y cynfase 'nôl oddi ar y gwely,' gorchmynnodd e, gan baratoi i godi'r hen wraig yn ei freichiau. Rhedodd y ferch draw at y gwely'n ufudd a thynnu'r flanced denau a'r cynfasau'n ôl er mwyn i Luis fedru rhoi Enid i orwedd ar ei hochr. Cydiodd yntau mewn gobennydd a'i osod y tu ôl i'w chorff eiddil er mwyn ei sadio a'i hatal rhag rholio ar ei chefn. Nesaf, daliodd ei gên yn ei law a gwyro'i phen yn ôl fymryn er mwyn hwyluso'i hanadlu. Gweithiai'n gyflym ac yn hyderus nawr. Gwyddai beth i'w wneud. Sefyll yn llonydd â'i chefn yn erbyn y drws a gwylio'r cyfan o bell a wnâi Kayleigh. Roedd hi wedi encilio i gyrion yr olygfa o'i blaen wrth i brofiad Luis ddod fwyfwy i'r amlwg.

'Enid. Triwch ddeffro rŵan, da chi,' anogodd Luis gan rwto'i llaw yn egnïol, ond gorwedd yn llonydd â'i llygaid ynghau a wnâi'r hen wraig. Anadlai'n ddwfn ac yn rheolaidd ond roedd hi mewn trwmgwsg.

'Dwi ddim yn credu 'i bod hi mewn unrhyw beryg.'

'Chi ddim?'

'Na, cysgu mae hi. Ond well inni alw'r doctor i wneud yn hollol siŵr.'

'Na! Peidiwch galw'r doctor. Luis, dim ond ni'n dau sy'n cael gwybod am hyn. Plis.'

'Kayleigh, bydd...'

'Plis!'

'Bydd raid inni sôn wrth Mrs Carmichael er mwyn iddi gofnodi'r peth. Mae hi'n gorfod gwneud hynny.'

'Na! Neb!'

'Ond . . .'

'Bydda i'n colli job fi.'

'Paid â bod yn wirion. Dwyt ti ddim 'di gwneud dim byd o'i le.'

'Ydw, rydw i wedi. Chi ddim yn nabod Mrs Carmichael. Pan mae hi'n gofyn ichi wneud rhywbeth, mae hi'n disgwyl i popeth bod yn berffaith.'

'Be ti'n feddwl?' Cerddodd Luis draw at ei gydweithwraig a safai o hyd â'i chefn yn erbyn y drws. Roedd golwg wedi ymlâdd ar ei hwyneb ifanc ac roedd ymylon ei llygaid yn goch a'r croen yn binc a chwyddedig. Gostyngodd Luis ei lygaid yntau a gweld bod ei bysedd yn anwesu'r tatŵ bach ar ei braich heb yn wybod iddi. 'Kayleigh, ai ti roiodd rwbeth i Enid?' gofynnodd e'n ddifrifol. Gwelodd ei llygaid yn llenwi drachefn. 'Kayleigh?'

Ymhen ychydig, peidiodd ei llefain ac edrychodd hi'n ymbilgar arno.

'Ie,' atebodd gan amneidio'i phen i ategu ei hateb byr.

'Ydy Mrs Carmichael yn gwbod?'

'Dydy hi ddim yn gwybod am y camgymeriad, ond ydy, mae hi'n gwbod am y tabledi. Hi dywedodd.'

'Wyt ti'n deud wrtha i bod Mrs Carmichael wedi gofyn iti roi tabledi i Enid?'

Amneidio'i phen fel cynt wnaeth Kayleigh, gan ddwysáu anghrediniaeth ei chydweithiwr.

'Ond Kayleigh dwyt ti ddim i fod i wneud pethe felly. Dim ond rhywun â chefndir meddygol sy'n cael rhoi tabledi. Doeddet ti ddim yn gwbod hynny?'

Edrychodd hi ar Luis ond ni ddywedodd yr un gair.

Gwyddai, fe wyddai'n iawn, ond bu'n rhy awyddus i blesio, yn rhy ofnus i wrthod, yn rhy barod i gael ei pherswadio ei bod hi'n uwch ei statws na Yele ac yntau am ei bod hi'n lleol ac am ei bod hi'n gweithio'n llawn amser. Byddai hi yno ymhell ar ôl iddyn nhw godi eu pac a mynd. Gwelodd Luis fod golwg bell yn ei llygaid fel petai hi newydd sylweddoli iddi gael ei thwyllo a'i defnyddio. Syllai drwyddo fel rhywun a oedd eisoes yn paratoi ei hamddiffyniad mewn llys barn gan wybod yng ngwaelod ei bod na fyddai ganddi unrhyw obaith yn erbyn rhywun o allu Mrs Carmichael. Gair merch brin ei chymwysterau yn erbyn gair perchennog cartref henoed â phrofiad oes o gamddefnyddio eraill. Roedd Mrs Carmichael yn dda i'r economi leol.

'Be roiest ti iddi? Mae'n bwysig iawn fod ti'n cofio be roiest ti iddi,' meddai Luis gan geisio cyfleu cydymdeimlad yn gymysg ag awdurdod.

'Rhoies i'r pot anghywir iddi.'

'Be ti'n feddwl?'

'Rydyn ni'n rhoi tabledi pawb mewn potiau gwahanol a rhoies i'r pot anghywir i Enid.'

'Iawn, dwi'n deall rŵan. Pwy oedd i fod i gael y pot roiest ti i Enid?'

'Rita.'

'Gafodd hi dabledi Enid wedyn?'

'Na, achos gwelais i'n syth beth wnes i'n rong.'

'Wyt ti'n gallu dangos i fi ble fyddi di'n paratoi'r tabledi?'

'Ond beth am Enid? Rydyn ni'n methu gadael hi fan hyn,' dadleuodd Kayleigh a thaflu cip i gyfeiriad y gwely. 'Mae'n rhaid inni aros gyda hi.'

'Bydd hi'n iawn, ond os wyt ti isho, fe wna i aros efo hi

tra dy fod ti'n nôl y daflen . . . y siart sy'n dangos pa foddion mae pawb yn gael. Dos rŵan!'

Diflannodd Kayleigh heb ragor o ddadlau ac aeth Luis i eistedd wrth erchwyn y gwely. Roedd yr hen wraig yn cysgu'n drwm. O fewn llai na munud dychwelodd Kayleigh a chyflwyno darn o bapur mewn amlen blastig, glir i Luis. Rhedodd ei fys ar hyd y rhestr o enwau nes cyrraedd enw Rita Rees. 'Lorazepam. 2 mg.' Ynganodd yr enw â hyder. 'Ai tabled bach melyn oedd o?' gofynnodd e.

'Dydw i ddim yn siŵr . . . ie, un melyn oedd e. Rydw i'n cofio nawr, bendant, un melyn oedd e.' Roedd ei hawydd i blesio ac i ddad-wneud ei chamgymeriad yn atgoffa Luis o blentyn diniwed.

'Maen nhw'n rhoi'r rhain i bobol er mwyn eu tawelu nhw. Maen nhw'n defnyddio'r un tabledi lle on i'n arfer gweithio yn Buenos Aires hefyd. Sawl un gafodd hi?'

'Un.'

'Faint sy ers iddi ei gymryd o?'

'Tri chwarter awr falle, rhywbeth fel 'na. Ar ôl mynd o . . .'

'Bydd hi'n iawn. Paid â phoeni.'

'Ydych chi'n siŵr?' Gwelodd Luis y rhyddhad oedd yn gymysg â phryder o hyd ar wyneb ei gydweithwraig.

'Mi gysgith hi fel mochyn am ryw dair neu bedair awr, ond bydd hi'n iawn. Rwyt ti wedi bod yn lwcus.'

Ar hynny, taflodd Kayleigh ei breichiau amdano a phwyso'i phen yn erbyn ei frest. Edrychodd yntau i lawr ar ei chorun melynfrown. Doedd lliw ei gwallt di-sglein ddim yma nac acw, ddim y naill beth na'r llall. Gallai deimlo'i chorff esgyrnog yn glynu wrtho. Mor hawdd fyddai ei gwasgu a'i thorri yn ei hanner, meddyliodd. Mor hawdd fyddai ei cham-drin. 'Nid arnat ti mae'r bai am hyn, ti'n gwbod,' meddai Luis wrthi ymhen ychydig. Cadwodd Kayleigh ei phen ar ei frest heb ymateb. 'Ar Mrs Carmichael mae'r bai. Neb arall.'

Arhosodd y ddau ohonyn nhw ynghyd felly am funudau lawer wrth i effeithiau'r storm grebachu. Yr unig sŵn oedd i'w glywed oedd anadlu rheolaidd Enid yn ei gwely bach. 'Ydy hi wedi gofyn iti wneud hyn o'r blaen?' gofynnodd e gan dorri'n rhydd o'i gafael er mwyn astudio'i hwyneb.

'Ydy.'

'Ond dyma'r tro ola, ti'n deall? Y tro nesa mae hi'n gofyn, mae'n rhaid iti wrthod achos fe elli di fynd i drwbwl mawr. Paid anghofio heddiw.'

'Wna i ddim anghofio.'

'Mae isho inni sôn wrth rywun, ti'n gwbod, er mwyn rhoi stop arni. Mae'n ddyletswydd arnon ni.'

'Cwyno, chi'n meddwl?'

'Ie, cwyno'n swyddogol wrth rywun.'

'Ond wedyn bydd pobl yn dod yma . . . swyddogion, *like*, a byddan nhw'n ffeindio allan am Yele. Dydy e ddim yn cael gweithio. Bydd e'n cael ei arestio. A chi hefyd. Byddan nhw'n cau'r cartre.'

Ystyriodd Luis ei dadleuon syml ac ni allai ddadlau'n ôl. Roedd 'na bobl debyg i Mrs Carmichael yn rheoli bywydau ym mhedwar ban byd a doedd dim angen iddyn nhw ddangos gronyn o barch at gyd-ddyn na gwedduster, gan eu bod yn deall y drefn.

'Peidiwch poeni, byddaf i ddim yn gwneud hyn eto. Rydw i'n addo.'

Edrychodd Kayleigh i fyw llygaid Luis cyn croesi'r ystafell

yn araf a phenlinio wrth erchwyn gwely Enid. Cydiodd yn llaw esgyrnog yr hen wraig a rhedeg ei bysedd ar hyd y gwythiennau glas oedd mor amlwg trwy'r croen tenau. Yna trodd ei phen i edrych ar Luis o'r newydd a gwenodd.

Gwenodd Luis yn ôl. 'Aros fama am hanner awr efo Enid. Well i fi fynd i helpu Josh. Gallwn ni bicio 'nôl a 'mlaen drwy'r prynhawn i gadw golwg arni, ond bydd hi'n iawn rŵan, gei di weld.'

Pennod 13

'Sᴀ ɪ 'ᴅɪ ɢᴡᴇʟᴅ dim byd sy'n mynd 'nôl ymhellach nag 1934 eto,' cyhoeddodd Siwan gan wneud ei gorau i geisio cuddio'r anobaith oedd yn dechrau disgyn drosti.

Bwrw yn ei flaen ar hyd y rhes o feddau wnaeth Luis, gan graffu'n ddisgwylgar ar yr enwau a'r dyddiadau. Byth ers iddyn nhw gyrraedd y fynwent fawr ar ochr y bryn ryw dri chwarter awr ynghynt, roedden nhw wedi darllen cannoedd o arysgrifau, a nawr dim ond un rhes oedd ar ôl. Yr hyn a synnodd Luis yn fwy na dim oedd mai Saesneg oedd iaith y rhan fwyaf o'r cerrig beddau, yn enwedig y rhai diweddar. Mynd yn brinnach roedd y rhai Cymraeg gyda phob blwyddyn. Fel 'na roedd hi ym mynwent foel y Gaiman hefyd, cofiodd, ond mai'r Sbaeneg oedd y concwerwr yn fan 'na. Y *conquistador* newydd. Roedd yn well ganddo fynwent y Gaiman, meddyliodd. Roedd y meirw yno wedi byw, ac roedd eu hanesion rhyfeddol ar gael o hyd ar y cerrig i syrfdanu hyd yn oed yr ymwelydd mwyaf sinigaidd a diantur.

Pan gyrhaeddodd e ben draw'r rhes, stopiodd ac edrych draw dros y fynwent agored. Ac eithrio un fenyw oedrannus a benliniai ar y gwair o flaen bedd marmor nid nepell i ffwrdd, Siwan ac yntau oedd yr unig rai yno. Yn ei llaw daliai'r hen wraig glwytyn, a rhwtai'r garreg ddu'n dyner fel petai'n sychu'r llwch oddi ar ddodrefnyn gwerthfawr oedd wedi bod yn ei theulu ers canrifoedd. Mewn cae ymhellach draw, porai dau geffyl. Yr unig sŵn oedd i'w glywed oedd rhu ambell gerbyd bob hyn a hyn ar y briffordd a redai wrth ochr y fynwent y tu hwnt i'r coed oedd yn gollwng eu dail hydrefol ar hyd y borfa. O'r fan lle safai roedd ganddo olygfa dda dros y dref a'r cymunedau cyfagos. Sylwodd nad oedd fawr o batrwm i unrhyw beth, bron fel petai'r cyfan wedi tyfu ar ddamwain a hap yn hytrach na dilyn cynllun trefol, gofalus. Cystadlai ffatrïoedd â thai am yr un darnau o dir. Codai plufyn tenau o fwg o simnai ambell dŷ ac ambell ffatri fel ei gilydd. Gwelodd yr orsaf drenau yng nghanol rhwydwaith o strydoedd, a honno gryn bellter o ganol y dref. Ar ôl holi ble'n union roedd y fynwent wrth gamu oddi ar y trên, roedd e wedi mwynhau cerdded i fyny'r rhiw yn heulwen mis Medi gan esgus digio wrth Siwan wrth iddi fynnu rhedeg yn ei blaen bob munud a throi i dynnu llun ar ôl llun ohono *'er mwyn cofnodi'r ymweliad pwysig'*. Ni thalai unrhyw sylw i'w brotestiadau gwan. Edrychodd arni nawr drwy gil ei lygad. Roedd hi yn ei chwrcwd o flaen un o'r beddau, yn debyg i'r wraig oedrannus – ond camera, nid clwtyn, oedd yn ei llaw.

'Dwi'n credu'n bod ni 'di cael siwrne seithug. Mae'n amlwg ein bod ni yn y lle anghywir,' galwodd arni gan ddechrau cerdded tuag ati.

Trodd hithau i'w wynebu gan aros yn ei chwrcwd a dal y camera o flaen ei llygaid o hyd. 'Paid! Does gen ti ddim digon yn barod?' meddai gan hwpo'i dafod allan a gwenu.

'Ces i rai gwych ohonot ti funud yn ôl, pan ot ti'n sefyll fel rhyw dywysog canoloesol yn edrych dros ei diroedd. Ot ti fel yr Arglwydd Rhys ... neu'r Arglwydd Luis yn dy achos di!' meddai gan chwerthin am ben ei ffraethineb ei hun.

'Pwy?'

'Yr Arglwydd Rhys, tywysog Deheubarth.'

'Ble mae hwnna?'

Chwarddodd Siwan unwaith eto. 'Mae gwyneb da gyda ti. Ot ti ar goll yn dy synfyfyrio.'

'Awn ni?' cynigiodd Luis heb ymateb i'w malu awyr.

'Ble nesa 'te? Ti yw'r twrist.'

'Paned?'

'Pam lai?'

Yn union fel roedd e wedi ei broffwydo, cafodd Luis drafferth ailgynnau'r wefr a ddiffoddwyd gan y glaw trwm ar ei ymweliad cyntaf â thref Arthur Philips rai dyddiau ynghynt. Nawr, wrth iddo gerdded gyda Siwan drwy'r strydoedd tawel tua'r canol, ni allai benderfynu a ddylai deimlo siom ynteu dicter am fod natur wedi milwrio yn ei erbyn i'w amddifadu o'i gyffro diniwed y diwrnod hwnnw. Edrychodd o'i gwmpas ar yr adeiladau-bob-dydd ac ar y mynd a dod di-frys, a sylweddolodd yn fuan nad oedd ganddo hawl i deimlo'r naill beth na'r llall. Diwrnod gwlyb oedd ei ymweliad cyntaf, a dim byd mwy. Roedd yn anffodus, ond doedd e ddim o dragwyddol bwys. Dim ond coc oen myfiol fyddai'n gadael i rywbeth mor bitw gymylu ei drefn. Roedd heddiw'n ddiwrnod newydd. Fe gâi ei atgofion personol ac fe gâi ei fam ei lluniau hollbwysig. Onid oedd Siwan eisoes wedi sicrhau hynny?

Yn sydyn, daeth yn ymwybodol iawn o'r Gymraes hon wrth ei ochr. Roedd e'n ei hoffi'n fawr. Fel y glaw mympwyol oedd wedi difetha'i foment fawr, cyfarfod ar hap ar awyren oedd wedi arwain yn y pen draw at gwmni'r ferch hon yr eiliad hon. Ai cyd-ddigwyddiad oedd y cyfan, ynteu trefn rhagluniaeth, fel y byddai ei fam yn mynnu ei ddweud? Ai trefn rhagluniaeth oedd wrth wraidd ei fagwraeth od ar aelwyd Gymraeg yng nghanol y paith Sbaeneg ei iaith, filoedd o gilometrau i ffwrdd oddi wrth y prif lwyth ym mhen arall y byd? Fel damwain amser a lle.

'Beth sy'n mynd trwy dy feddwl di?'

'Mmm?'

'Mae dy feddwl di'n bell. Ti'n eitha breuddwydiwr, on'd wyt ti? Dwi 'di dysgu cymaint â hynny amdanat ti,' meddai Siwan gan edrych i fyw ei lygaid.

'Sori. Mae jest cerdded fan hyn... wel, mae o mor rhyfedd. Ti ddim yn meddwl?'

'Dyna un gair!'

'Na, o ddifri. Mae'n rhyfedd meddwl y galle fod gen i berthnase o hyd yn byw yn yr ardal hon. Falle mod i 'di pasio rhai ar y ffordd yn barod. Mae'n wallgo.'

'*Tu vida loca.*'

'*Sí, mi vida loca.*'

Ar hynny, clymodd Siwan ei braich am ei fraich yntau a cherddodd y ddau yn eu blaenau heb ddweud rhagor rhag ofn i'w geiriau ymyrryd a chwalu'r breuder. Cerddon nhw felly am beth amser, y naill a'r llall yn hollol ymwybodol o arwyddocâd yr hyn roedd hi wedi ei wneud. Bu'r weithred yn un rhwydd yn y diwedd, meddyliodd Luis. Rhwydd a di-lol. Ar ôl disgwyl a dyheu gyhyd, ac ar ôl ceisio adnabod yr arwyddion gan ofalu peidio ag ymddangos yn rhy barod yn rhy fuan, bu'r cyfan yn rhwydd, diolch iddi hi. Arafodd ei gamau gan orfodi Siwan i wneud yr un fath. Tynnodd hi tuag ato a'i chusanu'n hir. Gwyddai na fyddai'n pechu ac mai dyna oedd y peth iawn i'w wneud. Teimlodd ei dwylo'n byseddu ei wallt a'i thafod yn gwthio yn erbyn ei dafod yntau. Cusanodd ei gwddwg a'i chlust cyn mynd yn ôl at ei gwefusau. Yn reddfol, agorodd e fotymau ei siaced hi a gweithio'i law rownd tuag at ei chefn, ond cydiodd hi ynddi a'i gosod yn fwriadol ar ei bronnau cadarn. Anadlodd hi'n ddwfn wrth iddi ymateb i'w anwesu. Cusanodd hi ei wefusau'n eiddgar gan wthio'i thafod i'w geg. Aeth rhywun heibio iddyn nhw ar y pafin tawel ac ymlacion nhw eu gafael heb dynnu eu llygaid oddi ar ei gilydd. Safon nhw felly gan adael i'w blys ostegu. Chwiliodd Luis am ei dwylo a'u gwasgu'n dyner.

'Felly, Siwan Gwilym,' meddai gan wenu, 'beth mae hyn yn ei olygu, ti'n meddwl?'

Tynnodd hithau ei dwylo'n rhydd o'i afael a'i dynnu tuag ati. Cusanon nhw drachefn.

'Dwi'n credu fod ti'n gwbod yn iawn beth mae'n ei olygu, Luis Arturo Richards.' Gwenodd y ddau ohonyn nhw eto ac ailddechrau cerdded, law yn llaw. 'Bydde'r hen Arthur Philips wedi bod yn browd iawn ohonot ti,' cyhoeddodd hi ymhen tipyn.

Edrychodd Luis arni a chulhau ei lygaid. Ni ddeallodd ei gosodiad pryfoclyd. 'Pam hynny?'

'Wel, am gadw traddodiad teuluol yn fyw,' atebodd hi'n awgrymog. 'Dwi'n siŵr 'i fod e'n dipyn o hen gi yn ei ddydd. Dychmyga fe . . . llanc cydnerth yn llawn antur. Ti byth yn gwbod, walle'i fod e a'i or-or-ŵyr wedi bod yn lapswchan yn yr un stryd yn union.'

'A falle bod dy ddychymyg di'n rhemp! Ych-a-fi, dwi ddim isho gwbod be oedd fy hen, hen dad-cu'n arfer neud, diolch yn fawr iti. A beth bynnag, dwi'n siŵr 'i fod o'n rhy ffycd i neud . . .'

'Rhy beth?' Chwarddodd Siwan a ffugio cael ei phechu. 'Bechgyn drwg sy'n defnyddio geirie fel 'na.'

'Sori, dwi 'di treulio gormod o amser yng nghwmni Tomos.'

'Pam 'te, ody Tomos yn fachgen drwg?'

'Wel, ym, nac ydy, am wn i ... ond mae o'n hoffi rhegi. Gwranda, Siwan, mae'n wir ddrwg gen i, on i ddim wedi bwriadu dy frifo di. On i ddim yn gwbod 'i fod o'n air mor ddrwg â hynny, wir rŵan. Dwi'n deud pethe'n anghywir weithie.'

Dal i chwerthin a wnâi Siwan wrth wylio'i edifeirwch diniwed.

'Dim ond tynnu dy goes di. Paid â phoeni, dwi wedi clywed lot gwaeth na hynny. Ond, gair i gall, 'sen i ddim yn defnyddio'r gair 'na o flaen dy fam.'

'Fase hi ddim callach, chwaith. Ond mynd i ddeud on i y base'r hen Arthur yn rhy flinedig...'

'Dyna welliant...'

'...i hel merched ar ôl gweithio dan ddaear am orie bob dydd.'

'Glöwr oedd e 'te?'

''Swn i'n meddwl, ond dwi ddim yn gwbod i sicrwydd.'

'Dwi'n siŵr 'i fod e'n ddyn parchus iawn, yn mynd am dro yn ei ddillad dydd Sul ar ôl capel, fraich ym mraich â'i gariad, a dim byd mwy nwydus ar ei feddwl nag emyne Ann Griffiths.'

'O ddifri, diolch am ddod heddiw. Tydy crwydro mynwentydd Rhydaman ddim yn ei gynnig ei hun i ymddygiad nwydus iawn.'

'O, sa i'n gwbod,' atebodd Siwan cyn plannu cusan arall ar ei foch.

*

Gadawodd Luis i ddrws y caffi gau ohono'i hun a brysiodd ar ôl Siwan, a oedd eisoes wedi dechrau cerdded ar hyd y stryd. Astudiai hi'r map o strydoedd yr ardal a gawsai gan bobl hynaws y llyfrgell cyn mynd am baned, a nawr roedd ei bryd ar sesiwn go iawn o dwrio.

'On i'n meddwl mai'r ffordd arall roedd hi,' meddai Luis gan gydio yn y darn o bapur a cheisio'i ryddhau o ddwylo Siwan.

'Na, ni'n mynd i'r cyfeiriad iawn, edrych. Gwaelod yr hewl, troi i'r dde ac i'r dde eto.'

'Na, mae 'nôl fan 'na,' mynnodd Luis gan lwyddo i gipio'r map oddi arni.

'Dyw e ddim, Luis. Ŷch chi bobol hemisffer y de'n gweld popeth ben i waered!'

'A 'dach chi, bobol y gogledd, wastad yn meddwl eich bod chi'n iawn. Mae Ewrop a'r Unol Daleithie . . .'

'Ddim bob amser, ond y tro yma, odw, dwi'n iawn.'

'Wel?' meddai Siwan yn fuddugoliaethus pan gyrhaeddon nhw'r stryd fach y tu ôl i'r rhes o siopau.

'*Vale*, ti oedd yn iawn,' cyfaddefodd Luis.

'*Gracias.*'

'*De nada.*'

Gwenodd y ddau.

Doedd hi ddim yn fynwent fawr, ond wrth edrych dros y wal a wahanai orweddfan y meirw rhag prysurdeb y traffig a'r siopwyr, gallen nhw weld yn barod fod y beddau hyn yn hŷn o lawer na rhai'r fynwent ar y bryn.

'Ydyn ni'n cael mynd i mewn, ti'n meddwl?' gofynnodd Luis.

'Sa i'n gweld pam lai.'

Roedd y capel a safai wrth ochr y fynwent yn fwy o lawer na Tabernacl Trelew, nododd Luis. Un bach syml oedd hwnnw yng nghanol stryd ddinesig, lydan. Roedd yr un yma'n fawr ac roedd mewn lôn drefol, gul. Rhywsut, edrychai'n rhy fawr i'r safle, fel petai wedi cael ei ollwng o'r awyr ar ddamwain a glanio yn y man anghywir ger cylchfannau'n llawn ceir ac yng nghysgod ffatrïoedd parod, anghydnaws. Rhywbeth tebyg a aeth trwy ei feddwl y tro cyntaf iddo weld carchar Caerdydd hefyd, cofiodd.

Agorodd e'r gât haearn â pharch, ond ar yr un pryd fel rhywun oedd yn gyfarwydd, fel petai'n agor drws ffrynt cartref perthynas hoff ar ôl absenoldeb hir. Camodd y ddau i mewn i'r fynwent fach. 'Atgoffa fi am bwy ni'n chwilio,' meddai hithau.

'Aros eiliad, mi sgwennes i'r enwe ar ddarn o bapur pan ffoniodd fy mam. Dyma ni – Hannah Jane Philips a'i gŵr, Evan Arthur Philips.'

'Ti ishe dechrau'r pen yma ac af i draw bwys y wal?'

Cymraeg oedd iaith bron pob un o'r beddau hyn. Roedd y cerrig yn dywyll gan amlaf ac yn perthyn i gyfnod arall, pell yn ôl. Symudodd Luis yn araf ar hyd y rhesi cymen. Mynnodd ddarllen pob arysgrif yn ofalus gan ryfeddu at yr enwau a'r dyddiadau a'r oedrannau a gwingo wrth weld bod rhai wedi marw'n annioddefol o ifanc. Tan heddiw, a'i ymweliad â'r fynwent arall ar y bryn, doedd e ddim wedi talu llawer o sylw i'r syniad bod beddau'n cynrychioli bywydau unigol, arwyddocaol. Oedd, roedd e'n gwybod hynny, ond doedd e ddim wedi ystyried y peth go iawn. Efallai bod hynny'n arwydd ei fod e'n mynd yn hŷn, meddyliodd.

Edmygai geinder gwaith y seiri maen ac englynion y beirdd a ganai glodydd yr ymadawedig. Er gwaethaf yr iaith hynafol, gallai ddeall byrdwn y rhan fwyaf, a'u gobaith diffuant am gyfarfod ag anwyliaid eto ryw ddydd a ddaw.

'Luis, dere 'ma!' galwodd Siwan gan darfu ar ei fyfyrio.

Edrychodd Luis draw i gyfeiriad y llais a gweld bod Siwan yn amneidio'i phen yn gyffrous i gadarnhau ei darganfyddiad. Dechreuodd gerdded tuag ati, ond stopiodd yn ei unfan ar ôl dau neu dri cham er mwyn ceisio rheoli ei galon, a gurai'n gyflym yn erbyn ei frest. Teimlai'n chwil. Hon, sylweddolai, oedd y foment fawr a gipiwyd oddi arno pan gyrhaeddodd Rydaman yn y glaw gan ddisgwyl cerdded yn ôl troed ei hen, hen dad-cu, a'i ddychymyg ar garlam. Bellach, disodlwyd dychymyg annelwig gan dystiolaeth gadarn. Nawr, roedd ganddo rywbeth gweladwy a diymwad. Roedd ganddo ddolen gyswllt. Dechreuodd gerdded unwaith eto, gan syllu ar gefn y garreg lwyd o'i flaen. Ymhen ychydig eiliadau câi gyffwrdd â hi a darllen enwau ei berthnasau. Ymhen ychydig eiliadau gallai gau'r cylch.

'Dyma nhw,' meddai Siwan. 'Dy deulu.'

Edrychodd Luis i fyw ei llygaid cyn troi'n araf a phenlinio o flaen y bedd. Gwibiodd ei lygaid yntau dros y geiriau cerfiedig cyn glanio ar yr enw cyntaf. Rhythodd ar y llythrennau cain a chlywodd ei hun yn ffurfio'r gair ar ei wefusau a'i ynganu'n dawel. Yna, darllenodd yr enw ar ei hyd. Evan Arthur Philips. Fe'i sibrydodd drosodd a throsodd. Crwydrodd ei lygaid drachefn nes cyrraedd yr ail enw. Hannah Jane Philips. Rhedodd ei fysedd dros y llythrennau heb yn wybod iddo.

Annwyl briod. Hydref 1882. Torcalon a'u llethodd. Cynt o Bantyffynnon. Hunodd yn 49 mlwydd oed. Rhagfyr 1882. Er Serchus Gof. Rhieni hoff. Thomas. Mary Ann. Olwen. John. Nel. Arthur.

Pwysodd Luis yn ôl ar ei sodlau a darllen y geiriau unwaith eto, y tro hwn yn bwyllog ac yn eu trefn. Y rhain oedd y teulu a arhosodd ac a gladdwyd yn nhir Cymru. Pob un ond Arthur. Ymhen ychydig, trodd ei ben ac edrych ar Siwan a oedd wedi mynd i sefyll y tu ôl iddo, er parch. Gwenodd hi arno'n anogol. Gwenodd Luis yn ôl a mynd i sefyll wrth ei hochr.

'Wyt ti'n iawn?' gofynnodd hi'n syml.

'Ydw, dwi'n credu. Ond wnes i ddim disgwyl hyn. Wnes i erioed feddwl y base fo'n cael y fath effaith arna i.'

Rhoddodd Siwan ei braich am ei fraich yntau a phwyso'i phen ar ei ysgwydd.

'Edrych pa mor ifanc oedden nhw. Sbia. Hi'n bedwar deg naw a fo'n hanner cant. Mae'n anhygoel,' meddai Luis heb dynnu ei lygaid oddi ar y garreg.

'Be sy mor ofnadw yw 'i bod hi wedi marw ddeufis ar ôl ei gŵr. Mae mor, mor drist .'

'"Torcalon a'u llethodd",' dyfynnodd Luis. 'Wyt ti'n gallu marw o dorcalon, ynte rhwbeth i'r beirdd a'r rhamantwyr ydy hynny?'

'Rhaid bod rhwbeth mawr wedi digwydd,' atebodd Siwan gan ochrgamu ei gwestiwn.

'A fyddwn ni byth yn gwbod be.'

'Paid â gweud 'na. Rhaid bod rhywun yn rhwle'n gwbod.'

'Go brin, ar ôl cymaint o amser,' meddai Luis.

'Ceson nhw chwech o blant. Tybed beth ddigwyddodd i

Olwen a Nel a'r lleill? Ble maen nhw wedi'u claddu? Falle'u bod nhw hefyd wedi cael plant. Mae'n bosib bod gyda ti deulu ym mhob twll a chornel o'r ardal yma.'

''Dan ni'n gwbod ble aeth Arthur, o leia.'

'Fe gas ei enwi ar ôl ei dad . . . Evan Arthur. A dwi newydd feddwl am rwbeth – Arthur, Arturo. Ie, ti. Luis, dwi'n teimlo mor dwp! Dim ond nawr dwi'n sylweddoli.'

'Ie, ond dŷch chi'r Cymry ddim yn dda iawn efo ieithoedd,' meddai Luis yn bryfoclyd.

'Ac mae'r Archentwyr yn well, odyn nhw?'

'Ond i fynd 'nôl at fusnes yr enw. Dim ond rŵan dw inne'n sylweddoli pa mor bell mae'n mynd 'nôl yn y teulu. Hei, mae gen i gysylltiad uniongyrchol â'r gorffennol pell!'

Ar hynny, nodiodd ei ben yn hunanfoddhaus i gydnabod ei ddarganfyddiad annisgwyl.

'Ti hefyd yw'r parhad, Luis Arturo Richards. Mae'n gyfrifoldeb mawr.'

'Paid. Ti'n dechrau swnio fel fy mam.'

'Hei, llunie! Bydd dy fam ishe gweld llunie o'r bedd a'r fynwent. Ga i?' gofynnodd Siwan gan gydio yn ei chamera ac aros am ei ymateb.

'Wrth gwrs cei di.'

'Wel, on i ddim ishe tramgwyddo.'

'Dwyt ti ddim. Dim ond bedd ydy o.'

'Bedd dy deulu. On i'n dy astudio di'n graff pan ot ti'n darllen beth oedd ar y garreg. Ti'n gwbod yn nêt nage unrhyw hen fedd yw e.'

'Ie, wel . . .'

'Cer di fan 'na 'te. Mae'n rhaid i tithe fod yn y llun hefyd. Llunie gwylie fydd rhain, cofia. Nage dyma'n steil i. Wedyn,

fe dynna i rai mwy *arty*. Dere 'mlaen... glou... penlinia...
dyna ti.'

'Bydd Elvina wrth ei bodd.'

'Dyna'i henw, ife?'

'Ie, dyna ti, Elvina a Lewis... ac Eduardo ydy enw
'mrawd.'

'Dwi 'di dysgu lot amdanat ti heddi,' meddai hi'n
awgrymog.

'Mae gen ti dipyn ar ôl i' ddysgu o hyd,' atebodd e gan
ddal ei sylw.

'Dere 'nôl i'n fflat i, os ti ishe. Fe wna i lanlwytho'r llunie
a gei di'u hala nhw at dy fam wedyn. Oes e-bost gyda hi?'

'Am gwestiwn! Wrth gwrs bod e-bost efo hi. A ti'n
gwbod rhwbeth arall, mae trydan efo ni hefyd erbyn hyn a
dŵr yn y tai!'

'Www, miniog! 'Sdim byd tebyg i ddyn â min arno.'

Pennod 14

ROEDD FFLAT SIWAN yn fodern, er yn fach, ac roedd golygfa glir dros Fôr Hafren i gyfeiriad arfordir tenau Lloegr yn y pellter. Pwysodd Luis yn erbyn y balconi dur, sgleiniog gan wneud yn siŵr nad oedd modd i neb yn y fflatiau cyfagos weld ei gorff noethlymun. Bu'n sefyll yno am funudau lawer yn syllu ar y tonnau dof tra bod Siwan yn y gawod yn golchi ôl eu noson o flys oddi ar ei chorff. Pan ddeuai ei dro yntau i wneud yr un fath, byddai dipyn yn haws dileu'r olion allanol na chael gwared ar yr anesmwythyd a oedd yn dechrau ei flino, meddyliodd. Nid rhywbeth amlwg mohono ond roedd e ynddo, serch hynny, yn pigo'i gydwybod bob hyn a hyn cyn cilio a dychwelyd yn benderfynol drachefn fel ci yn sniffian am ast.

'Cer i brofi popeth unwaith, ond paid â dod â phopeth 'nôl.'

Aeth geiriau Gabriela rownd yn ei ben fel tiwn gron. Cyn bo hir, âi yn ôl i realiti ei wlad ei hun a deuai'r ffantasi Gymreig i ben. Byddai'r gwallgofrwydd drosodd. Am faint y gallai bara cyn mynd i chwilio amdani? A fyddai hi yno yn disgwyl amdano, ynteu a fyddai hithau hefyd a'i bryd ar rywbeth arall, antur newydd, er mwyn ymdopi â'r gorchwyl o fynd o ddydd i ddydd? Ai'r un dyn oedd yntau bellach? Yn ddi-os, roedd neithiwr wedi gwneud gwahaniaeth, ond faint yn union, ni wyddai'n iawn.

Syllodd ar y dŵr o'i flaen yn pefrio fel plât mawr arian

yn yr heulwen hydrefol. Roedd Môr Hafren yn rhan o Fôr Iwerydd ac roedd Môr Iwerydd yn rhan o afon Plata.

'Mae pen-ôl bach pert gyda ti.'

Trodd Luis ei ben i gyfeiriad y llais. Gwelodd Siwan yn cerdded tuag ato â thywel mawr wedi ei lapio amdani. Roedd ei gwallt golau'n wlyb a doedd dim byd am ei thraed.

'Ddeudest ti ddim byd neithiwr.'

'Roedd hi'n dywyll neithiwr ond dwi'n ei weld e yn ei holl ogoniant yng ngole dydd,' atebodd hithau cyn pwyso ar y balconi dur wrth ei ochr. 'Dylet ti wisgo dy drôns cyn iti ddala annwyd.'

'Ond wedyn faset ti ddim yn gweld 'y mhen-ôl bach pert i.'

'Be ti ishe neud heddi?' gofynnodd hi, gan anwybyddu ei ateb parod.

Edrychodd Luis arni a gwenu'n awgrymog.

'Dim gobaith caneri, gwboi! Gormod o ddim nid yw dda.' Ar hynny, ymsythodd a dechrau troi i fynd yn ôl trwy'r drws gwydr ac i mewn i'r lolfa, ond cydiodd Luis yn ei braich a'i thynnu'n ôl, a'r eiliad nesaf daeth y tywel yn rhydd a syrthio i'r llawr.

'Mae pen ôl bach pert gen tithe hefyd,' meddai gan chwerthin.

'Bihafia!' sgrechiodd hi'n chwareus cyn diflannu i gysgodion y lolfa ac yna i'r ystafell wely. 'Dwi'n mynd i wisgo, a dylet ti fynd i gael cawod . . . un oer!'

Pan ymddangosodd Luis o'r newydd, roedd Siwan yn eistedd o flaen ei chyfrifiadur yn yr ystafell wely, darn o dost yn ei llaw chwith a chwpanaid o goffi wrth ei phenelin.

Pwysai'r llaw arall ar y bysellfwrdd. Gwisgai ffrog-siwmper las dros legins du ac roedd breichled borffor, retro yr olwg, yn hongian yn llac am ei garddwrn.

'Mae digon o goffi ar ôl, a helpa dy hun i rwbeth i fyta,' cyhoeddodd, heb dynnu ei llygaid oddi ar y sgrin o'i blaen.

'Diolch.'

Roedd y gegin, fel gweddill y fflat, yn fach ac yn fwy taclus o lawer na'r esgus o gegin ddiffenest oedd ganddo fe gartref. Yma roedd popeth yn newydd ac yn lân, a doedd Luis ddim yn gyfarwydd â hanner y geriach a gystadlai am le wrth ochr y potiau perlysiau bach, y peiriant coffi lliw arian a'r botel o win coch ar ei hanner a eisteddai mewn rhes ar y llechen hir a redai rhwng y ffwrn a'r oergell. Agorodd un o'r cypyrddau uwchben y llechen a llwyddo i gyfrif tri math o fêl a phedwar math o jam, ynghyd â dewis helaeth o wahanol flasau o de egsotig. *Dulce de leche* fyddai'n braf yr eiliad honno, meddyliodd, ond am nad oedd hynny ar gael penderfynodd fynd am ystrydeb Batagonaidd arall a chydiodd mewn pot jam. Taenodd haen drwchus o fenyn dros dafell o fara brown a'i gorchuddio â'r jam mwyar duon. Dewisodd fŵg ac arno lun cartŵn o ddafad, a'i lenwi â choffi, ac yna aeth drwodd i ymuno â Siwan wrth y cyfrifiadur, y bara yn y naill law a'r ddiod yn y llall.

'Ffindest ti rwbeth i fyta 'te. Da iawn. Dere i edrych ar rhain,' meddai Siwan gan wthio'i chadair yn ôl fymryn er mwyn i Luis gael gwell golwg ar y lluniau ar y sgrin.

'Ti ddim yn ddrwg, nag wyt, chwarae teg iti.'

'Wel, diolch yn fawr am dy gymeradwyaeth, Richards! Blydi ffotograffydd ydw i.'

'Croeso,' atebodd e drwy lond ceg o fara jam. 'O ddifri,

maen nhw'n wirioneddol dda, ond bod llawer gormod ohona i 'ma.'

'Gwranda arnat ti ... ti mor ffug ddiymhongar. A ti'n dishgwl i fi lyncu hynny?'

'Mae'n wir! Mae llawer gormod ohona i,' mynnodd Luis.

'Dwi'n siŵr nage dyna wediff Elvina pan weliff hi nhw.'

'Ti'n iawn.'

'Pryd ti'n mynd i' hanfon nhw?'

'Rŵan?'

'Iawn. Ti ishe anfon pob un, neu ti am ddewis y goreuon?'

'Bechod gorfod dewis hefyd. Ceith y gweddill eu gwastraffu. Maen nhw i gyd yn dda.'

'Luis, ti'n llawn cachu on'd wyt ti! Un funud ti'n protestio bod gormod ohonot ti, a nawr ti'n moyn anfon y cwbwl lot. Sa i'n mynd i gredu gair ti'n weud o hyn 'mlaen.'

'Clicia ar yr un yna, wnei di, i' wneud o'n fwy.'

'Hwn?'

'Ie, dwi isho gweld be mae'n ddeud ar y garreg unwaith eto.'

Ar hynny, penliniodd ar y llawr o flaen y cyfrifiadur er mwyn darllen yr arysgrif yn well. Edrychodd Siwan arno drwy gil ei llygad wrth iddo astudio'r llun. Sylwodd ar y cwmwl oedd wedi disgyn dros ei wyneb wrth iddo graffu ar y geiriau bach.

'Be ti'n meddwl ddigwyddodd, Siwan?' gofynnodd e ymhen ychydig. Trodd ei ben i edrych arni a phwyso'n ôl ar ei sodlau yn union fel y gwnaethai yn y fynwent y diwrnod cynt. Codi ei haeliau a wnaeth Siwan, gan osgoi ateb ar lafar.

'Wyt ti wir yn meddwl bod rhwbeth mawr wedi digwydd, ynte fi sy'n chwilio am bethe sy ddim yno mewn gwirionedd? Dwi jest yn meddwl 'i bod hi'n rhyfedd iawn bod y ddau ohonyn nhw wedi marw o fewn deufis i'w gilydd, dyna i gyd,' mynnodd e gan droi unwaith eto i syllu ar y llun ar y sgrin.

'Wel . . . os wyt ti'n meddwl hynny go iawn, dylet ti holi.'

'Holi pwy? Sut fedra i wneud hynny? Dwi ddim yn nabod neb.'

'Beth am holi dy fam i ddechre?'

'Dwi wir ddim yn credu y base hi fawr callach na fi.'

'Mae'n werth trio. Neu cer ar y we.'

'Ar y we? I beth?'

'Wel, ti byth yn gwbod. Mae 'na wefanne lle gelli di fynd ar drywydd dy deulu, olrhain ache, y math yna o beth. Falle y llwyddi di i ddod o hyd i rai o dy berthnase. Rhaid bod rhywun yn rhwle all roi ateb i ti.'

Cododd Luis ar ei draed a chrwydro draw at y ffenest gul ym mhen arall yr ystafell wely. Pwysodd ei ddwylo ar y sil ac edrychodd allan dros y dŵr fel cynt. *Torcalon a'u llethodd.* Synnai ei fod wedi caniatáu i linell mor fach gydio yn ei ddychymyg. Roedd e'n beth mor fwriadus i'w roi ar fedd, meddyliodd, fel petai'r teulu am i'r byd wybod bod rhywbeth anghyffredin wedi digwydd. Roedd yn anghynnil, ac eto'n llawn cynildeb. Roedd yn anghyflawn. Neu efallai nad oedd yn fwy nag ymgais syml i egluro ffaith: llethwyd Hannah Jane gan hiraeth am ei gŵr. Fe dorrodd ei chalon ar ei ôl.

'Siwan, dwi'n mynd i ofyn rhwbeth gwirion iti rŵan, ond paid â chwerthin. Dwi'n gwbod yr ateb yn barod, ond dwi'n mynd i ofyn yr un fath. Be 'di ystyr "a'u llethodd"? Mae'n golygu'r ddau ohonyn nhw on'd ydy, nid jest hi neu fo, ond y ddau?'

'Ydy, y ddau. Mae'n hen ffasiwn i ni erbyn hyn, ond dyna mae'n ei olygu.'

'Dyna on i'n feddwl. Felly, mae hynny'n golygu mai rhwbeth arall dorrodd eu calonne... calonne'r ddau, nid jest 'i bod hi 'di rhoi'r gore i fyw ar ôl colli'i gŵr.'

'Dirgelwch teulu'r Richards,' meddai Siwan mewn llais ffug-arswydus. 'Neu a ddylwn i weud Philips?'

'Ti'n meddwl bydd gweinidog y capel wrth ochr y fynwent yn gallu helpu?'

'O bosib. Mae'n werth trio, yn sicr.'

'Ydy, mae.'

'Reit, Richards – dwi'n lico galw ti'n Richards – wyt ti'n mynd i ddewis pa lunie ti am eu hanfon at dy fam, neu anfonwn ni bopeth?'

'Popeth heblaw am yr un lle on i'n edrych fel y boi 'na, be 'di enw fo, yr Arglwydd...'

'Yr Arglwydd Rhys. O, mae'n rhaid inni anfon hwnna. Ti'n edrych mor frenhinol. Na, erbyn meddwl, ti'n edrych fwy fel *knob!*'

Ni ddeallodd Luis y gair olaf, ond penderfynodd nad oedd angen iddo fynd ar drywydd ei ystyr wrth weld y wên goeglyd ar wyneb Siwan. Treuliodd y ddau'r hanner awr nesaf yn tocio a gwella rhai o'r lluniau ac yn cyfansoddi e-bost at Elvina Philips de Richards. Cywasgwyd maint y lluniau a'u hatodi er mwyn eu hanfon gyda'i gilydd mewn un neges. Rhoddwyd cyfarwyddiadau iddi ffonio Luis cyn gynted â phosib am fod ganddo rywbeth pwysig i'w drafod, ac yna aethon nhw am dro ar hyd y morglawdd rhwng Penarth a Bae Caerdydd.

*

Buon nhw'n cerdded am hanner awr a mwy, a bellach roedden nhw bron â chyrraedd yr eglwys Norwyaidd ym mhen arall y morglawdd. Edrychai'r adeilad gwyn yn rhy wyn yn erbyn yr awyr las, ddigwmwl, meddyliodd Luis. Ymhellach draw, safai adeilad hardd y Senedd ac roedd yn well ganddo hwnnw. Wrth ei ochr roedd adeilad hardd arall, un cochlyd, a oedd yn hŷn o lawer nag un y Cynulliad. Llonydd oedd y cychod ar y llyn a'r unig sŵn a dorrai ar y tawelwch oedd sgrechian ambell wylan wrth iddi berfformio campau acrobatig yn y glesni uwchlaw dŵr y bae. Roedd y darlun bron â bod yn rhy berffaith. Testun syndod i Luis, byth ers iddo gyrraedd Caerdydd, oedd presenoldeb parhaus y gwylanod ble bynnag yr âi yn y ddinas. Hoffai hynny'n fawr. Yn Buenos Aires roedd hi'n hawdd anghofio mai ar lan y môr roedd y ddinas anferth honno am fod tyrau tal Puerto Madero yn ormod o rwystr i'r gwylanod gyrraedd y canol; un ai hynny neu'r traffig di-baid.

'Ga i ofyn cymwynas?' gofynnodd Luis yn sydyn.

'Mae'n dibynnu beth yw hi,' atebodd Siwan ac edrych arno'n ffug-ddrwgdybus.

'Wel, gofyn ydw i ar ran Lynwen, y ddynes sy'n cadw'r gwesty lle dwi'n aros.'

'Iawn, ocê.'

'Wel, y peth ydy, dwi ddim yn licio gofyn ond mi ddeudes i y baswn i'n gwneud...'

'Richards, be ti'n moyn?'

'*Vale.* Mae Tomos wrthi'n dylunio gwefan i Lynwen ar hyn o bryd, er mwyn iddi hyrwyddo Brynhyfryd – dyna ydy enw'r gwesty – ac mae angen rhywun i dynnu llunie. Wel, rhyw feddwl on i tybed faset ti'n fodlon gwneud, ond yr unig beth ydy...'

'. . . rwyt ti ishe i fi'i wneud e am ddim, ife?'

'Ym, ie, dyna ti.' Edrychodd Luis arni a chrychu ei drwyn. 'Faset ti'n ystyried y peth? Mi ddeudes i wrth Lynwen y baswn i'n gofyn iti.'

'Do fe nawr? Wel, well iti weud wrth Lynwen bod popeth yn iawn. Pryd mae hi am i fi fynd draw?'

'Diolch, Siwan. Dwi wir yn gwerthfawrogi hyn,' meddai Luis gan blannu cusan ar ei gwefusau. 'Mae Lynwen 'di gwneud cymaint drosta i ers i fi fynd i aros ati, a dyna'r peth lleia fedra i wneud.'

'Nid ti sy'n gwneud,' pryfociodd Siwan.

'Dwi'n gwbod, ond dwi'n fodlon gwneud unrhyw beth i helpu. Mi dala i am bryd o fwyd i ni.'

Chwarddodd Siwan am ben ei letchwithdod. 'Un da wyt ti am gael merched i wneud pethe i ti. Fel 'na mae hi gyda rhai dynion, ac rwyt ti, Richards, yn un o'r dynion hynny. Galla i weld, bydd rhaid i fi fod yn ofalus. Lynwen a nawr fi, a beth yw enw'r ferch 'na yn y cartre lle ti'n gweithio, Kayleigh, ife? Rwyt ti'n llwyddo i ddallu pob un ohonon ni yn ein tro gyda'r wên a'r acen 'na.'

'Ti ddeudodd 'i bod hi'n egsotig.' Gwenodd Luis arni er mwyn ategu ei chyhuddiad blaenorol. 'Nid arna i mae'r bai os ydy pob merch yn toddi!'

'Cwat lawr, Richards, cyn iti fynd dros ben llestri a chyn i fi newid 'y meddwl.'

'Er, nid pawb sy'n toddi chwaith. Ti'n cofio Llinos?'

'Llinos?'

'Ie, mam Tomos.'

'Falle bod Llinos yn gall.'

'Nid dyna'r gair faswn i'n ei ddefnyddio!'

'Reit, pryd ti ishe gwneud hyn 'te? Nawr?'

'Gwych. Ti'n siŵr nad oes ots gen ti?'

'Gad inni bicio 'nôl i'r fflat i hôl y camera ac un neu ddau o bethe eraill, ac wedyn gallwn ni fynd draw i gwrdd â'r enwog Lynwen.'

*

Sylwodd Luis nad oedd Lynwen wedi smygu'r un sigarét ers iddyn nhw gyrraedd Brynhyfryd ryw awr yn gynharach. Sylwodd hefyd mai prin roedd hi wedi tynnu ei llygaid oddi ar Siwan. Roedd ei siarad fymryn yn fwy rheoledig nag arfer, fel petai'n gwneud ymdrech fawr i greu argraff. Ni allai Luis benderfynu beth yn union oedd i gyfrif am y newid diddorol hwn yn ei hymddygiad, ond roedd e'n fwy na bodlon eistedd ar gyrion y cyfarfod bach cwrtais a mwynhau'r difyrrwch byrfyfyr a the prynhawn.

''Sen i'n gwpod bo chi'n dod 'eddi, 'sen i 'di paratoi'n well. Mae popath mor siang-di-fang 'ma,' meddai Lynwen wrth Siwan.

'Dim problem o gwbwl. Fe ddown ni i ben yn iawn,' atebodd Siwan. 'Maen nhw'n gweud bod y camera byth yn gweud celwydd ond mae'r un bach 'ma'n gallu neud gwyrthie.' Gafaelodd yn y camera a grogai am ei gwddwg a gwenu'n anogol. Ni sylwodd hi na Lynwen ar eironi'r hyn roedd hi newydd ei ddweud, ond roedd wyneb Luis yn bictiwr.

'Ia, ond se 'wn 'di cwnnu'r ffôn i weu' 'tho i bo chi'n dod, yn lle lando 'ma mas o unman. Dynon! 'Smo nhw'n diall bod pethach angen eu gneud.' Ar hynny, edrychodd yn gyhuddgar ar Luis cyn troi'n ôl i wynebu ei hymwelydd mwy artistig. 'Wy'n bown' o roi rhwpath i chi am eich trafferth, Siwan,' ychwanegodd gan gynnig bisgïen arall iddi.

'Eith hi ddim yn bell ar fisgïen!' cyhoeddodd Luis yn bryfoclyd.

'On i ddim yn meddwl 'na, y dwlbyn. Nace cynnig bisgïan on i. Beth ti'n meddwl ydw i?' saethodd Lynwen yn ôl.

'Oeddet. Be ti'n galw hwnna ar y plât sy yn dy law, felly?'

'Ia, ond nace dyna on i'n feddwl. Wy'n moyn rhoi rhwpath iddi am ei . . . o, ma isha amynedd sant arnoch chi 'da 'wn. Siwan fach, sa i'n gwpod beth ŷch chi'n weld yndo fe, nagw i.'

Pwysodd Luis yn ôl yn y gadair bren a gadael i'r cellwair diniwed lifo drosto. Dyna'r rôl a ddewisodd, a pham lai? Roedd yn ddiog, ond roedd yn haws na herio disgwyliadau'n barhaus. Doedd dim o'i le ar ddogn o bragmatiaeth bob hyn a hyn er mwyn helpu bywyd i symud yn ei flaen, meddyliodd, a swniai'n llai cyhuddgar na rhagrith. Chwarae rôl roedd pob un ohonyn nhw'r eiliad honno. Onid dyna a wneid ar bob cyfandir ac ym mhob cymdeithas? Ceisiodd benderfynu beth yn union oedd ei rôl yntau. Cariad? Twyllwr? Mab dros dro i rywun oedd yn fwy na pharod i'w drin felly? Y gwir amdani oedd mai ymwelydd o rywle arall oedd e; dim mwy a dim llai, a chyn bo hir âi adref i fod yn gariad ac yn fab go iawn. Ond a fyddai hynny ynddo'i hun yn diddymu ei dwyll, yn talu ei ddyled?

'Beth am ddechra yn yr *en suite* yn y cefan? Dyw hi ddim mor neis â'r un yn y ffrynt ond mae rhywun yn 'onna ers bora 'ma,' cynigiodd Lynwen. 'Chi'n gweld, 'sen i'n gwpod bo chi'n dod . . .'

'Gwych,' meddai Siwan ar ei thraws. Roedd hi'n awyddus i osgoi ymddiheuriad hirwyntog arall gan y ddynes ganol oed.

'Dewch ffor 'yn, Siwan.'

'I'r dim. Gallwch chi adael llonydd i fi fwrw 'mla'n wedyn ac fe ddo i whilo amdanoch chi ar ôl i fi gwpla lan llofft. On i 'di meddwl tynnu amrywiaeth i chi er mwyn ichi gael dewis. Ni heb drafod steil chwaith. Odych chi'n gwbod sut fath o wefan fydd hi? Ody Tomos wedi trafod neu wedi dangos rhwbeth i chi eto?'

'Dim byd rhy *wacky*, ond wy'n moyn iddi fod â steil . . . chi'n gwpod. Wy'n moyn i bobol dimlo bod croeso 'ma.'

'Dyna fe 'te. Gadewch e i fi.'

'Dyma'r *en suite*,' cyhoeddodd Lynwen â balchder pan gyrhaeddon nhw'r ystafell dan sylw. 'Ar ôl ichi gwpla, dewch lawr i'r dderbynfa ac os na fydda i fan 'na dewch drwodd i'r gecin. Alla i ddim gweu' 'thoch chi faint wy'n gwerthfawroci beth ŷch chi'n neud.'

'Croeso.'

Trodd Lynwen ar ei sawdl a diflannu ar hyd y coridor gan adael Siwan a Luis ar eu pennau eu hunain.

'Mae hyn yn golygu cymaint iddi,' meddai Luis.

'Mae hi'n annwyl iawn.'

'Ydy. Mae hi 'di bod yn dda iawn wrtha i.'

'Ŷch chi fel mab a . . .'

Cyn i Siwan orffen y frawddeg canodd ffôn Luis.

'Mam sy 'na.' Ar hynny, cerddodd Luis at y drws ac arwyddo wrth Siwan ei fod e'n mynd i'w ystafell ei hun i gymryd yr alwad. '*Hola* Ma. Diolch am ffonio.'

'Diolch i tithe am dy neges. Dwi wedi'i darllen hi drosodd

a throsodd ers imi godi bore 'ma. Dyna lle ydw i rŵan, y munud yma, o flaen y *computadora*. Dwi'n methu stopio meddwl amdanat ti draw yn Rhydaman. Mae bob man yn edrych mor wyrdd.'

Clywai Luis arlliw o dorri yn llais ei fam.

'Mae'r ffotos yn ardderchog. Pwy aeth yno efo ti? Tomos? Ai fo dynnodd y ffotos?'

'Nage. Es i yno efo ffrind arall – Siwan.'

'Siwan. Enw hyfryd. Felly, pwy'n union 'di Siwan?'

'Ddaru ni gwrdd ar yr awyren. Roedd hi'n eistedd wrth fy ochor i, a dechreuon ni siarad. Mae'n ferch neis.'

Roedd Luis wedi dysgu ers ei arddegau mai'r gyfrinach wrth ymdrin â'i fam oedd dweud rhywfaint wrthi yn hytrach na dweud dim. Fel arfer, roedd hynny'n ddigon i atal ton ar ôl ton o gwestiynau ganddi ac, felly, atebion anghyflawn ganddo yntau; atebion oedd yn gorfod osgoi'r gwirionedd llwyr weithiau er ei lles hi. Gobeithiai fod yr ateb niwlog ond gofalus roedd e newydd ei roi yn ddigon i'w diwallu.

'Dwyt ti ddim wedi sôn amdani o'r blaen,' parhaodd Elvina Richards yn daer.

Gwenodd Luis wrth glywed ei gosodiad awgrymog. Os oedd e wedi llwyddo i'w thawelu yn y gorffennol, ar ei thelerau hi roedd hynny, sylweddolodd yr eiliad honno, am ei bod hi wedi dewis ildio. Roedd angen mwy nag ychydig o eiriau diog, di-ddim i wasgu chwilfrydedd rhywun o anian ei fam. 'Naddo?'

'Naddo.'

Yn ystod y mudandod a ddilynodd y ddau air syml ond llwythog hynny, bu bron i Luis ffrwydro chwerthin. Ei fam a dorrodd y mudandod yn y diwedd.

'Tomos, Siwan a'r ddynes arall 'na yn y gwesty – rwyt ti'n boblogaidd iawn ymhlith y Cymry.'

'Gwlad fach 'di Cymru. Mae pawb yn nabod pawb. Mi gynigiodd Siwan ddod efo fi i Rydaman i dynnu llunie – ffotograffydd ydy hi – ac i helpu ffeindio bedd y teulu. Faswn i ddim wedi llwyddo heb ei help hi – roedd hi'n wych.'

'Sut ddaru ti'i ffeindio fo?'

'Aethon ni i fwy nag un fynwent a buon ni'n holi yn y llyfrgell hefyd. Siwan welodd o yn y diwedd. Fel deudes i, roedd hi'n wych.'

'Wel, y tro nesa weli di hi, wnei di ddiolch iddi o waelod calon? Rho rwbeth iddi am ei thrafferth.'

'Bydda i'n siŵr o wneud,' atebodd Luis dan wenu.

'Luis, dwi'n methu stopio edrych ar y llunie 'ma. Mae'n anghredadwy dy fod ti wedi bod yno. Mae'n union fel tasen nhw wedi'u claddu yma yn Nyffryn Camwy.'

'Roedd yr holl beth fel breuddwyd. Mi ges i gyffwrdd â'u carreg fedd a darllen eu hanes.'

'Dwi'n gwbod, 'y machgen i. Rwyt ti wedi mynd adre i gau'r cylch.'

'Wyddwn i ddim fod 'na chwech o blant.'

'Na finne chwaith. Fydde Tada byth yn siarad rhyw lawer am yr hen bobol. Dwi ddim yn credu 'i fod o'n gwbod ei hun. Mae'r cyfan mor bell yn ôl.'

'Mae'n rhaid bod teulu mawr yn yr ardal o hyd os oedd 'na chwech o blant.'

'Siŵr o fod, achos dim ond yr hen Arthur ddaeth draw i fama.'

'Ai dyna dorrodd galonne ei rieni?'

'Be ti'n feddwl, Luis?'

'"Torcalon a'u llethodd". Dyna mae'n ei ddeud ar y garreg fedd. Agor y llun i weld.'

'Dwi wedi darllen y geirie ddege o weithie'n barod bore 'ma, ond ddaru mi ddim ystyried y gallai fod mwy iddyn nhw na hynny – tristwch adeg profedigaeth. Pam 'te, wyt ti'n meddwl bod rhyw ystyr arall iddyn nhw?'

'Dwi ddim yn siŵr, ond mae ei ddeud o fel 'na, i bawb gael ei weld, ychydig bach yn rhy gyhoeddus rhywsut, ti ddim yn meddwl? Dwi'n methu gadael llonydd i'r frawddeg.'

'Rwyt ti'n gneud i **mi** feddwl rŵan, Luis.'

'Dwi jest yn teimlo bod rhwbeth mawr wedi digwydd. Falle bod rhai o'r plant erill wedi marw'n sydyn neu rwbeth. Ti'n gwbod sut oedd hi'r adeg honno.'

'Paid â sôn! Peth ofnadwy.'

'*Sí, pero* . . . falle 'mod i'n siarad lol. Hiraethu am Arthur oedden nhw, mae'n rhaid. Dyna mae'n ei olygu. Fi sy'n malu awyr.'

'Roedd o'n beth anferthol ar y pryd. Dychmyga fo, dyn ifanc yn mynd i ben draw'r byd i gychwyn bywyd newydd.'

'Ac rwyt ti'n fy nwrdio i am fynd i'r brifddinas!'

Ni ddywedodd Elvina Richards yr un gair, ond gwyddai Luis ei fod e wedi ei brifo.

'Mami, dwi'n bwriadu mynd 'nôl i Rydaman i roi blode ar eu bedd,' meddai mewn ymgais i dynnu'r sgwrs yn ôl.

'Mi fase hynny'n hyfryd, Luis.'

'Ac mi adawa i nodyn efo enwe'n teulu ni arno fo.'

'Mi fase hynny'n hyfryd iawn.'

Eiliadau'n ddiweddarach aeth y lein yn farw. Gorweddodd Luis ar ei wely, ei feddwl yn gwibio rhwng Rhydaman a Threlew a Buenos Aires a Chaerdydd.

Pennod 15

TAFLODD LUIS GIP sydyn ar y cloc diwydiannol yr olwg ar wal y gegin wrth iddo roi'r pentwr olaf o blatiau glân i'w cadw yn un o'r cypyrddau uwch ei ben. Rhwng llwytho a dadlwytho'r peiriant golchi llestri, mynd â'r te drwodd i'r lolfa gyda Kayleigh, crafu mynydd o datws a helpu Josh i baratoi gweddill y llysiau ar gyfer swper, roedd y prynhawn wedi hedfan. Nawr, fodd bynnag, roedd e'n fwy na pharod i fynd. Ymhen dwyawr byddai ar ei ffordd i'r theatr gyda Siwan, Tomos a Lynwen i weld Rolant Pierce yn troedio un o lwyfannau'r genedl. Fe gadwodd yr actor at ei air, chwarae teg, a gadael tocyn mantais yr un naill ochr iddo fe a Tomos. Yn sydyn, llenwyd ei ben ag atgofion am Meryl a'r parti rhyfedd yn ei chartref crand ar ddechrau ei ymweliad â Chymru. Byddai hi'n siŵr o fod yn y theatr yn nes ymlaen, meddyliodd, yn cefnogi ei hactor arbennig. Gwenodd wrth ei dychmygu'n gwisgo un o'i ffrogiau rhy dynn eto heno. Caeodd ddrws y cwpwrdd ac edrych yn frysiog ar y cloc drachefn. Cyn diflannu trwy ddrws Dumbarton Court, ddeugain punt yn gyfoethocach, roedd ganddo ddigon o amser i wneud un peth arall.

'Fyddi di'n iawn ar dy ben dy hun am bum munud bach?' gofynnodd e i Kayleigh wrth weld bod ei gydweithwraig bron â gorffen llwyo'r ffrwythau tun i mewn i'r powlenni ar hyd y cownter. Unwaith yn unig ers iddo ddechrau gweithio yno roedd y pwdin wedi bod yn wahanol, a hufen iâ oedd ar y fwydlen bryd hynny, cofiodd. Heddiw eto, fel pob tro arall namyn un, ffrwythau cymysg allan o dun gyda llwyaid o hufen allan o dun oedd yn disgwyl preswylwyr Dumbarton Court. 'Dwi isho picio i weld Enid am eiliad. Doedd hi ddim yn y lolfa amser te a dwi jest isho gweld 'i bod hi'n iawn.'

'Dydw i ddim yn adnabod unrhyw ddyn arall fel chi,' oedd unig sylw Kayleigh wrth iddi droi ei phen i edrych arno. Cyfarfu eu llygaid am eiliad cyn iddi droi'n ôl at ei gorchwyl.

'Fydda i ddim yn hir,' meddai Luis.

Pan gyrhaeddodd e ddrws ystafell Enid, cnociodd yn ysgafn a gwthio'r drws ar agor yn araf bach rhag ofn nad oedd yr hen wraig wedi ei glywed. Eisteddai hithau mewn cadair freichiau â llyfr ar agor yn ei chôl. Roedd ei sbectol yn ei llaw a honno, fel y llyfr, ar agor fel petai hi newydd ei thynnu oddi ar ei thrwyn. Roedd ei llygaid ynghau. Cnociodd e ar y drws drachefn, yn drymach y tro hwn, ond aeth e ddim i mewn. Ymhen ychydig agorodd Enid ei llygaid a phan welodd hi Luis dechreuodd ymsythu yn y gadair ac amneidiodd arno i ddod yn nes. 'Dyna hyfryd dy weld di,' meddai dan wenu. 'Tyrd i eistedd fama, 'y machgan i.' Aeth Luis i eistedd ar stôl isel yn ymyl ei chadair a chaeodd Enid ei llyfr a'i roi ar y bwrdd bach crwn wrth ei hochr.

'Sut ydach chi, Enid? Lle oeddech chi amser te? Roedd hi'n rhyfedd hebddoch chi.'

'Chwara teg iti. Nid pawb fasa wedi dŵad i chwilio amdana i. Na, mi benderfynish i aros fama y p'nawn 'ma. Roedd arna i awydd darllen ychydig bach, ac mae'n amhosib canolbwyntio ar ddim byd yn y lolfa pan fydd yr hen deledu 'na'n bloeddio dros bob man.'

''Dach chi isho paned?'

'Duwcs, nac ydw, 'machgan i. Dwi'n iawn rŵan tan amsar swpar. Mae'n well gen i sgwrsio efo chdi.' Ar hynny, cododd ei llaw esgyrnog a fu'n gorffwys yn ei chôl a'i hestyn i Luis.

'Llyfr da?' holodd e gan bwyntio â'i ben at y bwrdd bach crwn.

'Ydy, reit dda, wir. Mae'n gwmni difyr ac yn help i basio'r amsar. Faint o'r gloch ydy hi?'

'Chwarter i bump, rhwbeth felly.'

'Mi fyddi di'n gorffan yn y munud,' meddai Enid â'r mymryn lleiaf o siom yn ei llais.

'Bydda,' atebodd Luis a gwenu'n ansicr.

Yn ystod y tawelwch a ddilynodd ei ateb byr, sylwodd Luis ar ddau lun du a gwyn a eisteddai mewn fframiau arian ar gwpwrdd y tu ôl i ysgwyddau'r hen wraig. Yn y naill roedd llun o ddyn ifanc yn sefyll ar ganol ehangder traeth gwag. Barnodd Luis ei fod e tua'r un oed ag oedd yntau nawr ond bod y llun yn perthyn i gyfnod arall, pell yn ôl. Roedd golwg hyderus ar yr wyneb, fel petai'n ymwybodol bod ei fywyd cyfan o'i flaen. Yr un dyn oedd yn y llun arall hefyd, a safai menyw ifanc wrth ei ochr. Roedd ei fraich amdani a phwysai hithau ei phen ar ei ysgwydd. Gwenai'r ddau'n braf. Doedd Luis ddim wedi sylwi ar eiddo Enid o gwbl y tro diwethaf iddo fod yn yr ystafell hon gyda Kayleigh, a hithau'n beichio crio wrth y drws.

'Be wyt ti'n mynd i' wneud ar ôl gwaith, Luis? Oes gen ti gynllunia?' Pwysodd Enid ymlaen yn ei chadair a disgwyl yn eiddgar am ymateb ei hymwelydd.

'Oes, fel mae'n digwydd. Dwi'n mynd i'r theatr.'

'I'r theatr! O, mi faswn i wrth 'y modd yn mynd i'r theatr

eto. Rown i'n arfer mynd yn amal efo ffrindia. Opera, dyna fydda i'n licio, ond dwi'n mwynhau dramâu hefyd, cofia.'

'Opera . . . dyna pam roeddech chi'n gwbod cymaint am Teatro Colón y tro cynta inni gyfarfod. Dwi dal yn methu credu bo' chi wedi byw yn Buenos Aires ar un adeg.'

'Mae'n un o'r neuadda opera gora yn y byd, wyddost ti.'

'Ydy, mae'n debyg.'

'A rŵan mae gynnon ni ein neuadd genedlaethol ein hunain yma yng Nghaerdydd. Un wych ydy hi hefyd. Wyt ti wedi bod yng Nghanolfan y Mileniwm eto, Luis?'

'Dwi wedi'i gweld hi o'r tu allan ond dwi heb fynd i mewn.'

'Mi ddyliat ti, achos mae'n werth ei gweld,' mynnodd hi'n frwd. 'Faint o'r gloch mae'r ddrama'n cychwyn?'

'Hanner awr wedi saith.'

'Tyrd yn dy flaen 'lly. Mae isho iti fynd adra i newid yn lle gwamalu yn fama efo hen ddynas,' meddai Enid gan ryddhau ei llaw o afael Luis.

Gwenodd y ddau. Pwysodd Enid yn ôl yn ei chadair a chododd Luis ar ei draed yn barod i fynd. Gwibiodd ei lygaid rhwng y ddau lun du a gwyn ar y cwpwrdd unwaith eto. Fel hyn y byddai ei fywyd yntau ryw ddydd, meddyliodd, a'r cyfan wedi ei gywasgu i ddau lun mewn fframiau arian mewn ystafell fach. Ond pwy, tybed, fyddai'r ferch wrth ei ochr?

'Diolch am bicio i mewn. Pryd wyt ti'n gweithio nesa?' gofynnodd Enid.

'Dydd Iau.'

'Dwi'n edrych ymlaen yn barod, 'y machgan i.' Dechreuodd Luis gerdded at y drws ond, cyn mynd trwyddo, trodd yn sydyn i wynebu'r hen wraig.

'Enid, fasech chi'n licio dod i ddangos Canolfan y Mileniwm i mi?' gofynnodd.

Rhythodd Enid arno hyd nes i'r dagrau lenwi ei llygaid.

'Baswn,' meddai hi o'r diwedd gan nodio'i phen yr un pryd er mwyn cadarnhau ei hateb. 'Diolch am sylwi nad ydw i'n barod i roi'r gora i betha eto. Ti 'di'r unig un, wyddost ti.'

'Dyna fo 'ta, mi drefna i rwbeth at yr wthnos nesa. Dwi'n addo.'

'Mae 'na gyngherdda am ddim ambell waith yn ystod yr awr ginio, a hwyrach medrwn ni fynd am rwbath bach i fyta wedyn.'

'*Perfecto,*' meddai Luis.

Ar hynny, tynnodd Enid hances o'i llawes a sychu'r lleithder o'i llygaid.

'Mwynha'r ddrama heno, a chofia ddŵad i ddeud yr hanes wrtha i.'

Cyn i Luis dynnu'r drws ynghau, cododd ei law ar Enid. Gallai weld bod dychymyg yr hen wraig eisoes ar waith ac yn crwydro golygfeydd ymhell y tu hwnt i'w hystafell fach.

*

Pan gyrhaeddodd Luis Frynhyfryd, doedd dim golwg o Lynwen yn unman. Dringodd y grisiau i'w ystafell, ac wrth iddo agor y drws gwelodd nodyn oddi wrthi ar y llawr yn ei hysbysu bod ei de ar blât yn y gegin ac mai'r cyfan roedd angen iddo'i wneud oedd ei roi yn y popty micro-don am dair munud i'w dwymo. Felly, aeth yn ufudd yn ôl i'r gegin ac aros yno i fwyta'i fwyd ar ei ben ei hun. Wedyn aeth am gawod a dechrau paratoi at ei noson o ddiwylliant Cymraeg. Darllenodd neges destun oddi wrth Siwan yn ei hysbysu am newid bach yn y trefniadau gan ddweud y byddai hi'n cwrdd â'r lleill y tu allan i Chapter am chwarter wedi saith ac nad oedd angen iddyn nhw ddod i'w chasglu yn y car. Yna, trodd y teledu ymlaen a'i ddiffodd yn syth ac arhosodd i Tomos ddod.

Pan gyrhaeddodd hwnnw tua hanner awr wedi chwech, sylwodd Luis ar unwaith fod ei gyfaill yn fwy tawedog nag arfer ac mewn hwyliau oriog.

'Ti'n iawn?' gofynnodd Tomos gan osgoi edrych i lygaid Luis wrth gamu i mewn i'r ystafell.

'Ydw. Ti?'

Gwthiodd Luis y drws ynghau, a phan drodd yn ôl i'r ystafell unwaith eto gwelodd fod Tomos wedi mynd i eistedd ar y gwely â'i gefn yn erbyn y pared. Chwaraeai ag allweddi'r car ac roedd ei ben i lawr. Er iddyn nhw anfon ambell neges destun at ei gilydd yn ystod yr wythnos a aethai heibio, roedden nhw heb gwrdd wyneb yn wyneb tan nawr.

'Sut mae gwefan Lynwen yn dod yn ei blaen?' holodd Luis mewn ymgais i ysgafnhau'r trymder a ddaethai i mewn i'r ystafell gyda'i ffrind.

'Mae'n dod,' atebodd hwnnw heb godi ei ben.

'Wn i ddim ble mae Lynwen. Doedd hi ddim yma pan ddes i 'nôl o'r gwaith. Bydd raid inni gychwyn o 'ma yn y munud. Dwi ddim isho bod yn hwyr ar gyfer 'y mhrofiad theatrig cynta yn Gymraeg.'

Roedd Luis wedi disgwyl i Tomos ymateb i'w abwyd gyda'i ffraethineb arferol a'i atgoffa ei fod e eisoes wedi profi ei ddrama gyntaf yn y Gymraeg, diolch i Llinos, waeth pa mor amaturaidd a festri-capel oedd honno, ond y cyfan a ddywedodd oedd, 'Ni'n iawn am ychydig. 'Sdim hast.'

'Oes rhwbeth yn bod?' gofynnodd Luis o'r diwedd.

'Nag o's, mae'n iawn.'

'Wel, mae'n amlwg bod rhwbeth o'i le. Be sy?'

'Ffor ffyc secs, Luis, gad e wnei di. Wy'n iawn. Dere i whilo am Lynwen.' Ar hynny, cododd Tomos oddi ar y gwely a dechrau croesi'r ystafell, ond cydiodd Luis yn ei ysgwyddau a'i orfodi i edrych arno am y tro cyntaf ers iddo gyrraedd.

'Be ti'n neud?' protestiodd Tomos gan geisio ymryddhau o'i afael.

'Dwi'n trio gneud iti edrych arna i yn un peth,' atebodd yr Archentwr gan ddal ei afael ynddo. 'Be sy? Pam ti mor ddiflas?'

Rhythodd y ddau ar ei gilydd, y naill mor benderfynol â'r llall o beidio ag ildio.

'Ydw i wedi gneud rhwbeth i dy wylltio di? Ai dyna sy?' gofynnodd Luis yn y man.

'Ffyc off, *gaucho*. Paid â bod yn gymaint o ferthyr, wnei di. Na, 'smo ti 'di gwneud dim byd, ocê. Ody hynny'n ddigon i ti?'

'Os felly, wyt ti'n mynd i ddeud wrtha i be sy'n bod, neu wyt ti'n mynd i ddifetha'r noson i bawb arall, fel plentyn bach?'

Llaciodd Luis ei afael ynddo a chamodd Tomos yn ôl hyd nes i'w gefn fwrw yn erbyn y pared. O dipyn i beth, gadawodd i'w gorff lithro i lawr y wal felynaidd a dod i stop pan na allai fynd yn is, yn union fel y gwnaethai Luis wythnos yn gynharach. 'Alla i ddim cymryd rhagor o gachu ganddi. Alla i ddim, ti'n deall?' meddai Tomos gan syllu tua'r llawr.

'Dwi ddim yn . . .'

'Mae hi mor ddi-ildio. Dyw hi ddim fel pobol er'ill. Mae pobol er'ill yn neis ac yn maddau ac yn symud ymlaen. Ond mae Mam – Llinos – mae hi mor eithafol gyda phopeth. Mae hi'n hala ofan arna i withe.'

Aros yn dawel a wnaeth Luis. Roedd gofyn yr amlwg yn rhy amlwg, ac ni wyddai beth arall i'w wneud. Felly, safai yno ar ganol ei ystafell, â'i lygaid wedi rhewi, tra bod Tomos yn ysgwyd ei ben yn araf.

'Mae hi'n 'y ngyrru'n bellach ac yn bellach oddi wrthi, ti'n gwbod. A'r tristwch yw bod hi'n ffilu gweld hynny.' Erbyn hyn, roedd Tomos wedi codi ar ei draed unwaith eto. Safai gyferbyn â Luis â'i ddwylo wedi eu stwffio i bocedi ei jîns denim. 'Roedd lle y diawl ar yr aelwyd barchus cyn i fi ddod draw fan hyn. Mae'r ddou'n dod i weld y ddrama heno. Roedd hi'n ffilu deall pam bo fi wedi dewis mynd yn y car gyda ti a Lynwen yn lle teithio i Chapter gyda hi a Dad. Y dirmyg oedd y peth gwaetha, fel 'sech chi'n frwnt a ddim yn perthyn i'w siort hi. Diolch byth fod ti a Lynwen ddim yn perthyn.'

'Falle dylet ti fynd efo dy rieni. Gall Lynwen a fi alw tacsi,' atebodd Luis yn gymodlon.

'Mae'n well 'da fi ddod gyda chi. 'Se Mam yn fwy normal, gallen ni i gyd fod wedi mynd gyda'n gilydd, ond dyw Llinos ddim yn caniatáu i bethe "normal" ddigwydd yn ei byd bach gwenwynig hi.'

'Paid â deud gormod rŵan neu difaru wnei di. Dwi'n deud hynny o brofiad personol,' meddai Luis gan roi ei law ar ysgwydd ei ffrind.

'Awn ni i whilo am Lynwen?' awgrymodd Tomos gan wenu'n wan.

'Wyt ti'n mynd i fod yn iawn?'

'Dere.'

Tynnodd Luis y drws ynghau ac aethon nhw i lawr y grisiau heb ddweud rhagor nes cyrraedd y dderbynfa. Yno'n disgwyl amdanyn nhw roedd Lynwen. Roedd ei gwallt wedi cael ei steilio a gwisgai dop porffor wedi ei fritho â brychau arian a du a'r rheiny'n pefrio o dan siaced gwta, ddu o doriad hynod chwaethus. Roedd blaenau pig ei hesgidiau sodlau uchel du i'w gweld o dan ymylon y trowsus o'r un lliw ac ar ei hysgwydd roedd bag du ar gadwyn arian.

'Lynwen, rwyt ti'n edrych yn anhygoel!' cyhoeddodd Luis pan welodd ei letywraig yn sefyll wrth y ddesg â gwên hunanfoddhaus ar ei hwyneb. 'Mae dy wallt . . . a sbia ar dy ddillad!'

''Le chi 'di bod? 'Smo chi fod catw menyw i aros.'

'Ti'n edrych yn ffantastig!' parhaodd Luis gan anwybyddu ei cherydd chwareus.

'Trueni bo fi'n ffilu gweud yr un peth am y ddou sy'n dod gyta fi! On i wastad yn meddwl fod pobol yn gwisgo lan i fynd i'r theatr. Fe wnewch chi'r tro, sbo,' meddai gan edrych ar jîns tyllog Tomos ac yna ar Luis. ''Le ma Siwan?'

''Dan ni'n cyfarfod y tu allan i Chapter rŵan.'

'Well inni roi tra'd yn tir 'te.'

Pennod 16

'A BETH YW'R DYFARNIAD? Ody'r theatr Gymraeg at dy ddant?' holodd Siwan gan anelu ei chwestiwn at Luis yn benodol a sipian ei gwin gwyn.

'Mi wnes i fwynhau'n fawr,' atebodd hwnnw, ond aeth ei eiriau ar goll yn erbyn ochr pen un o'r degau ar ddegau o bobl oedd yn gwthio'u ffordd heibio iddyn nhw tuag at y bar prysur.

'Beth am fynd i sefyll draw fan 'na?' awgrymodd hi, gan gydio ym mraich Lynwen a dechrau ei harwain tuag at gornel dawelach yn ymyl y swyddfa docynnau eang. Dilynodd Luis a Tomos yn ufudd, gan ofalu peidio â gollwng eu diodydd yn y wasgfa ddynol o'u cwmpas.

Roedd y bar dan ei sang nawr, er bod digon o seddi gwag yn y theatr gynnau, nododd Luis. Roedd yn destun syndod gwirioneddol iddo nad oedd rhagor o bobl wedi trafferthu dod i gefnogi drama mor feiddgar. Yn ôl Tomos, roedd miloedd lawer o siaradwyr Cymraeg yn byw yn y brifddinas, mwy nag ar unrhyw adeg o'r blaen. Gellid yn hawdd fod wedi llenwi theatr mor fach, felly. Syndod hefyd oedd wedi ei rwystro rhag cydnabod Llinos a Gerallt pan oedd y ddrama ar fin dechrau, meddyliodd. Wrth iddo fe a'r tri arall ddewis lle i eistedd, sylwodd drwy gil ei lygad ar rieni Tomos yn eistedd ar eu pennau eu hunain ddwy res y tu ôl iddyn nhw. Ond oherwydd eu presenoldeb annisgwyl, ynghyd â'i letchwithdod yntau, penderfynodd beidio â'u cydnabod.

Roedd e'n edifar am hynny nawr. Efallai y byddai '*noswaith dda*' neu hanner gwên fach gwrtais wedi hyrwyddo achos ei ffrind. Ond doedd dim dal. Doedd hi ddim yn hawdd deall y Cymry. Sawl gwaith y daethai i'r casgliad hwnnw'n barod? Roedd e'n falch, o leiaf, fod Tomos i'w weld yn hapusach erbyn hyn nag oedd e ym Mrynhyfryd. Ond doedd dim dal am faint y byddai hynny'n para chwaith. Er gwaethaf y pwysau o du ei fam, dewisodd aros gyda'i gyfeillion. Dewisodd eu gwrthod. Rhaid bod hynny wedi chwarae ar ei feddwl drwy gydol y ddrama.

'A beth o'ch chi, Lynwen, yn feddwl?' gofynnodd Siwan gan barhau â'u sgwrs flaenorol pan gyrhaeddodd y pedwar eu noddfa arfaethedig ym mhen arall y bar mawr.

'Joias i'n ofnadw, a ma Rolant Pierce yn well nag erio'd. Wy 'eb weld e ar lwyfan ers blynydda mawr.'

'Pam bod y theatr mor wag?' gofynnodd Luis.

'Fel 'na ŷn ni'r Cymry, Luis bach. Ni'n ddicon parod i gonan bod dim arian at bethach Cwmrâg ond smo ni'n barod i gwnnu bys bach i gefnogi dim byd. Wy wedi bod mor euog â neb dros y blynydda, ond wy'n gobitho bo fi wedi newid. O's, ma isha conan witha ond ma isha gweld gwerth miwn pethach 'efyd cyn bod nhw'n diflannu dan ein trwyna. Wy'n mynd am sigarét.'

Gwenodd y tri arall wrth i'w llygaid ddilyn Lynwen trwy'r drws mawr gwydr.

'*Hola*, Luis!'

Trodd y tri eu pennau i gyfeiriad y cyfarchiad theatrig a gweld menyw fronnog, ganol oed yn hwylio tuag atyn nhw. Yn reddfol torrodd Luis yn rhydd o'r cylch bach er mwyn mynd i gwrdd â Meryl a'i chofleidio'n wresog. 'Mae e'n nabod pawb!' meddai Tomos wrth Siwan. 'A dyw e ddim hyd yn oed yn byw 'ma. Mae'n anhygoel!'

'Meryl, dyma Siwan Gwilym a hwn fan hyn ydy Tomos,' meddai Luis wrth gyflwyno'i ddau gyfaill i'r Gymraes a safai o'u blaenau yn llond ei chot ac yn llygaid i gyd.

'Wy'n gwbod yn iawn pwy yw hwn, ond 'smo ti'n 'y nghofio i, nag wyt ti? Ti yw mab Llinos a Gerallt,' meddai Meryl gan edrych ar Tomos a'i astudio o'i gorun i'w sawdl.

'Ie, dyna chi. Mae Mam a Dad 'ma'n rhwle hefyd oni bai'u bod nhw wedi mynd adre'n syth ar ôl i'r ddrama gwpla.'

'Na, maen nhw'n sefyll draw fan 'na. Dwi newydd fod yn siarad â nhw. Y tro dwetha i fi dy weld ti, crwtyn ot ti, ond nage crwtyn wyt ti ragor,' cyhoeddodd Meryl gan edrych yn awgrymog ar fab hynaf y Morganiaid.

Crwydrodd llygaid Tomos heibio i'r fenyw ganol oed. Chwiliodd am ei rieni yn y dorf gyda'r bwriad o geisio'u perswadio i ymuno â'r criw bychan er gwaethaf ei amheuon, ond ni allai eu gweld yng nghanol y môr o wynebau.

'Llongyfarchiade mawr ar yr arddangosfa ardderchog,' meddai Meryl wrth Siwan. 'Ody hi wedi mynd ar daith eto?'

'Wel, mae 'di mynd o'r lle yma erbyn hyn a bydd hi'n agor ym Merthyr ddydd Llun.'

'Wnest ti ddim deud hynny wrtha i,' meddai Luis yn ffug-gyhuddgar.

'Sa i'n gweud popeth wrthot ti, Richards!'

Nododd Meryl yr agosatrwydd rhwng Luis a Siwan a phenderfynodd newid y pwnc.

'On'd oedd Rolant yn wych heno? Dwi erio'd wedi'i weld e cystal. Bydd e'n ymuno â ni yn y funud.'

Ond Lynwen oedd yr un nesaf i ymuno â'r grŵp bychan, a hynny cyn i neb o'r lleill ymateb i sylwadau teyrngar Meryl.

'Meryl – Lynwen, Lynwen – Meryl,' cyhoeddodd Luis gan edrych yn ôl ac ymlaen rhwng y ddwy fenyw liwgar a nodi'n frysiog mai Lynwen fyddai wedi ennill y gystadleuaeth am y dillad gorau petai 'na gystadleuaeth wedi bod.

'Nage Lynwen Griffiths, do's bosib!' meddai Meryl yn anghrediniol ac estyn ei breichiau i gofleidio'r newydd-ddyfodiad.

'Meryl Davies, shwt wyt ti ers lawar dydd? 'Smo ti 'di newid dim,' meddai Lynwen gan gyfeirio'i geiriau at fronnau sylweddol y fenyw o'i blaen. Ar hynny, dyma'r ddwy'n cydio yn nwylo'i gilydd cyn cofleidio eto a gadael i'r tri arall wylio'r perfformiad o'r ochrau.

'Y tro dwetha i fi weld hon, roedd y ddwy ohonon ni'n gweithio i'r BBC lan fan hyn yn Llandaf,' meddai Meryl wrth ei chynulleidfa syn.

''Na amser o'dd 'wnna. Gwyllt, paid â sôn! Geson ni shwt sbort... ti'n cofio Janis Pugh?'

'Janis Pugh, o'dd honna ddim cwarter call. Ble mae hi nawr? Wy'n dy gofio di a Janis yn ca'l rhan ar *Pobol y Cwm*. Wherthin! Mae Lynwen wedi bod ar y teledu, chi'n gwbod,' meddai Meryl gan droi at y lleill.

'Ar y teledu? Ti'n folon arwyddo llun i fi?' cellweiriodd Tomos.

'Be 'di *Pobol y Cwm*?' holodd Luis.

'Cyfres ddrama... opera sebon. Mae hi'n mynd ers blynydde,' meddai Siwan.

'Lynwen, rwyt ti'n enwog!'

'Aisht! Rhan fach iawn o'dd 'da fi. O'dd dim isha i fi weud dim byd, jest ishta yn y Deri yn yfed G & T a dishgwl yn bert,' atebodd hi gan wfftio'i henwogrwydd newydd yn wan.

Edrychodd Luis arni a gweld ei bod hi'n mwynhau pob eiliad o'r sylw.

'On i'n gwbod dim am hyn,' meddai â balchder gwirioneddol.

'Ma 'na lot o bethach ti ddim yn gwpod abythdu Lynwen,' atebodd hithau gan edrych i fyw ei lygaid. 'Meryl Davies, wel y jiw jiw. A beth ŷt ti'n neud nawr?' gofynnodd hi gan droi'n ôl at ei chyn-gydweithwraig.

'Wy 'di cwpla yn y BBC ers pum mlynedd, ond maen nhw'n galw fi 'nôl o bryd i'w gilydd i lenwi mewn. Mae'n siwto fi'n nêt ac wy'n llwyddo i gadw'n hunan mas o drwbwl. Beth amdanat ti?'

'Ma *hotel* 'da fi yn y Rhath.'

'*Hotel*! Cer o 'ma, beth yw ei enw fe?'

'Brynhyfryd, ac os tynniff 'wn ei fys mas a chwpla'r wefan mae e'n neud i fi, fe gei di weld e ar-lein,' ychwanegodd Lynwen, gan wenu ar Tomos.

Hanner gwrando ar y sgwrs roedd Tomos, ond pan sylweddolodd e fod pedwar pâr o lygaid yn edrych arno a bod Lynwen yn disgwyl ymateb, gorfododd ei hun i ddod yn rhan o bethau o'i gwmpas unwaith eto. 'Ti'n siarad â fi?'

'Otw. Gweud on i bod hi'n bryd iti gwpla'r wefan 'na.'

'Mae bron â bod yn barod. Wy'n neud 'y ngore!' atebodd e'n amddiffynnol.

'Wy'n gwpod, bach, dim ond tynnu dy go's di on i. Mae pob un o nhw'n dda iawn i fi, Meryl, whara teg ... Siwan,

Tomos a well i fi bido anghofio macnabs fan 'yn,' meddai Lynwen gan blethu ei braich ym mraich Luis.

Astudiodd Meryl y siew fach o'i blaen ac yna gofynnodd y cwestiwn a fu'n ei phigo byth ers i Lynwen ymuno â nhw. 'Shwd ŷch chi i gyd yn nabod eich gilydd 'te?'

Os oedd unrhyw ystyr gudd yng nghwestiwn Meryl, un ai penderfynodd Lynwen ei hanwybyddu o fwriad ynteu fe aeth dros ei phen.

'Ar Mr Patagonia ma'r bai am 'ny. Fe sy wedi tynnu'r ddou 'ma miwn. Meryl fach, y diwrnod da'th Luis i aros ata i, dyma ddrws newydd yn acor yn 'y mywyd i. Mae fel yr 'en amser 'to. Mae'n od, ond wy'n timlo fel 'sen i wedi camu 'nôl miwn ar ôl blynydda mawr o grwydro mas tu fas.' Ar hynny, closiodd Lynwen yn nes fyth at Luis a gwasgu ei fraich yn famol.

'Ond on i'n meddwl fod ti'n aros gyda'r Morganiaid,' meddai Meryl ac edrych yn gyntaf ar Luis ac yna ar Tomos am eglurhad. 'Peth od bod Llinos ddim wedi sôn fod ti wedi symud mas pan on i'n siarad â hi gynne.'

Ni chynigiwyd unrhyw eglurhad i Meryl, ac yn y mudandod lletchwith a ddilynodd ei sylwadau, fflachiodd wyneb ei dad trwy feddwl Luis. Cofiodd y diwrnod, ac yntau'n dair ar ddeg mlwydd oed, y bu bron iddo gyfaddef wrtho ei fod e wedi dwyn pum *peso* o'r til i'w wario ar sothach yn siopau Trelew. Brolio wrth ei ffrindiau wedyn ei fod e wedi cyflawni'r her fachgennaidd a osodwyd iddo er mwyn cael bod yn gyflawn aelod o'r gang. Gwyddai y byddai clywed y cyfaddefiad hwnnw wedi niweidio'r berthynas am byth rhyngddo fe a'i dad. Ond, ac yntau ar fin llefaru'r geiriau tyngedfennol ar lawr siop ei dad, dyma un o ffrindiau ei frawd yn hedfan trwy'r drws â'r newydd fod Eduardo wedi torri ei fraich ar ôl syrthio oddi ar ei feic allan yn y stryd. Yn y cyffro a ddilynodd hynny, anghofiwyd am y pum *peso* a phenderfynodd Luis mai gwell fyddai peidio â sôn eto am ei bechod am fod tynged wedi gwenu arno ar yr union eiliad iawn. Diolchai'n dragywydd am yr ymyrraeth ddramatig ac amserol. Roedd ymyrraeth Rolant Pierce nawr yn fwy theatrig na dramatig, ond roedd Luis yr un mor ddiolchgar amdani pan ddaeth.

'Dyma fe, dyma'r seren,' cyhoeddodd Meryl wrth wylio Rolant yn brasgamu tuag at y criw bychan, ei wallt yn dal yn wlyb a'i wyneb yn goch wedi ei gawod ar ôl y perfformiad. '*Bravo*, Rolant.' Ar hynny, taflodd ei breichiau amdano a'i gusanu'n ddidwyll.

'Dwi'n **hollol** nacyrd,' atebodd yr actor.

'Wy'n siŵr dy fod ti, ond ot ti'n **hollol** wych ar y llwyfan 'na heno. Reit, wy'n mynd i ordro siampên.'

Diflannodd Meryl i ganol yr yfwyr eraill gan adael Rolant i amsugno canmoliaeth y lleill a chael ei gyflwyno i'r ddwy fenyw arall.

'Y noson gynta ydy'r anodda bob amsar, ond aeth hi'n reit dda ar y cyfan heno, dwi'n meddwl,' meddai.

'Ble chi'n mynd nesa?' gofynnodd Siwan.

''Dan ni'n fama rŵan am weddill yr wsnos cyn mynd i fyny i Theatr Clwyd ac ymlaen wedyn rownd y wlad. Hei, Luis, be 'di dy hanes di ers imi dy weld ti ddwetha? Faint o'r wlad wyt ti 'di weld 'ta?'

'Dim llawer iawn. Caerdydd yn benna, ond dwi wedi bod yn Rhydaman ddwywaith ar drywydd y teulu. O fan 'na mae teulu Mam yn dod.'

'Ty'd yn dy flaen, hogyn, ma isho i chdi ledaenu dy orwelion. Byddi di'n mynd adre cyn bo hir a fyddi di heb weld fawr ddim. A dy dad, o ble mae ei deulu o?'

'Blaenau Ffestiniog.'

'Mae gwaed Gog yn llifo drwy dy wythienna 'lly, reit dda.' Gwenodd pawb am ben hiwmor tila Rolant.

'Wy'n cretu bod gwa'd ei fam yn dewach na gwa'd ei dad, so mae e'n perthyn fwy i ni yn y de,' heriodd Lynwen, a gwenodd pawb yn gwrtais am yr eildro.

Crwydrodd llygaid Luis rhwng Tomos a Siwan ac yna rhwng Lynwen a Rolant. Roedd hi'n anodd iddo deimlo ei fod e'n perthyn yn iawn i'r un ohonyn nhw, meddyliodd. Roedd perthyn wastad wedi bod yn broblem iddo am fod y ffiniau wastad mor annelwig a'r disgwyliadau mor drwm. *Byddi di'n mynd adre cyn bo hir.* Adleisiai geiriau Rolant yn ei ben.

'Gest ti hyd i dy deulu draw yn Rhydaman?' gofynnodd hwnnw gan dorri ar draws myfyrdodau'r Archentwr.

'Do a naddo. Hynny ydy, mi ffeindies i fedd yr hen bobol. Mi fuon nhw farw dros ganrif yn ôl, ond baswn i'n licio gwbod oes gen i deulu'n byw yn yr ardal o hyd. Dwi ddim yn gwbod sut i fynd ar ôl hynny.'

''Sgen ti ddim enwa?'

'Ddim go iawn. Mae'r cyfan yn dipyn o ddirgelwch.'

'Os ti'n gofyn i fi, mae pob teulu'n ddirgelwch,' meddai Tomos ar eu traws. Cyfarfu llygaid Rolant a Tomos, a sylwodd Luis fod dealltwriaeth anghyffredin yn yr edrychiad hwnnw.

'A sut ma dy rieni ditha? Ddaru ti lwyddo i'w perswadio nhw i gyfnewid *ghettos* am un noson?' gofynnodd Rolant.

'Sori?'

'Ddaethon nhw i weld y ddrama? Mi ddaru nhw addo imi y basan nhw'n dŵad.'

'Do. Yn ôl Meryl, maen nhw'n dal i fod 'ma'n rhwle.'

'Duwcs, dos i chwilio amdanyn nhw a tyrd â nhw 'nôl efo chdi i gael siâr o'r siampên.'

'Ti ddim o ddifri, wyt ti?'

'Yndw! Tyrd, mi ddo i efo chdi.'

Lynwen oedd yr un a lenwodd y bwlch a adawyd ar ôl i Tomos a Rolant fynd. 'Ma'r crwt 'na'n ca'l amser caled 'da'i fam a'i dad on'd yw e?' meddai. 'Ma fe wedi bod â tân dan ei din drw'r nos. Dyw ei lycid ddim wedi stopid whilo amdanyn nhw. Ma'r pwr dab yn ca'l ei dynnu bob ffordd, ond ma nhw'n mynd i' golli fe os nag ŷn nhw'n garcus.'

Ni ddywedodd Luis na Siwan yr un gair, ond gwyddai'r ddau fod gallu di-ffael Lynwen i fynd yn syth at ganol llonydd y gwir wedi cyrraedd y nod unwaith eto.

'Ble ma Rolant?' gofynnodd Meryl, pan ddychwelodd hi atyn nhw â llond hambwrdd o wydrau'n eistedd o gwmpas potel o siampên.

'Mae e wedi mynd gyda Tomos i chwilio am ei rieni,' atebodd Siwan.

'Trueni fod e ddim wedi gadael i fi wbod yn gynt. 'Sdim digon o wydre'n mynd i fod gyda ni nawr!' protestiodd Meryl gan annog pawb ar yr un gwynt i gymryd gwydryn yr un oddi ar yr hambwrdd.

Wrth i Luis ufuddhau i'w dymuniad a chydio mewn gwydryn, gwelodd drwy gil ei lygad fod Rolant yn nesáu, yn fodlon ei fyd. Gwelodd hefyd nad oedd yr un aelod o deulu'r Morganiaid a'i dilynai'n rhannu'r un brwdfrydedd.

Yn reddfol, trodd ei gorff fymryn tuag at Siwan a Lynwen er mwyn ei baratoi ei hun at aduniad anodd.

'Siampên! Jest y peth i ddathlu drama dda,' cyhoeddodd Rolant heb ronyn o eironi yn perthyn i'w lais.

Agorwyd y cylch er mwyn gadael lle i Llinos a Gerallt ymuno â'r lleill. Nodiodd Luis ei ben i gyfarch y ddau ohonyn nhw, ond Gerallt oedd yr unig un i gydnabod ei ymdrech. Safai Llinos wrth ochr ei gŵr â gwên osod, gyffredinol wedi ei rhewi ar ei hwyneb wrth i Tomos gyflwyno'i fam a'i dad i Siwan a Lynwen. Cynnil ond cwrtais oedd ymateb Lynwen hithau, sylwodd Luis. Er nad oedd e erioed wedi sôn wrthi pam y gadawodd e gartref y Morganiaid a mynd i fyw i Frynhyfryd, roedd e wedi hen sylweddoli nad oedd angen gradd mewn seicoleg, na dim byd arall o ran hynny, ar rywun fel Lynwen i'w galluogi i ddeall hyd a lled bywyd. Deallai ei chyd-Gymry'n well na'r un ohonyn nhw.

''Dewch i fi ga'l mynd i hôl rhagor o wydre,' cyhoeddodd Meryl.

'Na, 'sdim ishe gwydryn arna i,' meddai Tomos. 'Wy'n gyrru.'

'A dim i fi,' meddai Llinos gan godi ei llaw o flaen ei cheg i ategu ei geiriau.

'Gerallt?' cynigiodd Rolant gan ddal y botel o'i flaen.

'Pam lai? Un bach 'te, diolch.'

Edrychodd Tomos ar ei dad ac yna ar ei fam. Gwibiodd llygaid Luis draw at Llinos. Roedd ei gwên osod mor ddiwyro â chynt, ac oni bai iddo weld yr un olwg yn ei llygaid unwaith o'r blaen ni fyddai fawr callach ynglŷn â'i gwir deimladau, ond yr eiliad honno doedd ganddo ddim mymryn o amheuaeth fod y fenyw hon yn gandryll.

'Dyna ni 'te, pawb yn barod i gynnig llwncdestun? I'r ddrama...ac i arddangosfa wych Siwan,' cyhoeddodd Meryl.

'Ac i Luis am ein cyffwrdd ni oll,' ychwanegodd Rolant yn fawreddog.

'*Gaucho*, rho sip i fi...jest llymed,' meddai Tomos wrth ei ffrind ac estyn am ei wydryn ar yr un pryd. 'Wy'n teimlo mas ohoni.'

'Gair o gyngor iti, Luis...gwylia Tomos ni, neu fe gymrith e dy grys oddi ar dy gefen di. Mae e'n sôn 'i fod e'n bwriadu dod i aros atat ti yn Buenos Aires ar ôl iti fynd adre. Wyt ti'n siŵr nad oes ots gyda ti?'

Roedd geiriau annisgwyl Gerallt bron â'i lorio, ond llwyddodd Luis i beidio â dangos unrhyw gynnwrf wrth droi i'w ateb. Roedd arno gywilydd, serch hynny. Roedd y dyn hwn yn wahanol iawn i'w wraig a dylai yntau fod wedi cofio hynny. 'Peidiwch â phoeni, mi roia i bopeth yn saff dan glo cyn iddo fo gyrraedd. Ac os nad ydy o'n bihafio mi geith o fynd i gysgu yn y strydoedd. Fydd o ddim ar ei ben ei hun yn fanno!'

'*Gaucho*, 'sdim ishe bod fel 'na!'

Cyfarfu llygaid Luis â llygaid Llinos am y tro cyntaf ers iddi ddod i sefyll gyda nhw a gwyddai'r ddau fod ei mab wedi torri'n rhydd.

'Felly pryd yn union wyt ti'n ein gadal ni, yr hen Luis?' gofynnodd Rolant.

'Pythefnos arall falle. Pwy a ŵyr?' Wrth i'r geiriau adael ei wefusau taflodd Luis gip ansicr ar Siwan ond roedd hi, fel Lynwen, yn edrych tua'r llawr.

'Hei Meryl, dwi newydd gofio. Rwyt ti'n dŵad o ardal Rhydaman on'd wyt ti?' torrodd Rolant ar draws y tawelwch.

'Odw. Pam?'

'Wel ma Luis angan dy help di i ffeindio'i berthnasa,' parhaodd Rolant.

'Sa i'n deall.'

'Mae ei deulu o'n hanu o fan 'na ac mae o isho gwbod oes gynno fo berthnasa yn yr ardal o hyd. Rwyt ti'n nabod pawb. 'Sneb yn cael poeri heb iti glywad amdano fo'n gynta.'

'Rhydaman! Bachan, rwyt ti'n un ohonon ni. Oes gyda ti enwe?' gofynnodd Meryl a dechrau mynd i'r afael â'i phrosiect newydd yn ddiymdroi.

'Philips oedd eu cyfenw, ond dwi'n siŵr bod hwnnw'n enw reit gyffredin. Ac mae gen i ambell ddyddiad hefyd.'

'Gad e 'da fi, ni'n siŵr o ffindo rhywun, ond nawr wy'n gorfod mynd adre. Wy'n mynd draw i weld Dad fory. Walle bydd e'n gallu'n helpu ni.'

'Wel Meryl, paid catw'n ddiarth nawr bod ni wedi cwrdd 'to ar ôl cymint o flynydda. Dere am goffi ryw fora. A gei di weld Brynhyfryd â dy lycid dy 'unan yn lle aros am y wefan.'

'Lynwen! Mae pawb yn pigo arna i heno,' protestiodd Tomos er mawr ddifyrrwch i Lynwen a Luis.

Gwenodd Gerallt, ond aros yn ddigyfnewid wnaeth y wên osod ar wyneb ei wraig.

'Bydd y wefan yn fyw unrhyw ddiwrnod rŵan,' meddai Luis yn frwdfrydig. 'Rolant, wyt ti'n nabod rhywun o'r gogledd sy'n teithio i lawr i Gaerdydd yn rheolaidd? Deuda wrthyn nhw fod gwesty Cymraeg gan Lynwen a'i fod o'n gyfleus iawn i ganol y ddinas.'

'Chwara teg i'r hogyn. Mae gynno fo fwy o fenter na ni'r Cymry,' atebodd yr actor.

'Reit, wy'n mynd,' meddai Meryl gan godi ei llaw ar y lleill a dechrau symud oddi wrthyn nhw.

'Cofia'r coffi 'na,' galwodd Lynwen ar ei hôl.

'Wy'n addo...a Luis, ffona fi bore fory i roi enwe a dyddiade i fi. Hwyl!'

'Well i ninne fynd hefyd,' meddai Llinos.

''Sdim angen i chi ddiflannu jest achos bod Meryl am ei throi hi. Mae Gerallt yn mwynhau, on'd wyt ti, Ger?'

'Mae Gerallt yn gorfod codi yn y bore. Mae gydag e swydd lawn amser ac mae gydag e deulu,' atebodd hi gan edrych i fyw llygaid Rolant. 'Nos da nawr.'

Ni wyddai Luis ar y pryd mai dyna fyddai'r tro olaf iddo weld Llinos.

Pennod 17

Wrth i'r gweinydd ifanc gydio yn eu platiau brwnt a mynd â nhw bant, sylwodd Luis nad oedd Kayleigh wedi cyffwrdd â'r salad bach a ddaethai gyda'i pizza. Sylwodd hefyd ei bod hi'n anarferol o dawel wrth iddi eistedd gyferbyn ag Enid ac yntau, ei chefn at y môr. Gwibiai ei llygaid o fwrdd i fwrdd gan ddilyn y mynd a dod parhaus fel petai'n gwneud ei gorau glas i storio pob manylyn yn ei chof er mwyn brolio wrth ei mam am ei phryd crand ar ôl cyrraedd adref.

Cyfaddawd o fath oedd dod i'r bwyty Eidalaidd. Pan gynigiodd Enid y dylen nhw fynd am damaid i'w fwyta ar ôl y gyngerdd ganol dydd, a mynnu talu dros y tri ohonyn nhw, gwyddai Luis na fyddai gan yr hen wraig fawr o archwaeth bwyta yn un o'r llefydd bwyd cyflym, digymeriad. Gwyddai hefyd nad oedd Kayleigh erioed wedi tywyllu drws bwyty go iawn. Fe oedd wedi awgrymu'r bwyty Eidalaidd gan dybio y byddai rhywbeth at ddant pawb mewn lle o'r fath. Wedi'r cwbl, roedd yr Eidalwyr yn feistri corn ar bontio mympwyon bwyta'r gwahanol genedlaethau ond, yn gymaint â dim, roedd Luis yn hoff iawn o goginio'r wlad honno. Ac yntau bellach yn *porteño* mabwysiedig, roedd yn rhan o'i dreftadaeth gastronomaidd. Eto, gorfu iddo gyfaddef bod safon y bwyd yn y bwyty hwn, ymhell o'r Eidal a'i wlad ei hun, yn well o dipyn na'r cigach *milanesa* diddiwedd a geid yn Buenos Aires.

Roedd Kayleigh, chwarae teg, wedi gwneud mwy o

ymdrech nag e i wisgo'n smart, meddyliodd. Eto, roedd ei blows wen a'i throwsus llwyd, ceidwadol yn ymylu ar fod yn hen ffasiwn o'u cymharu â siwt chwaethus Enid, er bod honno ganddi ers tro byd yn ôl pob tebyg. *Pryn rad, pryn eilwaith.* Dyna fyddai ei fam yn ei ddweud. Gwenodd Luis wrth gofio'r geiriau a berthynai mor bell yn ôl yn ei blentyndod. Roedd e'n eithaf siŵr nad oedd Enid erioed wedi prynu dim byd rhad yn ei byw. Gallai chwaeth ac ansawdd yr hen wraig oroesi pob rhyw chwiw ffasiynol. Yr eiliad honno, roedd e'n wironeddol hapus. Roedden nhw wedi trechu Mrs Carmichael a'i gwrthwynebiad afresymol i'r trip, ac roedd Enid wedi cael modd i fyw. Wrth iddyn nhw gerdded draw o Ganolfan y Mileniwm ar hyd glannau'r dŵr ac ymlaen i'r bwyty, sylwodd Luis fod ei chamau'n sicrach a'i chorff ychydig yn dalach na phan oedd hi yn Dumbarton Court. Roedd fel petai trymder y lle hwnnw wedi cael ei godi oddi ar ei hysgwyddau a hithau'n rhan o'r byd mawr unwaith eto. Oedd, roedd e'n wironeddol hapus yr eiliad honno.

'Mae hwn 'di mynd yn syth i 'mhen,' cyhoeddodd Enid ac arllwys diferyn hael arall o'r Pillastro Primitivo i'w gwydryn. 'Dwi ddim 'di cael gwin efo 'mwyd ers tro . . . ers imi fynd i fyw i Dumbarton Court.'

'Rhaid ichi ddianc yn amlach, felly,' anogodd Luis.

'Bydd, ond sut dwi'n mynd i wneud hynny ar ôl iti fynd adra?'

'Mi ddaw Kayleigh efo chi, siŵr iawn.'

'Tydy Kayleigh ddim isho cael ei gweld efo hen ddynas fatha fi, nag wyt Kayleigh?'

'Rydyn ni'n gallu dod unwaith bob mis, Enid. Mae'r lle yma'n *lush*.'

'A rŵan eich bod chi 'di trechu Mrs Carmichael, 'sdim byd o gwbwl i'ch rhwystro chi o hyn allan. Dylset ti fod wedi'i gweld hi, Kayleigh. Roedd hi fel llewes – un dawel falle, ond llewes 'run fath. Faswn i ddim isho croesi hon!' cellweiriodd Luis. Gwenodd y tri ohonyn nhw.

'Roeddwn i'n methu stopio chwerthin pan ddywedodd Luis beth roeddech chi wedi dweud wrth y *fat cow*. Go, Enid!'

'Kayleigh, falla bod Mrs Carmichael yn fwli ond does dim bai arni hi ei bod hi'n fawr,' dwrdiodd Enid yn ysgafn, ond gallai Luis a Kayleigh weld nad oedd gormod o argyhoeddiad yn ei cherydd a gwenodd y ddau ar ei gilydd.

'Wel, dydw i ddim yn hoffi hi.'

'Mae hynny'n wahanol, 'y merch i, ond paid â bychanu dy hun trwy alw enwa arni.'

'Ydw i'n gallu clywed unwaith eto beth ddywedoch chi wrthi, Enid?' gofynnodd Kayleigh yn chwareus.

'Wel, mi ddeudas i'n blwmp ac yn blaen 'mod i'n ddigon 'tebol i fynd efo Luis i weld y gyngerdd yng Nghanolfan y Mileniwm a bod hynny wedi'i drefnu rhyngthon ni ers dyddia. Felly, dyna fo. Mi edrychodd hi arna i fel taswn i 'di deud 'mod i'n bwriadu mynd i'r lleuad! Be sy'n bod arni, 'dwch? Sipiodd yr hen wraig ragor o'i gwin a sychu ymylon ei cheg â'i hances. 'Dwi ddim yn credu bod Mrs Carmichael yn hoff o weld tueddiad annibynnol mewn pobol. Fel deudas i, bwli ydy hi. Dyna pam mae hi'n gweithio efo hen bobol. Mi ddechreuodd hi ddadla na fasa'n briodol i Luis fynd efo fi am 'i fod o'n ddyn ac yn dramorwr ac am nad oedd o'n siarad Saesneg. Dychmygwch ddeud rhwbath mor hiliol! Wel, mi ddeudas i 'i fod o'n ddigon da i gael ei gyflogi ganddi hi i weithio oria mawr am arian bach. Mi ddaru hi newid ei chân yn reit sydyn wedyn.'

'*Oh my God!* Beth ddywedodd hi? Beth ddywedodd hi?' Pwysodd Kayleigh ymlaen yn ei chadair er mwyn blasu perorasiwn Enid i'r eithaf.

'Doedd ganddi ddim ateb, 'y ngenath i. Ond mae'n wir, 'dach chi i gyd yn gweithio'n galad am arian bach. Beth bynnag, mi benderfynish i roi cyfle iddi ddod allan o'i thwll. Dyna pryd ddaru mi sôn amdanat ti, Kayleigh. Wnes i ddim meddwl i gychwyn y basat ti isho dŵad i gyngerdd efo Luis a finna, a dyna pam ddeudas i ddim byd wrthat ti'n gynt, ond dwi mor falch o gael dy gwmni.'

'Mae wedi bod yn dda.'

'Wel, munud soniais i amdanat ti, ddaru hi feddalu. Roedd hi'n berffaith hapus wedyn. Ond mi ddeuda i hyn wrthach chi, mi faswn i wedi mynd p'run bynnag, o baswn. Amball waith mae'n rhaid gneud safiad, yn enwedig wrth drafod bwli.'

'Ti'n gweld, Kayleigh, mae gen ti fwy o ddylanwad o lawer na fi yn y lle 'na,' meddai Luis wrth ei gydweithwraig.

Osgoi ei lygaid wnaeth Kayleigh, ond gwelodd Luis ei bod hi'n mwytho'r tatŵ ar ei braich yn ddiymwybod.

'Ydan ni'n mynd i gael pwdin?' gofynnodd Enid gan chwilio am y gweinydd ifanc er mwyn denu ei sylw. 'Mi fasa'n bechod sbwylio diwrnod mor berffaith trwy fynd heb rwbath melys.'

*

Pan gyrhaeddodd Luis Frynhyfryd ddiwedd y prynhawn, roedd Lynwen ar ben ei digon – roedd hi a'i gwesty'n rhan o'r gymdeithas fyd-eang o'r diwedd.

'Shgwl, shgwl!' oedd yr unig ddau air i ddod o'i genau wrth iddi bwyntio at sgrin y cyfrifiadur yn y dderbynfa ac amneidio ar Luis i ddod i weld y greadigaeth y bu'n ei hedmygu ers oriau, yn ôl pob golwg.

'Lynwen, mae hi'n fyw! Mae Tomos wedi'i gorffen hi. *Qué linda . . .*'

Cododd Lynwen o'r gadair a mynd i sefyll i'r naill ochr er mwyn gadael i Luis archwilio'r wefan yn ei holl ogoniant, ond bob tro y cliciai ar dudalen newydd byddai hi'n ei annog i fynd at un arall cyn iddo gael amser i dreulio cynnwys y gyntaf. 'Cera i'r *en suite*. On'd yw hi'n dishgwl yn 'yfryd? Mae Siwan wedi neud jobyn ardderchog, whare teg iddi. Ond fe ladda i'r blydi Tomos 'na. Mae e wedi doti llun ohono i'n ateb y ffôn arni 'ddi. Wetas i wrtho fe bo fi ddim moyn gweld 'yn llun i ar gyfyl y lle.' Ond roedd Luis yn gyfarwydd â ffug-brotestio Lynwen erbyn hyn a gwyddai ei bod hi wrth ei bodd. 'A 'co ti a Tomos fan 'na'n dishgwl fel dou . . .'

'Dau gariad?'

'Wy'n difaru'n ened bo fi 'di neud y camsyniad 'na. Sa i'n mynd i ga'l anghofio 'wnna 'da ti. Ta beth, wy wedi gweu' 'thot ti'n barod . . . ma croeso i bawb ym Mrynhyfryd. Dyna beth sy ar y logo ac mae'n wir bob gair.'

Ar hynny, dyma hi'n gwthio llaw Luis oddi ar y llygoden cyn clicio'n ôl trwy'r wefan nes cyrraedd y logo ar yr hafan yn lle mynd ati'n syth.

'A shgwl, ti'n gallu ga'l e yn Sisnag a Sbaeneg 'efyd os ti'n moyn. Clica le ma fe'n gweud *Español*.'

'Dwi'n gwbod, Lynwen. Fi wnaeth y fersiwn Sbaeneg, cofio?'

'O, anghofias i weud...ma un o'r ddwy *en suite* 'di ca'l ei bwco'n barod! 'Sdim awr ers i fi ga'l yr e-bost. Rhyw ddou ddyn o Murcia yn moyn dod draw am benwthnos fis nesa. Yn Sbaen mae Murcia ontefe? Maen nhw siwr o fod wedi ca'l eu denu 'da'r llun o Tomos a ti yn y lolfa!' pryfociodd Lynwen heb droi ei phen oddi wrth y sgrin.

'Ha! Ha! Ha! Doniol dros ben.'

'Fel wetas i, ma Brynhyfryd yn gwbwl *gay friendly*. Shwt a'th hi prynhawn 'ma 'da'r fenyw fach o'r cartra? A'th Kayleigh gyta chi yn y diwadd?'

'Do, daeth hi efo ni, ac aethon ni am bryd o fwyd ar ôl y gyngerdd. Dwi'n credu bod Enid wedi cael amser da iawn rhwng popeth.'

'Pwr bygar, wy'n siwr bod hi'n ddiolchgar iawn fod ti 'di mynd â hi mas. Sa i'n cretu bod nhw'n ca'l lot o fywyd yn yr 'en le 'na. Ti'n biwr iawn, Luis, whara teg i ti.'

'Roedd hi'n bleser. Mae Enid yn ddynes hyfryd.'

'Ond o'dd dim rhaid iti neud beth wnest ti. Nace pawb fydda 'di rhoi prynhawn cyfan am ddim fel 'na. Ti'n dda, Luis.' Roedd unrhyw ysgafnder wedi cilio o wyneb Lynwen a nawr edrychai'n fwy bwriadus ar ei gwestai o ben arall y byd gan ddal ei sylw.

'Beth sy?' gofynnodd hwnnw'n amddiffynnol a symud y mymryn lleiaf oddi wrthi.

'Ia, "beth". Dyna'r gair mawr. Beth ŷn ni'n mynd i' neud 'da ti? Ma'r cwestiwn 'di bod ar 'y meddwl i ers wthnosa,' meddai Lynwen gan blannu ei phen-ôl ar y gadair arall wrth ei ochr.

Gwyddai Luis beth oedd ar fin cael ei wyntyllu, a gwyddai na fyddai modd iddo ddianc rhag ei holi deifiol. Bu'r un cwestiwn ar ei feddwl yntau hefyd, ond ers misoedd yn hytrach nag wythnosau, a doedd e ddim tamaid yn nes at ei ateb. Saethodd ei feddwl yn ôl i'r prynhawn crasboeth hwnnw yn La Perla ddechrau'r flwyddyn pan wnaeth ei Benderfyniad Mawr. Roedd dod i Gymru i fod i ddatrys ei benbleth a'r anniddigrwydd a fu'n ei fwyta gyhyd. Roedd dod i Gymru i fod i'w helpu i ddeall pwy oedd e a beth roedd e am ei wneud â'i yrfa ddisglair ar ôl dychwelyd i'w wlad ei hun. Nid yr un dyn oedd e bellach. Roedd hynny'n sicr. Gwyddai ei fod eisiau mwy. Ond roedd dod i Gymru wedi codi llawn cymaint o gwestiynau ag o atebion ac roedd ei amser yng ngwlad ei gyndadau'n prysur ddirwyn i ben. Daethai'r dydd o brysur bwyso, ond doedd e ddim yn barod amdano hyd yn oed ar ôl hedfan i ochr arall y byd. Tybed ai mynd yn ôl i Drelew oedd yr ateb, yn enwedig nawr? Codwyd sawl pont newydd rhyngddo fe a'i rieni, eto doedd e ddim yn siŵr. Ac a fyddai Gabriela'n rhan o'i ddyfodol ble bynnag yr âi? A fyddai hi eisiau bod? A oedd yntau eisiau iddi fod? Doedd e ddim yn siŵr.

'O's menyw arall gyta ti?' gofynnodd Lynwen fel petai'n darllen ei feddwl.

Aros yn dawel wnaeth Luis.

'On i'n meddwl. Oty Siwan yn gwpod ble ma hi'n sefyll?'

Edrychodd Luis arni ac ysgwyd ei ben yn araf.

'O wel, fe groeswn ni'r bont 'na 'to. Am y tro, beth ŷn ni'n mynd i' neud 'da **ti**? Beth ŷt ti'n mynd i' neud, Luis? Beth ŷt ti'n mynd i' neud o ran gyrfa?'

'Gyrfa ddeudest ti? Does gen i ddim gyrfa, Lynwen.

Dyna'r broblem. Mae'n drychinebus. Dwi'n methu gneud dim byd ond sychu tine hen bobol.'

'Grinda Luis, un peth wy'n ffilu diodde yw pobol sy'n timlo'n flin drostyn nhw eu 'unain. ''Sdim byd gwa'th a 'smo fe'n gwella dim. 'Sen i ddim yn gweud llai 'set ti'n un o'r dynon 'na a bygar-ôl 'da nhw, ond mae 'da ti shwt gymint...'

'Lynwen, does gen ti ddim syniad,' torrodd Luis ar ei thraws.

'Ma 'da fi lot mwy o syniad na ti'n feddwl, a ma 'da titha lot mwy i' gynnig na ti'n feddwl.'

'Does gen i ddim cymwystere... dim.'

'Ma dicon yn dy ben di... ac yn dy galon. Ti'n ifanc a ti'n gallu ennill cymwystera.'

'A sut dwi'n mynd i ennill y cymwystere 'ma, Lynwen? Sut dwi'n mynd i fyw? Y?'

'Yr un ffordd â pobun arall... ffinda job sy'n talu dicon iti fyw a 'studio.'

'Wrth gwrs! Mae'r cyfan yn amlwg rŵan bod Lynwen wedi deud! Pam wnes i ddim meddwl am hynny?'

'Grinda, 'sdim isha bod fel 'na 'da fi. Cera 'nôl i blydi Buenos Aires a cladda dy 'unan miwn twll. Achos ar dy din fyddi di am weddill dy o's oni bai fod ti'n neud rhwpath i ddod mas o'r twll.'

'Iawn, felly dwi'n mynd i'r coleg a dwi'n ennill llond dwrn o gymwystere. Beth wna i wedyn? Does gen i ddim syniad be dwi am wneud. Fel 'na dwi wedi bod erioed.'

'Wel, mae'n bryd iti dyfu lan a rhoi dy feddwl ar waith yn lle bratu dy fywyd, achos ti'n ffilu mynd mla'n fel ŷt ti. Os nag ŷt ti'n moyn sychu tina hen bobol am weddill dy o's, gwna rwpath arall. 'Smo'r Mrs Carmichael 'na'n sychu tina neb achos mae'n cyflogi pobol fel ti i' neud e.'

Ar hynny, cododd Lynwen ar ei thraed a brasgamu i gyfeiriad y gegin gan adael Luis i gnoi cil dros eu ffrae gyntaf. Llosgai ei fochau fel petai ei geiriau wedi ei daro yn ei wyneb. Syllai i grombil y cyfrifiadur heb weld dim ar y sgrin o'i flaen. *Puta!* Doedd e ddim wedi rhagweld hyn. Hi o bawb. Roedd ei lwnc yn dew a gallai deimlo'i stumog yn tynhau. Pa fusnes oedd e i neb arall? *¡Puta madre!* Gwthiodd y gadair yn ei hôl nes iddi fwrw yn erbyn y pared a chododd ar ei draed. Dringodd y grisiau'n araf i'w ystafell a thaflu ei hun ar y gwely pantiog.

*

Erbyn iddo agor ei lygaid eto roedd hi wedi dechrau tywyllu. Y gnoc ar ei ddrws a'i dihunodd o'i synfyfyrio myfïol. Croesodd y carped tenau'n anfoddog ac agorodd y drws i weld pwy oedd yno. 'Mae dy swper yn oeri. Os nag ŷt ti'n moyn e mae e'n mynd i'r bin.' Edrychodd Lynwen i fyw llygaid Luis cyn troi ar ei sawdl a cherdded bant.

Doedd fawr o awydd bwyd arno, ond caeodd y drws ar ei ôl a dilyn ei letywraig ar hyd y coridor cul. Pan gyrhaeddodd e'r gegin, roedd Lynwen eisoes wedi mynd i eistedd wrth y bwrdd. Tynnodd ei gadair yntau'n ôl a chymryd ei le gyferbyn â hi yn ôl ei arfer.

'Diolch,' meddai a chydio yn ei gyllell a'i fforc, ond bwrw yn ei blaen i fwyta wnaeth Lynwen heb ymateb i'w ymgais i gymodi. Gwthiodd Luis lond fforc o'i samwn i'w geg a llwyddo i'w lyncu. Gwnaeth yr un fath â'r tatws ac yna â'r ffa Ffrengig ond, tra bod eu cegau'n llawn, ni ddywedodd yr un o'r ddau ddim byd wrth ei gilydd am funudau lawer. Luis oedd y cyntaf i dorri'r mudandod. 'Sori.'

Gosododd Lynwen ei chyllell a'i fforc ar ganol y plât a gwthio'r cyfan naill ochr.

''Sdim isha gweud sori wrtha i. Catwa dy sori i ti dy 'unan, achos bydd isha fe arnat ti ryw ddydd ar ôl iti acor dy lycid a gweld fod ti 'di colli dy gyfla.'

'Lynwen, paid â bod fel 'na. Helpa fi wnei di, *por favor*. Dwi'n trio ymddiheuro a dwi'n trio cyfadde dy fod ti'n iawn... ond y gwir ydy, does gen i ddim syniad be dwi am wneud â 'mywyd i. Dyna'n rhannol pam des i i Gymru. On i ar goll ac on i'n gobeithio y base dod i fan hyn yn cynnig atebion ond...'

'Ac mae e **wedi** cynnig atebion... lot o atebion, ond dyw bywyd ddim yn sefyll yn ei unfan, Luis. Mae'n twlu cwestiyna aton ni drw'r amsar. Dyw e ddim yn gatal llonydd i ni. Ma 'na rai pobol sy'n sefyll ar eu tra'd ac yn ymdopi, tra bod erill yn cwmpo wrth ochor yr 'ewl. Rwyt ti'n perthyn i'r set gynta, a ti'n dod i ben â beth ma bywyd yn ei dwlu atat ti'n well na bron neb arall wy'n napod. Ti'n naturiol.' Cyneuodd Lynwen sigarét a thynnu'r mwg yn ddwfn i'w cheg. 'Ma cwrw yn y ffrij,' meddai wrtho, 'cer i ôl un.'

Ildiodd Luis i'w pherswâd a daeth â'r botel fach yn ôl at y ford a'i hagor. Mwynhaodd deimlo'r hylif oer yn iro'i lwnc. Eisteddai'r ddau'n dawel am eiliadau hir, y naill a'r llall yn ystyried eu cam nesaf, y naill a'r llall yn deall eu bod nhw wedi cyrraedd man di-droi'n-ôl.

'So, os nag ŷt ti'n gwpod beth ti'n **moyn** neud â dy fywyd, beth am ystyried beth ti'n **gallu** neud?' awgrymodd

Lynwen a chwythu cwmwl o fwg i ffwrdd o'i hwyneb. 'Rwyt ti'n wych yn dy waith.'

'Sut wyt ti'n gwbod hynny?'

'Ti'n wych 'da pobol yn un peth. Ti'n diall y natur ddynol.'

'Lynwen, paid â malu cachu.'

'Sa i'n malu cachu. Wy'n gweud y gwir. 'Shgwl beth wnest ti prynhawn 'ma 'da'r fenyw fach 'na o'r cartra – Enid – a joiast ti.'

'Ond dwi ddim isho gwneud hynny am weddill 'y mywyd.'

'Arglwydd annwl, dere inni ga'l rhoi trefan ar y pum mlynadd nesa gynta, Luis bach. Down ni at y gweddill 'to. Beth ŷt ti wedi neud o ran swyddi tan nawr?'

'Bues i'n gweithio yn siop 'y nhad yn Nhrelew. Wedyn ar ôl symud i'r brifddinas es i weithio mewn canolfan i blant y stryd yn Balvanera cyn cael gwaith mewn cartre i hen bobol.'

'Gwitho i bobol erill bob tro. So, pryd ŷt ti'n mynd i fod yn fòs arnat ti dy 'unan?' gofynnodd Lynwen gan ganolbwyntio ar ddiffodd ei sigarét yn y soser lwch tra oedd yn disgwyl am ei ateb. Ond chwerthin wnaeth Luis, ac ysgwyd ei ben mewn anghrediniaeth. 'Wel?'

'Bòs? Fi? Does gen i ddim gobaith . . .'

'Do's gyta ti ddim uchelgais!' saethodd hithau ar ei draws. 'Fe wnelet ti well bòs na Mrs Carmichael.'

'Am beth wyt ti'n mwydro, Lynwen?'

'Wetws Jacqui wrtha i beth wnest ti y diwrnod a'th Kayleigh i bishys ar ôl rhoi'r tabled rong i'r fenyw fach 'na. Oni bai amdanat ti bydde lle y diawl 'di bod yn Dumbarton

Court, yn ôl pob sôn. Ma 'da ti fwy o brofiad, gallu a chariad yn dy fys bach na beth sy 'da Mrs Carmichael yn ei chorff i gyd, ac mae hi'n anferth! Y cwbwl sy isha arnat ti yw'r ewyllys i ddringo'n uwch. Ma angen dynon fel ti i arwain ac i newid pethach.'

'Does dim llawer o gartrefi i hen bobol yn Buenos Aires, yn enwedig pan ti'n ystyried maint y lle. Does dim arian ar ôl y *crisis económica*. Mae pethe'n gwella ond mae'n araf. Felly, does dim cymaint o gyfle â ti'n feddwl.'

'Wel, dyna fi 'di gweud beth wy'n feddwl. Mae lan i ti nawr, Luis. Ti sy'n gwpod ora, ond dyna 'sen i'n neud. Yn dy le di, elen i ar gwrs i drio bod yn rheolwr. Elli di fynd i ysgol nos neu i'r coleg yn rhan amsar? Oty pobol yn neud 'na yn dy wlad di?'

'Dyna sut mae llawer yn ei wneud o, ond mae isho pres, Lynwen.'

'All dy fam a dy dad 'elpu?'

'Bosib, ond faswn i ddim yn cymryd dim ganddyn nhw beth bynnag. Fy mhroblem **i** ydy hon.'

'Paid â gweud "problem" ... cyfla. Beth am y fenyw 'na sy gyta ti?'

'Gabriela?'

'Sa i'n gwpod. Ti erio'd 'di sôn amdani tan nawr. O's arian 'da hi? Beth mae'n neud?'

'Hi oedd fy mòs yn y cartre hen bobol.'

Edrychodd Lynwen yn gegrwth arno. 'Ma isha blydi gras witha! **Nawr** ti'n gweud wrtha i. Wel pam 'set ti'n gofyn i Gabriela am gyngor? Fe wnaiff hi roi ti ar ben ffordd. Ond paid tin-droi, Luis, achos ma 'da ti lot i' gynnig.'

Trodd Luis y botel fach rhwng ei fysedd a syllu o'i

flaen heb godi ei ben i gydnabod geiriau Lynwen. Roedd sôn am Gabriela ac ynganu ei henw am y tro cyntaf ers wythnosau wedi ei saethu hi i flaen ei feddwl, a nawr gallai weld ei hwyneb yn glir. Teimlodd ei fol yn tynhau am yr eildro. Roedd e ar fin mynd yn ôl. Cododd ei law i sychu'r defnynnau bach o chwys oedd wedi crynhoi ar ei dalcen. Rhythai i mewn i geg y botel a theimlo'i hun yn syrthio'n bendramwnwgl drwy'r awyr yn ôl i Buenos Aires. Yn sydyn, deallodd bwrpas pregeth Lynwen. Doedd dim diwedd ar allu'r Gymraes i'w ryfeddu. Bu'n ei baratoi at fynd yn ôl, ac roedd yntau'n rhy ddall i weld y brys yn ei llais.

'Diolch,' meddai o'r diwedd ond gwelodd fod Lynwen eisoes wedi cyrraedd rhywle arall a'i bod hi bellach yn dechrau ei pharatoi ei hunan i adael iddo fynd.

Pennod 18

GWYLIODD LUIS y ddau arall yn cerdded yn droednoeth ar hyd ymyl y dŵr bas a hwnnw'n treio fwyfwy wrth i bob ton newydd, wan dorri ar draeth dilychwin Maenorbŷr. Roedd eu cefnau ato ac, er gwaethaf eu camau ling-di-long, roedd cryn bellter wedi tyfu rhyngddo fe a nhw erbyn hyn. Gallai weld eu bod nhw'n sgwrsio'n ddwys. Plygai'r ddau eu pennau gan edrych ar y tywod gwlyb, yn ddi-hid i'r ysblander o'u cwmpas, a gwyddai'n reddfol mai fe oedd testun eu sgwrs. Bu'n ymwybodol ers dyddiau o'u hymdrechion i siarad am bob dim dan haul heblaw'r un peth amlwg. Fe'i gwelsai gyntaf yn yr hostel ger traeth y Porth Mawr yn fuan ar ôl diffodd injan y car ar ddechrau eu gwyliau bach. Yfed cwrw gyda'i gilydd yn yr ardd oedden nhw tra'n cael eu swyno gan yr Iwerydd yn pefrio yn yr heulwen hwyr wrth iddo gofleidio Ynys Dewi. Fe'i gwelsai yn y dafarn yn Solfach amser cinio ddoe, ac eto wrth gerdded ar hyd y llwybr arfordirol i draeth Barafundle.

'*Gaucho*, maen nhw'n addo haf bach Mihangel. Ti'n ffansïo mynd draw i Sir Benfro am gwpwl o ddyddie – ti, fi a Siwan – er mwyn iti gael cip ar baradwys cyn iti fynd adre?'

Daethai'r geiriau'n hawdd i Tomos bryd hynny ond, ers gadael Caerdydd, bob tro y soniai Luis am fynd adref, gostwng eu trem a wnâi'r ddau arall cyn newid cyfeiriad y sgwrs yn amaturaidd o drwsgl. Yr eiliad honno, fodd bynnag, roedd ganddyn nhw rwydd hynt i'w drafod fel y mynnen nhw am ei fod e'n ddigon pell i ffwrdd ac am nad oedd angen i neb gymryd arno.

Byddai'n gweld eu heisiau, meddyliodd Luis. Doedd dim dwywaith am hynny. Dri mis yn ôl doedden nhw ddim hyd yn oed yn rhan o'i fyd. Yn achos Lynwen, roedd y cyfnod yn llai fyth. Roedd e'n uffernol o falch ei bod hi a fe'n siarad unwaith eto, bod eu ffrae wirion wedi ymdoddi i'r awyr fel mwg un o'i sigaréts. Cododd lond llaw o dywod a'i wylio'n llifo rhwng ei fysedd. Roedd hi'n iawn, fel arfer. Roedd yn hen bryd iddo dyfu i fyny. Fe wnâi ymholiadau am gwrs, er ei mwyn hi yn ogystal ag er ei fwyn ei hun, ond er ei fwyn ei hun yn bennaf. Ac fe gâi swydd, unrhyw beth i ddechrau. A rhyw ddydd fe anfonai'r e-bost hirddisgwyliedig ati fel y gallai hi fod yn falch ohono.

Cododd ei ben ac edrych draw dros y traeth. Roedd Tomos a Siwan wedi hen droi'n ôl o'u crwydro, a nawr roedden nhw'n dynesu tuag ato. Roedd Lynwen yn iawn ynghylch Siwan hefyd. Byddai'n rhaid iddo sôn wrthi am Gabriela yn hwyr neu'n hwyrach, ond dim nawr a hwythau ym mharadwys. Yn sydyn, galwodd Tomos arno a chodi ei law, ond llyncwyd ei eiriau gan yr awel. Cododd Luis ei law yntau a gwenu ar ei ddau ffrind wrth iddyn nhw ddod yn nes.

'Oedd y môr yn oer?' gofynnodd e pan oedden nhw o fewn pum metr iddo.

'Dim ond ar y dechre, ond ti'n dod yn gyfarwydd ag e'n glou. Dylset ti fod wedi dod gyda ni.'

'Dwi 'di bod efo chi ers dau ddiwrnod cyfan. Roedd angen llonydd arna i,' atebodd Luis yn bryfoclyd.

'Hy! Awn ni 'te, Siwan, a gadel i'r basdad diflas bydru ar ei ben ei hun ar dra'th Maenorbŷr, achos 'sdim lle iddo fe yn 'y nghar i ar ôl gweud 'na! Fydd neb yn gweld ei ishe fe. Fydd neb hyd yn oed yn sylwi 'i fod e'n dal yma.'

'Mae'n amlwg 'i fod e wedi blino arnon ni erbyn hyn. Mae e eisoes yn troi'i olygon i gyfeiriad Buenos Aires,' parhaodd Siwan a dal llygaid Luis. Edrychodd e arni eiliad yn rhy hir cyn troi i ffwrdd.

'Pwy ddeudest ti oedd yn arfer byw yn y castell 'na tu ôl inni?' gofynnodd e i Tomos.

'Gerallt Gymro. Fe gas ei eni yno amser maith, maith yn ôl. O'dd e'n dipyn o foi yn ei ddydd. A'th e ar dramp trwy Gymru yn yr Oesoedd Canol a sgrifennu lot o bethe am y wlad a'r bobol. Fe oedd ein twrist swyddogol cynta.'

'Sori?'

'Twrist. Rhwbeth yn debyg i ti, *gaucho.*'

'Ond 'mod i heb gael 'y ngeni amser maith, maith yn ôl.'

'Sa i'n gwbod. Ti'n lot henach na ni'n dou!' Ar hynny, cododd Luis lond llaw o dywod a'i daflu atyn nhw.

'Gerallt...dyna enw dy dad dithe hefyd, ondefe?' gofynnodd Siwan gan droi at Tomos.

'Ie, dyna ti.'

'Mae e'n ddyn neis. Dwi'n falch 'mod i 'di cwrdd ag e. Mae e'n wahanol iawn i Rolant.'

'Ond mae Rolant yn foi neis hef–'

'Na, nid dyna on i'n feddwl. Roedd hwnna'n swnio'n ofnadwy. Daeth e mas yn rong. Mae Rolant yn hyfryd, ond mae e'n wahanol iawn i dy dad. Mae dy dad yn dawel,' ychwanegodd Siwan yn frysiog.

'Ydy. Mae e wedi dysgu bod yn dawel. 'Sdim lle i ddou berson penstiff yn yr un teulu.'

'Pwy yw'r llall?'

'Nage fi.'

Gwenodd Siwan a mynd i eistedd wrth ochr Luis ar y tywod sych. 'Tynnu ar ôl dy dad wyt ti, felly?'

'Mae o'n fwy gwyllt na'i dad. Mae o'n debycach i Rolant,' meddai Luis ar eu traws. 'Siaradus a llawn–'

'*Gaucho,* faint o'r gloch mae dy deulu yn Rhydaman yn dy ddisgwyl di?'

'Mae'n rhyfedd dy glywed ti'n sôn amdanyn nhw fel 'y nheulu. Dwi erioed wedi'u gweld nhw.'

'Ond dyna ŷn nhw,' mynnodd Tomos.

'Ie, mae'n debyg. Chwarae teg i Meryl am helpu i ddod o hyd iddyn nhw.'

'Felly, faint o'r gloch?'

'Chwech.'

'Well inni feddwl am fynd 'te.'

'Fydd ots gyda nhw bod Tomos a fi'n dod gyda ti?' gofynnodd Siwan.

'Dwi ddim yn gweld pam lai, ond deudwch chi. Chi sy'n nabod eich cyd-Gymry ore.'

'Wyt ti'n nerfus?'

Edrychodd Luis ar Siwan ond ni chynigiodd ateb. Funud yn ddiweddarach, gadawon nhw'r traeth a cherdded yn ôl at y car er mwyn cychwyn ar y daith i Rydaman.

*

Heblaw am Gwyn Davies, ei wraig Mair, a Scott eu mab, ni allai Luis gofio enwau neb arall. Roedd yn agos i ugain o bobl yn sefyllian yng ngardd Gwyn a Mair bellach ac roedd pob un, ar wahân i Tomos a Siwan, yn perthyn iddo fe, o bell bid siŵr ond, yn ôl Gwyn, roedden nhw i gyd yn dylwyth.

'Ti'n dipyn o seléb,' meddai Tomos ar ôl iddyn nhw gael ennyd o lonydd gan y teulu estynedig, afieithus.

'Go brin 'u bod nhw i gyd wedi dod yma jest er mwyn 'y ngweld i,' atebodd Luis yn wylaidd.

'Wel, pwy arall 'te? Dwi'n gwbod 'yn bod ni'n fusneslyd fel cenedl ond mae hyn yn dipyn o deyrnged i ti, ti ddim yn meddwl? Nid bob dydd byddwn ni'n cael cyfle i gwrdd â rhywun egsotig o ochr arall y byd,' cellweiriodd Siwan.

'Rwyt ti 'di newid dy gân. Felly, rwyt ti'n cyfadde o'r diwedd 'mod i'n egsotig. Nid jest fy acen i fel o'r blaen? Mae hi 'di cymryd tri mis iti sylweddoli hynny,' atebodd Luis fel bwled a chnoi ar y byrgar anferth yn ei law.

'Wel, falle 'mod i'n anghywir o'r blaen,' ildiodd Siwan a chodi ei haeliau.

'Plis, paid â gweud rhagor neu wy'n mynd i hwdu,' meddai Tomos cyn gwthio dau fys i mewn i'w geg a ffugio tagu.

'Jiw, beth sy'n bod, achan? 'Smo bwyd y werin yn ddigon da i ti? Paid â tynnu gwep fel 'na o fla'n Mair 'ta beth wnei di,' meddai Gwyn wrth Tomos â gwên fawr ar ei wyneb crwn.

Doedd Gwyn ddim wedi gadael i'r tri fod ar eu pennau eu hunain am fwy na munud neu ddwy ers iddyn nhw gyrraedd. Gofalai amdanyn nhw fel ceidwad yn gwarchod creiriau prin mewn amgueddfa. Nhw oedd ei gyfrifoldeb am y noson, a thrwy hynny câi yntau ei ddyrchafu i statws penteulu dros dro yng ngolwg y lleill. Roedd hi'n amlwg i Luis fod ei berthynas hoffus yn dwlu ar ei rôl newydd.

'Na, fi o'dd jest yn tynnu co's Luis.'

'Jobyn da, achos ni heb dwymo lan 'to. Mae Mair wedi prynu digon o fwyd i borthi'r pum mil. Scott! Cer â'r blydi ci 'na miwn wnei di! Mae e'n jwmpo lan yn erbyn y cig. Fe dynniff e'r blydi lot lawr ar ei ben e miwn munud. Cer â fe miwn i'r tŷ mas o'r ffordd a rho CD arall 'mla'n yn lle'r rwtsh 'ma.'

Chwarddodd y tri chyfaill am ben protestiadau Gwyn. Cofiodd Luis mai'r tro diwethaf iddo fod mewn *asado* fel hyn oedd adeg pen-blwydd ei gefnder, Nahuel, pan aeth adref i weld ei rieni yn unswydd er mwyn torri'r newyddion am ei fwriad i ymweld â Chymru. Yr adeg honno roedd e'n adnabod pawb o'i gwmpas am eu bod nhw naill ai'n deulu neu'n ffrindiau. Roedd pawb yma yn yr ardd Gymreig yn deulu neu'n ffrindiau hefyd ond, oni bai am Siwan a Tomos, mi fyddai'n ddieithryn llwyr. Roedd y cyfan yn hollol ryfeddol, meddyliodd.

'Yfwch lan,' gorchmynnodd Gwyn ac estyn am ragor o boteli cwrw o'r blwch oer wrth ei draed.

'Dim i fi, diolch, wy'n gyrru,' atebodd Tomos.

''Sdim ishe ichi 'strywo noson dda er mwyn hastu 'nôl i Ga'rdydd. I beth? 'Sdim byd yn Ga'rdydd sy ddim fan hyn yn Rhydaman – *sex*, *drugs*, *takeaways*, ma popeth i' ga'l 'ma.'

Gwenodd Tomos wrth sylwi ar y bywiogrwydd yn llygaid Gwyn. Fel arall roedd wyneb y dyn pen moel yn hollol ddifynegiant.

''Smo chi'n aros dros nos? Ma digon o le 'ma a 'sneb yn gorffod codi bore fory. Dewch 'mla'n, arhoswch.'

'Ti ydy'r gyrrwr,' meddai Luis wrth Tomos. 'Penderfyna di.'

'Ma fe'n jibo, Tomos. Ma fe'n bwrw'r penderfyniad arnat ti. Fi'n gwbod . . . beth am roi'r gair ola i'r fenyw? Nhw sy'n ca'l y gair ola fel arfer ta beth. Gwêd di, Siwan. Odych chi'n aros neu odych chi am fynd ga'tre?'

'Sa i'n gwbod . . . iawn 'te, os ti'n siŵr, arhoswn ni.'

'Diolch i Dduw am fenywod. Ma mwy o fynd ynot ti, Siwan fach, nag sy yn y ddou 'ma gyda'i gilydd.'

Gwenodd pawb.

''Se fe'n drueni mynd 'nôl heno. Ti ddim wedi cwrdd â pawb eto a ma rhai o'r rhain wedi dod o bell i dy weld di. Pan wedes i wrth y teulu fod eu cefnder 'di dod yr holl ffordd o Batagonia, on i'n ffilu cadw nhw draw. Ti'n gwbod bod rhai wedi dod bob cam o Landybïe heno,' parhaodd Gwyn yn hwyliog. Doedd Luis ddim yn siŵr sut i ymateb. Doedd ganddo ddim syniad ble roedd Llandybïe. Edrychodd yn frysiog ar wyneb Siwan a gweld ei bod hi'n gwenu.

'Pa mor bell ydy Llandybïe?' gofynnodd e ymhen ychydig.

'Dere weld nawr . . . pum munud lan yr hewl!' Ar hynny, pwniodd Gwyn ei gefnder Archentaidd ar ei ysgwydd a chwerthin yn uchel. 'Welsoch chi ei wyneb e?' Chwarddodd pawb arall unwaith eto ac yfed y cwrw oer. 'Ond *serious*, o'dd diddordeb mawr gyda nhw. Ma sawl un yn moyn gwbod beth ddigwyddodd i'r hen Arthur ar ôl mynd mas i Batagonia. Ma dy hen, hen dad-cu wedi gadel ei ôl ar y teulu 'ma, cred di fi.'

Am yr eildro o fewn llai na munud doedd Luis ddim yn siŵr sut i ymateb. Edrychodd unwaith yn rhagor ar Siwan, ond y tro hwn doedd hi ddim yn gwenu fel cynt. Cyfarfu llygaid y ddau ac roedd cytuno tawel yn yr edrychiad hwnnw. Yn sydyn, fflachiodd llun o fedd ei gyndeidiau drwy ei feddwl, ond cyn iddo gael cyfle i bendroni yn ei gylch galwodd Gwyn ar gefnder arall a'i annog i ymuno â'r criw bychan. Gwelodd Luis fod y dyn ifanc a gerddai tuag atyn nhw fwy neu lai yr un oed ag yntau, ychydig yn hŷn efallai. Roedd e, fel Gwyn, wedi colli tipyn o'i wallt ac o'r herwydd roedd e wedi siafio'i ben a gadael i'r mymryn lleiaf o farf dyfu ar ei wyneb. Gwisgai grys streipiog, tywyll a throwsus tywyll, ond ei ymarweddiad hyderus yn hytrach na'i ddillad a'i gosodai ar wahân i weddill ei deulu.

'Dylan yw brêns y teulu,' cyhoeddodd Gwyn. 'Dyma Luis a dyma Siwan a Tomos, ei ffrindie o Ga'rdydd.'

'Shwmae, neis iawn cwrdd â chi,' meddai Dylan ac ysgwyd llaw pob un yn barchus.

'Ma Dyl yn gwitho i'r papur lleol.'

Sylwodd Luis fod y newydd-ddyfodiad yn nodio'i ben y mymryn lleiaf yn ei awydd i gadarnhau cyflwyniad ei gefnder hynaws. Ar yr un pryd, gwibiai ei lygaid newyddiadurol o'r naill i'r llall gan fesur eu hymateb. Roedd yn amlwg fod Dyl yn gyfarwydd â disgwyl dogn priodol o edmygedd ar ôl cyflwyniadau o'r fath, ond pan na ddaeth hwnnw'n rhwydd ar ôl eiliad neu ddwy, penderfynodd Luis gamu i'r adwy.

'Dwi'n siŵr dy fod ti'n brysur iawn drwy'r amser,' oedd y cynnig gorau i adael ei wefusau, ond roedd yn ddigon i ddiwallu ego'r gohebydd lleol. Doedd Luis erioed wedi rhoi pwys mawr ar yr hyn a ddarllenai mewn papurau newydd. Roedd e wedi hen ddod i'r casgliad bod gan berchnogion a golygyddion y cyfryw gyhoeddiadau, mawr a mân, fwy o ddiddordeb mewn plesio darpar hysbysebwyr ac ategu rhagfarnau darllenwyr ffyddlon na'u goleuo â straeon newyddion o ansawdd, ond stori arall oedd honno.

'Beth yw dy waith di, Luis?' gofynnodd Dylan iddo.

'Mi wnes i roi'r gore i 'ngwaith mewn cartre hen bobol er

mwyn dod draw i Gymru, ond pan dwi'n mynd 'nôl dwi'n bwriadu dilyn cwrs i fod yn rheolwr.'

Ni allai Luis goelio ei fod e wedi dweud y fath beth, ond fe ddaethai'r ateb mor ddiymdrech. Nawr, fodd bynnag, llenwyd ei gorff â chywilydd. Roedd e'n swnio fel petai wedi trefnu'r cyfan yn barod a bod ganddo gynllun gofalus – llwybr gyrfaol, clir. Yn lle hynny, doedd ganddo ddim mwy nag egin syniad yn ei ben, a llond ceg o dwyll, meddyliodd. Doedd ganddo ddim clem. Roedd e'n falch nad oedd Lynwen yno'r eiliad honno i glywed ei ymffrost gwag. Ond roedd llefaru'r geiriau'n golygu bod hynny o uchelgais ag oedd ganddo yn gyhoeddus bellach, ac roedd hynny'n ei wneud yn ddi-droi'n-ôl, fel cyfaddefiad alcoholig.

'Fe wnest ti gadw hwnna i ti dy hun,' meddai Siwan yn lled-gyhuddgar.

'Sori. On i ddim wedi meddwl cuddio dim byd wrth neb.'

'Ma digon o guddio wedi bod yn y teulu 'ma'n barod,' meddai Dylan ac edrych i fyw llygaid ei gefnder o bant. 'Bydde Mam-gu wedi dwlu cwrdd â ti, Luis. Bydde hi wedi holi dy berfedd am Arthur Philips.'

'Mam-gu Dylan o'dd ceidwad hanes y teulu. Anti Magi o'dd pawb yn arfer 'i galw hi,' meddai Gwyn.

'Dwi ddim yn gwbod llawer amdano fo, mae arna i ofn. Yn ôl fy mam, roedd o'n gweithio ar adeiladu rheilffordd Dyffryn Camwy ar un adeg a setlo wedyn yn ardal Trelew. Fan 'na briododd o a cael plant, am wn i. Mam fase'n gwbod ei hanes o.'

'O's gyda ti lot o berthnase draw ym Mhatagonia 'te?'

'Tipyn, oes. Rhwng ochr Mam ac ochr Dad.'

'A ma nhw i gyd yn siarad Cymraeg?'

'Nac ydyn, ddim o bell ffordd. Mae rhai o oedran fy rhieni'n siarad yr iaith, ac ambell gefnder, ac mae Eduardo'n gallu deud tipyn go lew. Fo ydy 'mrawd i.'

'Ac Arthur o'dd yn gyfrifol amdanyn nhw i gyd?'

'Wel, fo a'i wraig! Ac fel deudais i, mae llawer yn perthyn i ochr fy nhad hefyd.'

'Jiawl, un da o'dd yr hen Arthur am blannu'i had,' meddai Dylan gan anwybyddu cywiriad blaenorol Luis.

'Rhagor o fwyd!' cyhoeddodd Gwyn. 'Ac wy'n gweld bod Rhiannon a Geraint newydd gyrraedd hefyd. Dewch draw fan hyn 'da fi i weud hylô. Mair, 'le ma Scott â rhagor o sosejys? Ma'r tri 'ma'n starfo!'

Ar hynny, arweiniodd Gwyn y tri ymwelydd o Gaerdydd i gyfeiriad drws y patio a gadael y newyddiadurwr ar ei ben ei hun yng nghornel yr ardd. Ceisiodd Luis ystyried geiriau diwethaf Dylan, ond nawr roedd e ar ei ffordd i gwrdd â dau arall o'i deulu diddiwedd, felly gwthiodd ei sylwadau i gefn ei feddwl a chanolbwyntio ar y dasg nesaf. Roedd hi wedi tywyllu erbyn hyn ond, gyda help y golau o'r lolfa a lifai allan i'r patio, gallai weld mai menyw yn ei thridegau hwyr oedd Rhiannon. Gwelodd hefyd ei bod hi'n hardd. Camodd tuag ati a'i chusanu ar ei boch cyn troi at y llanc.

'A hwn yw Geraint,' meddai Gwyn.

Gwibiodd llygaid Luis rhwng y bachgen a Tomos, ond roedd wyneb hwnnw'n syfrdan.

'*Hola*, Geraint. Braf iawn cyfarfod â ti unwaith eto,' meddai Luis a gwenu ar y llanc. Gwenodd Geraint yn ôl yn ansicr ac estyn ei law iddo.

'Sa i'n deall,' meddai Rhiannon ac edrych ar ei mab am eglurhad.

'Fe gwrddon ni yn y dre pwy ddiwrnod. Ti'n cofio, diwrnod y glaw mawr, amser detho i adre'n socan o'r ysgol.'

'Ond doedden ni ddim yn gwbod tan eiliad yn ôl ein bod ni'n perthyn,' ychwanegodd Luis.

Pennod 19

Eistedd gyda'i gilydd wrth y bwrdd bach crwn ar y patio roedd Luis a Gwyn pan gamodd Siwan trwy'r drws gwydr, agored a chroesi'r fflags concrid i ymuno â nhw. Yn ei llaw daliai gwpanaid o de.

'Bore da,' meddai wrth y ddau gefnder. 'Diwrnod braf arall. Beth sy'n digwydd i'r hen wlad 'ma?'

'Bore da, Siwan fach. Ody, mae'n fore hyfryd ond sa i'n credu bariff hi'n hir. Edrych ar yr hen gymyle'n crynhoi draw i'r de-orllewin. Bydd dagre ar ruddie Mynydd y Betws cyn diwedd y dydd, elli di fentro. Jobyn da 'bod ni wedi ca'l ein barbeciw nithwr.'

Eisteddodd Siwan gyferbyn â Luis a chrychu ei thrwyn oherwydd bod yr haul yn ei dallu. 'Mae rhywun wedi bod yn brysur 'ma,' meddai hi wrth sylwi bod yr ardd fel pìn mewn papur unwaith eto ar ôl miri'r noson cynt.

'Ces i help llaw 'da Luis, whare teg,' meddai Gwyn. 'Mae e'n withwr bach da. Joiest ti'r barbeciw?'

'Do, yn fawr iawn. Dwi'n falch 'bod ni wedi aros. Roedd hi'n neis cwrdd â phawb a gweld Luis yng nghanol ei holl gefndryd a chyfnitheroedd. Bydde Arthur Philips wedi bod yn browd iawn o'i deulu.'

Aros yn dawel wnaeth y ddau gefnder, heb ymateb i sylwadau anogol Siwan.

'Bechod 'bod ni'n methu bod mor browd ohono **fo**,'

atebodd Luis o'r diwedd. Edrychodd e arni a chodi ei aeliau'n awgrymog.

'Dyna weud mawr, señor Richards. Mas â fe, paid â bod mor ddirgel. Dwyt ti o bawb ddim angen trics fel 'na i fod yn ddiddorol,' meddai Siwan a gwenu.

'"Diddorol" ddeudest ti? Dwi 'di bod yn clywed bob math o bethe "diddorol" am Arthur Philips gan Gwyn. Roeddet ti'n berffaith iawn pan ddeudest ti mai hen gi oedd o.'

'Beth wna'th iti weud hynny, Siwan?' gofynnodd Gwyn â golwg ddryslyd ar ei wyneb.

'Dim ond jocan on i ar y pryd, er mwyn corddi dy gefnder. Malu awyr on i, dyna i gyd.' Gwibiodd ei llygaid draw i gyfeiriad Luis, ond edrych ar y bwrdd o'i flaen a wnâi hwnnw gan osgoi ei hedrychiad yn fwriadol.

'Wel, roeddet ti yn llygad dy le. Arhoswch nes 'mod i'n deud wrth Elvina. Mi geith hi haint, achos oddi ar dwi'n gallu cofio mae Mam wastad wedi sôn am Iesu Grist ac Arthur Philips efo'r un lefel o edmygedd digwestiwn os nad cariad pur!' Gwenodd y tri.

'Wel? Wyt ti'n mynd i weud wrtha i beth wnaeth e i haeddu cael ei alw'n hen gi?' Pwysodd Siwan ymlaen yn ddisgwylgar yn ei chadair.

'Mi ddaru o dorri calon rhywun arall hefyd, nid jest ei fam a'i dad. Deuda di'r hanes, Gwyn.'

'Wna'th Anti Magi erio'd faddau iddo fe, ond ar yr un pryd roedd hi'n ffilu gadel llonydd iddo fe chwaith. Dyna pam wedodd Dylan nithwr y bydde hi wedi dwlu siarad â ti, Luis. Roedd hi wedi ca'l ei swyno 'da fe. Dyna apêl bechgyn drwg drw'r canrifoedd, mae'n debyg. Ti'n gweld, amser gadawodd Arthur Philips i fynd i Batagonia, nid mynd jest er mwyn dechre bywyd newydd wna'th e . . . wel, nage fel y rhai erill a'th mas ta beth. Do'dd crefydd na politics ddim yn rhan o'i resyme fe. Rhedeg bant wna'th Arthur Philips ar ôl ffindo mas bod merch leol yn dishgwl ei fabi.' Ar hynny, eisteddodd Gwyn yn ôl yn ei gadair a nodio'i ben yn araf i ategu ei newyddion mawr. 'Nawr 'te.'

'Wel, yr hen ddiawl,' meddai Siwan.

'Hen gi oedd o eiliad yn ôl,' gwamalodd Luis.

'O'dd ei enw fe'n faw ymhlith y teulu am amser hir,' ychwanegodd Gwyn cyn i Siwan gael cyfle i ymateb i ysgafnder Luis.

'Sa i'n synnu.'

'Dwi'n siŵr nad fo oedd yr unig un i ddianc i'r Wladfa am resyme amheus, cofiwch. Rhaid bod 'na gyfrinache diddorol y tu ôl i sawl un o'r wynebe hir, Calfinaidd mae dyn yn eu gweld yn yr hen ffotos,' cellweiriodd Luis. 'Dwi'n deud wrthoch chi, mae Mam yn mynd i gael y fath sioc pan glywith hi fod sylfaenydd ei llinach arwrol ddim hanner mor arwrol wedi'r cyfan a'i fod o wedi piso ar obeithion merch o Gymru.'

'Pwy oedd hi, Gwyn, a beth ddigwyddodd iddi?' gofynnodd Siwan yn ddiffuant.

'Dewch, wy'n moyn dangos rhwbeth ichi,' atebodd hwnnw a chodi ar ei draed.

Cododd Luis a Siwan yn beiriannol er nad oedd ganddyn nhw fawr o syniad beth i'w ddisgwyl nesaf.

'Mair! Ni'n mynd am dro. Fyddwn ni ddim yn hir,' galwodd Gwyn ac arwain y ddau arall at glwyd yr ardd.

'Beth am Tomos?' gofynnodd Luis ac edrych yn ansicr ar Siwan wrth i'r ddau ddilyn Gwyn allan i'r lôn gefn.

'Jiw, gad e yn y gwely. Os yw e rwbeth yn debyg i'r mab pwdwr 'na sy 'da fi, weliff e ddim gole dydd tan ar ôl amser cino. 'Sdim blydi rhyfedd bod dim job 'da Scott ni. Ma fe lan 'sbo dou a tri o'r gloch y bore'n watsio rwtsh ar y teledu a ma fe'n synnu wedyn 'fod e wedi blino gormod i whilo am waith. Dim bod lot o waith i bobol ifanc ffor hyn.'

Gwenodd Luis a Siwan y tu ôl i'w gefn.

'Walle bod Arthur Philips yn gachwr ond o leia o'dd digon o fynd ynddo fe i ddianc i Batagonia mas o'r ffordd. Bydde Scott ni wedi colli'r blydi llong!'

*

Sylweddolodd Luis a Siwan ymhell cyn iddyn nhw gyrraedd y fynwent mai i'r fan honno roedd Gwyn yn mynd â nhw, er gwaethaf ei ymdrechion i gynnal drama'r foment trwy wrthod datgelu rhagor ar y ffordd yno. Nawr, fodd bynnag, a hwythau'n cerdded ar hyd y pafin cul wrth ochr y wal a wahanai'r meirw rhag y byw, gorfu i Luis gyfaddef bod strategaeth ei gefnder wedi llwyddo. Curai ei galon fel gordd wrth iddo ddynesu at gât y fynwent. Ni wyddai pam, achos beth bynnag a wnaeth ei hen, hen dad-cu doedd a wnelo hynny ddim oll â fe, Luis, dros ganrif yn ddiweddarach. *Y mab ni ddwg anwiredd y tad.* Eto, er ei waethaf, teimlai ryw elfen o gyfrifoldeb yn gymysg â chwilfrydedd.

Gwthiodd Gwyn y gât haearn, hen ffasiwn a'i dal ar agor er mwyn i Siwan a Luis gamu heibio iddo ac i mewn i'r fynwent fach. Edrychodd Luis yn reddfol draw i'r ardal lle roedd bedd ei deulu. Y blodau melyn a ososdodd e wrth y garreg ddoe cyn mynd i chwilio am gartref Gwyn oedd yr unig liw llachar yng nghanol môr o gerrig beddau llwyd a du. Ffarwel haf a ddewisodd e am ei fod yn hoffi'r enw Cymraeg. Cofiodd y boddhad a gafodd o roi'r blodau fesul un yn y pot bach â thyllau yn y clawr, ac o ysgrifennu ar y cerdyn fel yr addawsai i'w fam. Ddoe bu'r weithred bersonol honno'n un sicr ac yn llawn arwyddocâd a phrin ei fod e wedi rhagweld y byddai un tro arall yn ei bererindod.

'Jiw, 'sdim blode wedi bod ar fedd yr hen bobol ers i Anti Magi farw wyth mlynedd yn ôl,' meddai Gwyn gan blygu i ddarllen y cerdyn. "Cariad mawr oddi wrth eich teulu ym Mhatagonia." Ti sy wedi'u rhoi nhw.'

'Daethon ni yma ddoe ar y ffordd i'ch tŷ chi.'

'Whare teg i chi.'

'Maen nhw'n deulu i fi hefyd, cofia. On i isho gwneud.'

Edrychodd y ddau gefnder ar ei gilydd cyn i Luis fynd i blygu wrth ochr y garreg yn union fel Gwyn.

'Y tro cynta imi weld eu bedd on i'n methu deall y busnes torri calon. On i'n amau bod mwy iddo fo gan 'u bod nhw wedi marw o fewn misoedd i'w gilydd, a rŵan 'dan ni'n gwbod,' meddai Luis.

'Ie, Arthur dorrodd eu calonne reit i wala. Dychmyga'r cywilydd . . . a'r golled.'

'Colled am 'i fod o wedi gadael Cymru? Be ti'n feddwl?'

'Dewch draw fan hyn.'

Ymsythodd Gwyn a dechrau cerdded ar hyd y rhes o feddau nes dod i stop wrth garreg ychydig yn llai na'r lleill. 'Dyma'r golled,' ychwanegodd.

Closiodd y ddau arall at y garreg syml a syllu ar y geiriau. Roedd y llythrennau'n llai cain na'r rheini ar fedd ei deulu, sylwodd Luis. Edrychodd yn frysiog ar Siwan wrth ei ochr a gweld bod ei llygaid yn llenwi. Hi, er hynny, a ddarllenodd yr arysgrif yn uchel. "'Er Cof Annwyl am Catherine Lloyd, merch William ac Elizabeth a chwaer i Arianwen. Hunodd 10 Chwefror 1882 yn 18 mlwydd oed.'"

'Hon oedd y ferch?' gofynnodd Luis.

'Hon oedd hi.'

'O Luis, dim ond deunaw oed. Mae'n ddirdynnol.'

'Mae'n drist ofnadw,' meddai Gwyn. 'Felly, chi'n gweld nawr pam bod Arthur ddim yn boblogaidd iawn gyda'i deulu. Dyna pam o'dd Anti Magi'n ffilu maddau iddo fe. Achosodd e lot o lo's a lot o gywilydd.'

Sefyll yn llonydd wnaeth Luis, heb dynnu ei lygaid oddi ar y garreg fedd. Astudiodd yr enwau a'r dyddiadau. Fe'u darllenodd dro ar ôl tro. Roedden nhw'n gwneud synnwyr, ac eto doedd dim byd yn gwneud synnwyr mwyach. Roedd holl straeon ei fam wedi cael eu troi ben i waered. Allai fe ddim dweud wrthi. Gwell cadw'r celwydd yn fyw na thorri calon arall.

'Wyt ti'n gwbod sut buodd hi farw?' gofynnodd e i Gwyn yn y man.

''Sneb yn berffaith sicr, ond y sôn yw 'bod hi wedi lladd ei hun rai misoedd ar ôl rhoi genedigaeth i'r un fach. 'Sdim dal beth ddigwyddodd. Ti'n gwbod shwd o'dd hi yn y dyddie 'ny. Bydden nhw wedi gwneud popeth i gwato'r gwirionedd. Dyna'r stori o'dd ar led am flynydde, ond erbyn hyn ma pobol wedi hen roi'r gore i siarad am Catherine Lloyd, druan. Mae'n debyg 'bod hi erio'd wedi dod dros y ffaith bod Arthur wedi mynd a'i gadel. Roedd e'n beth mawr yr adeg honno. Mae'n beth mawr o hyd, ond yn wa'th o lawer bryd hynny.'

'Felly dyna ystyr "Torcalon a'u llethodd",' meddai Siwan.

'Ie, dyna ti. Roedd y cyfan yn ormod iddyn nhw. Fe gollon nhw Arthur – a Catherine hefyd – a cheson nhw ddim 'nabod eu hwyres fach. Mae hynny'n ddigon i dorri'r galon galeta.'

'Beth ddigwyddodd i'r plentyn?'

'Dyma hi'r plentyn – Arianwen. Nid "chwaer" Catherine, fel mae'n ei weud ar y bedd, ond ei merch o'dd Arianwen – plentyn Arthur – ac fe gas ei magu gan rieni Catherine fel eu plentyn nhw. Flynydde'n ddiweddarach, symudodd hi o'r ardal i fynd i witho yn un o'r tai mawr yn Abertawe.'

'Mae e fel rhwbeth mas o lyfr. Mae mor drist,' meddai Siwan.

'Arianwen. Mae'n debyg i Ariannin,' meddai Luis a rhedeg ei fys dros yr enw.

*

Bu Luis yn dadlau ag e ei hun tan yr eiliad olaf un, hyd nes iddo glywed y ffôn yn canu yn y pen arall, ai peth call fyddai datgelu'r newyddion diweddaraf wrth ei fam. Roedd hi wedi treulio oes gyfan yn pedlera dewrder a chywirdeb Arthur Philips, a'i rôl fel penteulu Patagonaidd. Pa ddiben oedd mewn gwyrdroi'r ddelwedd honno? Er gwaethaf yr hyn a ddywedodd Dylan am gelwydd neithiwr, roedd angen dogn o ragrith weithiau. Ond roedd hyn yn wahanol. Roedd yn sylfaenol i'r hyn oedden nhw ac o ble roedden nhw'n dod. Ond nid eu cywilydd nhw oedd e. Doedd dim modd newid y gorffennol a'r drwg roedd rhywun arall wedi ei wneud. *Y mab ni ddwg anwiredd y tad.* Byddai ei fam, o bawb, yn cyd-fynd â hynny. Eto, roedd apêl euogrwydd dilyffethair wastad wedi bod yn anodd ei wrthod i rywun o'i hanian hi. Yn y diwedd, cawsai ei synnu gan ei hymateb diemosiwn.

'Mae'n bryd iti ddod adre, Luis, cyn iti ddarganfod rhwbeth arall.'

'Paid â phoeni, does dim byd arall i' ddarganfod. Mi ddigwyddodd y cyfan mor bell yn ôl.'

'Do, ac mor bell i ffwrdd. Catherine Lloyd. Y peth bach. Mae'n sobor o drist. Ac i feddwl nad oedd neb fan hyn yn gwbod dim oll amdani hi nac am beth wnaeth Arthur Philips.'

'Wyt ti'n iawn?'

'Ydw, siŵr. Ond mae'n rhyfedd clywed yr hanes hefyd. Pwy fase'n meddwl bod rhywun mor ddi-asgwrn-cefn yn ein teulu ni?'

'Wel, dyna fo yndê. Mae 'na ddihiryn ym mhob teulu.'

'Oes, mae'n debyg.'

Clywodd Luis ei fam yn chwerthin yn dawel ar ben arall y ffôn a cheisiodd ddychmygu'r un sgwrs ychydig flynyddoedd yn ôl. Roedd hi wedi symud yn ei blaen gymaint ers y rhwyg a achoswyd pan aeth e gyntaf i'r brifddinas.

'A sut oedden nhw efo ti, Luis? Doedden nhw ddim yn dal dig?'

'Pwy?'

'Wel, dy gefndryd, siŵr iawn.'

'Duwcs, nac oedden. Roedden nhw'n hyfryd. Maen nhw'n bobol annwyl iawn. Ceson ni *asado* a daeth dege ar ddege ohonyn nhw i gwrdd â fi. Roedd hi'n anhygoel. Mae Gwyn isho dy gyfeiriad er mwyn sgrifennu atat ti.'

'Gwyn? Pwy ydy Gwyn?'

'Un o'r cefndryd. Yn ei gartre fo a'i wraig roedd yr *asado*.

Maen nhw'n deud bod croeso ichi ddod draw i aros efo nhw pryd bynnag 'dach chi isho.'

'Wir?'

'Wir.'

Gwyddai Luis nad oedd ei fam erioed wedi teithio ymhellach na Buenos Aires tua'r gogledd a'r Perito Moreno yn y de, ond yn ei dychymyg roedd hi wedi ymweld â Chymru lawer gwaith. 'Mae gen i lot o ffotos. Wna i eu hanfon nhw atat ti ar y *computadora*,' meddai wrthi.

'Na, paid â gwneud hynny. Tyrd adre. Dwi isho bod efo ti pan fyddi di'n mynd drwy bob un.'

Pennod 20

PWYSODD LUIS ei dalcen yn erbyn ffenest fach yr awyren hanner llawn a rhythu ar wyrddni tir Cymru'n mynd yn llai ac yn llai. Ymhen ychydig funudau âi drwy'r cymylau ac âi'r wlad oddi tano o'r golwg, ei antur fawr ar ben. Roedd e'n mynd adref. At beth yn hollol, ni wyddai. Teimlai'n chwil, yn rhannol oherwydd yr hyn a'i disgwyliai, ac yn rhannol am na chawsai reoli'r ffarwél fel roedd e wedi ei ragweld. Fe ddaethai hwnnw'n sydyn yn y diwedd. Lawer gwaith yn ystod yr wythnosau diwethaf, boed ar draeth yn Sir Benfro wrth wylio Siwan a Tomos yn cerdded oddi wrtho neu wrth ildio i fwlian mamol Lynwen, roedd e wedi dychmygu ymadawiad gofalus, rhyw ymollwng graddol gyda geiriau a defodau llwythog, llawn arwyddocâd. Ond unwaith y daeth yr alwad ffôn, bu'n sydyn a di-drefn. Adrenalin ac ofn a'i cadwodd i fynd a'i helpu i ddod drwy'r dyddiau diwethaf, a nawr roedd e ar ei ffordd, ei hirdaith newydd ar gychwyn.

Cyrhaeddon nhw'r maes awyr yn gynnar er mwyn peidio â gorfod rhuthro dim, fel petai treulio mwy o amser gyda'i gilydd yn yfed coffi diwydiannol mewn man cyhoeddus, amhersonol yn mynd i ffugio'r anorfod a'i wneud yn llai poenus. Roedd pob un ohonyn nhw'n ffugio i ryw raddau, sylweddolodd Luis. Tomos oedd y lleiaf cynnil, gyda'i siarad di-baid a'i fygythiadau hwyliog ynglŷn â glanio'n ddirybudd ar stepen ei ddrws yn Buenos Aires cyn iddo fe, Luis, gael cyfle i gyfnewid ei bunnoedd am *pesos* unwaith eto. Ond derbyniai pawb mai dyna oedd rôl ei ffrind. Myfyrgar oedd steil Siwan ac, os oedd hi'n magu unrhyw lygedyn o ddicter, ni ddangosodd unrhyw arwydd o hynny. Ond Lynwen a dorrodd ei galon. Bu'n anarferol o dawel drwy gydol y daith i'r maes awyr yng nghar Tomos. Mynnodd eistedd ar ei bwys yn y cefn, ei llaw yn gwasgu ei law yntau, ond prin y gallai edrych arno heb i'w llygaid lenwi wrth iddyn nhw sipian eu diod yn y caffi i fyny'r grisiau wrth ddisgwyl y cyhoeddiad y byddai'r awyren i Baris yn gadael cyn hir. Arhosodd e tan y funud olaf un cyn codi a'u cofleidio a chroesi'r ffin anweledig i dir neb.

Gweld y tri ohonyn nhw'n sefyll yr ochr arall i'r pared gwydr oedd waethaf. Y rhain oedd y bobl a'i derbyniodd i'w byd a chynnig achubiaeth iddo yn eu gwahanol ffyrdd, a nawr roedd e'n eu gadael. Edrychodd ar wyneb pob un yn ei dro er mwyn ceisio tynnu llun a'i storio yng nghyfrifiadur ei feddwl fel y gallai glicio arno pan fyddai'r angen yn codi. Am ba hyd y llwyddai i'w cadw yn ei ben? Yna, cododd ei law a'i orfodi ei hun i wenu'n hael cyn rhuthro ar hyd y coridor hir at yr awyren.

Roedd e'n falch bod yr awyren yn hanner gwag. Fe gafodd ei sedd wrth y ffenest o'r diwedd, ond doedd fawr o bleser yn hynny y tro hwn. Yn bwysicach na dim, cafodd eistedd ar ei ben ei hun heb orfod esgus bod yn gymdeithasol a chynnal sgwrs ddi-fudd â rhywun diarth wrth ei ochr. Yna, cofiodd nad felly y bu gyda Siwan chwaith ar gychwyn ei antur, a gwenodd yn wan. Sylwodd fod y merched yn eu lifrai glas a gwyn yn dechrau ymbrysuro ym mhen blaen yr awyren a chaeodd ei lygaid er mwyn canolbwyntio ar ei gyfrifoldebau ei hun.

Roedd e'n mynd i fod yn dad.

Clywodd lais Gabriela'n atseinio yn ei ben fel petai hi newydd ei ffonio. Doedd hi ddim yn hawdd anghofio galwad o'r fath. Oedd, roedd hi'n berffaith siŵr. Eu noson fawr cyn iddo adael am Gymru. Doedd dim amheuaeth. Roedd e'n mynd i fod yn dad! Anghrediniaeth i ddechrau. Yna, chwerthin. Cofiodd sut y buon nhw'n chwerthin fel ffyliaid am funudau lawer nes i'r ofn afael ynddyn nhw ill dau a'u callio. Hi a awgrymodd na fyddai'n rhaid iddyn nhw gyd-fyw o reidrwydd, os nad oedd e eisiau. Fe barchai ei annibyniaeth, meddai, ond roedd hi am i'r babi adnabod ei dad.

Cafodd ei frifo ar y cychwyn, cyn tawelu ac ystyried yr hyn a ddywedodd hi. Ai gwarchod ei hannibyniaeth ei hun roedd hi, a'i hysbysu drwy gyfrwng cyfleus y ffôn nad oedd hi am rannu ei byd i gyd ag e? Bwrw ymlaen fel cynt. Tan nawr, dyna fu swm a sylwedd eu perthynas a gellid dadlau mai dyna pam roedd y berthynas honno wedi para mor iach. Ond nid yr un dyn oedd e erbyn hyn, ac efallai ei bod hi'n bryd i'w carwriaeth achlysurol droi'n rhywbeth mwy. Pan ddywedodd e hynny wrthi arhosodd hi'n dawel, ond wnaeth hi ddim tynnu'n groes. Roedd e'n benderfynol o fagu ei blentyn.

Aeth e ddim yn ôl i gysgu er nad oedd yr adar wedi dechrau canu eto. Gorweddodd yn nhywyllwch ei ystafell anhyfryd am oriau ar ôl i lais Gabriela ddiflannu. Roedd e'n mynd i fod yn dad ac roedd ei fabi'n araf ymffurfio filoedd o gilometrau i ffwrdd. Babi. Teimlodd ei stumog yn tynhau. Ceisiodd ddychmygu ymateb Arthur Philips pan glywodd hwnnw gyntaf y newydd gan Catherine Lloyd. Ai ofn a'i gyrrodd yntau ymhell o fro ei febyd, yn erbyn y llif ac yn erbyn ei ewyllys o bosib, pan oedd miloedd yn heidio i'r Rhydaman newyddanedig honno yn y gobaith o gael gwaith i gynnal eu teuluoedd? Roedd ofn yn rym anodd ei ddofi. A beth ddywedai Siwan? A fyddai'n haws sôn am Gabriela nawr? Ai bastard twyllodrus fyddai fe am byth yn ei golwg? Ond roedd popeth wedi newid bellach. Ni wyddai ar y pryd yr hyn a wyddai nawr. Nid twyllwr mohono. Câi Lynwen sioc, os nad oedd hi'n gwybod yn barod. Un felly oedd hi. Lynwen a'i grymoedd cyntefig. Wedyn, ei fam . . .

Agorodd ei lygaid led y pen a chodi ar ei eistedd yn y gwely pantiog. Cliciodd ar ei ffôn symudol a gweld ei bod hi'n tynnu am chwech o'r gloch. Rhedodd ei fysedd drwy ei wallt. Roedd ganddo ben tost ac roedd ei lwnc bron â chau. Cyneuodd y golau bach wrth erchwyn y gwely a gwisgo'i jîns a'i sanau. Tynnodd grys-T dros ei ben ac yna'r unig siwmper a ddaethai gydag e ar ei daith. Roedd e'n oer am ei fod e wedi blino ac am fod yr ystafell hefyd yn oer nawr bod y tywydd wedi troi. Ymbalfalodd am ei allwedd a mynd i chwilio am gysur cwpanaid o goffi yng nghegin fawr Lynwen.

Pan gerddodd e i mewn trwy'r drws agored roedd Lynwen wrthi'n barod yn paratoi ar gyfer y don gyntaf o ymwelwyr a fyddai'n dod i gael brecwast maes o law. 'Yffarn, ma rhywun wedi cwnnu'n gynnar. Beth sy'n bod? Wedi glychu'r gwely?' Dododd Lynwen y lletwad i orffwys ar blât wrth ochr y stôf fawr haearn a throdd i astudio'i gwestai o ochr arall y byd. 'Ma golwg y diawl arnat ti. Ti'n dost?' gofynnodd.

'Wnes i ddim cysgu'n dda,' atebodd Luis, ond roedd hi'n amlwg iddo na fyddai dweud cyn lleied â hynny'n ddigon i rywun fel Lynwen. 'Ffoniodd Gabriela yn ystod y nos. Dydy hi ddim mor hwyr draw fan 'na ac mae'n hawdd anghofio faint o'r . . . Lynwen, ffoniodd hi i ddeud 'i bod hi'n disgwyl babi . . . ein babi ni.'

Ni symudodd Lynwen yr un gewyn, dim ond syllu arno. Edrychodd yntau'n ddwfn i'w llygaid. Am beth y chwiliai, ni wyddai. Cydymdeimlad? Cerydd? Cyngor? Yna dechreuodd gerdded yn araf ar draws llawr y gegin tuag ati. Doedd e erioed wedi ei gweld hi'n crio o'r blaen ond, wrth iddo ddod yn nes, roedd hi'n anodd anwybyddu'r ddau ddeigryn oedd yn araf lifo trwy'r colur ar ei hwyneb. Taflodd ei freichiau amdani a'i thynnu tuag ato. Teimlodd ei breichiau hithau'n cau am ei gefn a'i ddal yn dynn.

'Sori.'

'Sori? Beth sy'n bod arnat ti'r dwlbyn? Paid â gweud sori. Ti'n mynd i fod yn dad ac wy'n ffilu meddwl am neb gwell na ti.'

Ymryddhaodd Lynwen o'i afael ac edrych arno. Gwenai trwy ei dagrau. Yna fe'i tynnodd tuag ati unwaith eto a'i gusanu ar ei wefusau.

'Pan weles i ti'n crio on i'n meddwl . . .'

'Paid â bod mor blydi sofft. Dyma'r peth gora glywas i ers blynydda.'

'Ti'n meddwl?'

'Pam 'te? Ti ddim yn cytuno? Achos fe ddylet ti fod yn 'apus dros ben, Luis.'

'Ydw, dwi'n hapus, ond mae ofn arna i, Lynwen.'

'Wrth gwrs bod ofan arnat ti. Mae'n naturiol. Ond ma ofan yn beth dinistriol. Mae'n gweld gwendid ac mae'n cytsio yn rhywun ac yn ffynnu ar y gwendid 'na. Paid â gatel i ofan gytsio yndot ti, Luis. Dyna o'dd 'y nghamsyniad i.'

Erbyn hyn roedd y ddau wedi symud i eistedd gyferbyn â'i gilydd wrth fwrdd y gegin, arena sawl sgwrs fawr ers iddo ddod i aros ym Mrynhyfryd. Yr eiliad honno, fodd bynnag, synhwyrai Luis ei fod ar fin cael ei dywys i diriogaeth newydd sbon.

'On inna'n erfyn babi unwaith, amsar maith yn ôl, ond dda'th dim byd ohono fe.' Stopiodd Lynwen i gynnau sigarét a sugno'r mwg yn ddwfn i'w hysgyfaint. 'Bydde fe'r un oedran â ti nawr, fwy neu lai. Blwyddyn yn ifancach walle. Wy'n gweud "fe" ond sa i'n gwpod yn bendant. Eto i gyd, roedd e'n timlo fel crwtyn rywsut.' Stopiodd hi unwaith eto a thynnu ar ei sigarét fel cynt. 'Bachan o'r enw Jake o'dd y tad. On i'n ei addoli fe. Yn ystod y flwyddyn buon ni gyta'n gilydd ceson ni lot o sbort, ond yna, ffindas i bo fi'n erfyn ei fabi. On i ddim yn gwpod shwt i weu'tho fe ar y dechra na shwt bydde fe'n ymateb. On i ddim yn gwpod shwt on i'n timlo'n 'unan. Ond ar ôl becso am ddyddia ffindas i'r geira a darllenas i ei wynab, a miwn tu fiwn on i'n gwpod yn syth. On i'n iawn 'efyd achos dda'th Jake ddim sha thre y noswa'th 'ny. Dda'th e byth 'nôl. On i'n ifanc ac ar 'y mhen 'yn 'unan ac o'dd shwt ofan arna i, Luis.'

Cododd Luis ei olygon ac edrych ar wyneb Lynwen am y tro cyntaf ers iddi ddechrau adrodd ei stori. Edrychai'n hŷn nag arfer, meddyliodd. Gwelsai'r un cysgod drosti unwaith o'r blaen a nawr, fel y tro hwnnw, ni wyddai beth i'w ddweud. Os oedd cyffes i fod i waredu beichiau, roedd yn amlwg iddo fod rhai beichiau'n rhy drwm i'w taflu.

'Ond ddeg diwrnod yn ddiweddarach, pan gerddas i mas o'r clinig a nghês yn 'yn llaw, aros wna'th yr ofan. Wy'n difaru 'yd y dydd 'eddi beth wnetho i, ond ifanc on i. Dyna'r penderfyniad iawn i rai merched, a does gyta fi ddim byd yn eu erbyn nhw, ond o'dd e ddim y penderfyniad iawn i fi.'

Gwyliodd Luis y mwg yn codi'n dorchau ysgafn uwch ben y fenyw gyferbyn ag e. Oedd, roedd e wedi deall yr hyn a ddywedodd Lynwen er iddi lwyddo i osgoi defnyddio'r union air. Roedd rhai geiriau'n dal i fod yn anodd eu llefaru, fel canser neu HIV.

'Ti'n iawn?' gofynnodd e ymhen ychydig ac estyn ei law ar draws y bwrdd.

'Wy'n iawn, Luis bach. Paid di â becso amdana i. Mae'n swno'n od ar ôl catw fe miwn am gymint o amsar, dyna i gyd. Ti yw'r unig un arall sy'n gwpod. Wy erio'd wedi sôn gair wrth neb tan nawr. Ond ma'n mynd i fod yn wahanol i ti a Gabriela. Dyn da wyt ti.' Ar hynny, cododd Lynwen ar ei thraed a mynd draw at y stôf lle roedd hi'n sefyll pan gerddodd Luis i mewn. 'Dere i 'elpu fi 'da'r brecwast neu bydd lle y diawl 'ma pan fyddan nhw'n dechra galw am eu bwyd.'

Aeth Luis ati'n ufudd. Roedd ganddo gymaint o gwestiynau yn ei ben, ond ni ofynnodd yr un. Dim ond un cwestiwn arall fu rhyngddyn nhw weddill y bore, a Lynwen ofynnodd hwnnw. 'Pryd ti'n mynd i weud wrth Siwan?'

*

Aeth diwrnod arall heibio cyn iddo fagu digon o blwc i fynd draw i fflat Siwan. Gwasgodd y botwm ar y panel dur wrth y drws allanol ac aros i'w llais ddod dros yr intercom i holi pwy oedd yno. Gallai synhwyro ei syndod hyd yn oed drwy lefaru robotig y bocs bach ar y wal, ac yna clywodd glic uchel y drws yn arwyddo y câi fynd i mewn i'r adeilad clinigaidd o fodern. Yn hytrach na defnyddio'r lifft, dringodd e'r grisiau i'r chweched llawr. Roedd ei goesau'n rhyfedd o drwm. Bu'n cerdded am awr a mwy i ddod â'i neges i'r fan hon heb deimlo unrhyw drymder corfforol gwerth sôn amdano, ond nawr roedd ei gerddediad yn llafurus a'i hyder ar chwâl. Pan agorodd hi'r drws, llwyddodd e i godi gwên ansicr ac erbyn iddo fynd i eistedd yn ei lolfa olau roedd hi'n gwybod bod eu hantur ar ben.

'Rwyt ti'n mynd 'nôl, on'd wyt ti?' Gofynnodd ei chwestiwn yn syml a di-lol heb unrhyw arlliw o emosiwn. 'Dyna pam dest ti 'ma heb ffono.'

'Ydw, dwi'n mynd 'nôl,' atebodd Luis a nodio'i ben yn araf er mwyn ategu'r gosodiad.

Eisteddai hi ar y llawr gyferbyn ag e, ei breichiau wedi eu plethu am ei choesau, a'r rheiny wedi eu plygu at ei brest, fel plentyn yn ei lapio'i hun mewn amddiffynfa dros dro. Hanner gwenodd arno, ond doedd dim pleser yn ei gwên. 'Pryd?'

'Ymhen tridie.'

Syllodd Siwan ar ryw fan pellennig ar y llawr o'i blaen heb godi ei llygaid i gydnabod yr hyn roedd e newydd ei ddweud.

'Sori,' ychwanegodd Luis a chofio yr un pryd mai dyna'r eildro iddo ddweud y gair deusill, syml hwnnw ers ddoe. Ond dal i ddidoli ei hatgofion a wnâi Siwan mewn ymgais wyllt i achub ychydig friwsion rhag marwor eu perthynas fer.

'Felly, dyma ddiwedd y daith,' meddai hi o'r diwedd.

'Mae'n debyg,' atebodd e gan lwyr sylweddoli eironi ei gosodiad. 'Siwan, does gen i ddim dewis. Dwi'n gorfod mynd 'nôl.'

'Dwi'n gwbod, ond . . .'

'Na, dwyt ti ddim. Dwyt ti ddim yn gwbod y cwbl.'

Gorfododd Siwan ei hun i edrych arno o'r diwedd. Chwiliodd ei wyneb am ryw rybudd, rhyw arwydd cynnar o'r esboniad oedd ar fin cael ei gynnig er mwyn ei gwarchod ei hun rhag yr ergyd. Roedd e, Luis, wedi ymarfer yr eiliad hon sawl gwaith yn ei ben ers bore ddoe gan feddalu'r geiriau a chwilio'n daer am yr ymadroddion iawn i leddfu'r glec. Onid oedd gormod o galonnau eisoes wedi eu torri?

'Jest gwêd e, Luis,' meddai hi o'r diwedd. Ac fe wnaeth.

'Dwi'n mynd i fod yn dad.'

Gwelodd e ei llygaid yn llenwi. Beth bynnag roedd hi wedi ei ddisgwyl, doedd hi ddim wedi disgwyl hyn. Cododd e'n reddfol a mynd draw ati, er na wyddai i sicrwydd ai dyna oedd yn briodol. Rhoddodd ei freichiau amdani a'i dal hi'n dynn, ei phen yn gorffwys ar ei ysgwydd. Cusanodd ei gwallt yn ysgafn. Eisteddon nhw felly nes iddi dywyllu, gan ddychmygu'r petai a'r petasai ac ildio'n araf i'r realiti newydd.

*

Yr olaf i glywed oedd Tomos. '*Gaucho*, ti'n tynnu 'nghoes i! O ddifri? Rwyt ti'n mynd i fod yn dad?'

'O ddifri.'

Rhythodd Tomos ar Luis mewn anghrediniaeth cyn i wên fawr dorri ar draws ei wyneb. Yna, camodd tuag ato ac ysgwyd ei law'n ffurfiol o hen ffasiwn gan dybio mai dyna a ddisgwylid i ddynion ei wneud dan y fath amgylchiadau. Ond yr eiliad nesaf, gollyngodd ei law a chamu yn ei ôl heb dynnu ei lygaid oddi ar ei ffrind.

'Pryd gawn ni fynd draw i weld Siwan? Mae Wncwl Tomos yn moyn ei llongyfarch hi.'

'Wel . . . dyna'r peth,' meddai Luis â'i lais yn torri. 'Nid Siwan ydy'r fam.'

Diflannodd y wên oddi ar wyneb Tomos yn gynt nag y cyraeddasai, fel petai rhywun newydd ei daro'n galed ar ei foch. 'Ffycin hel, *gaucho*, pwy arall ti 'di bod yn sgriwo?'

Barnodd Luis mai braw yn fwy na dim byd arall oedd yn llygaid ei ffrind, braw oedd yn prysur ildio i siom agored.

'Jest achos fod ti ar wylie yn y wlad 'ma, dyw e ddim yn meddwl fod ti'n ca'l shago hanner merched Cymru a . . . a jest mynd o 'ma! On i'n meddwl fod ti, o bawb, yn well na 'ny, fod ti'n wahanol i'r hen foi 'na yn dy deulu a beth wna'th e flynydde 'nôl.'

'Tomos, gwranda am eiliad, wnei di. Dwyt ti ddim wedi clywed y cyfan,' dechreuodd Luis.

'Wy wedi clywed digon i wbod fod ti'n gwmws yr un peth â fe – dy dad-cu neu pwy bynnag o'dd e. Cer o 'ma, Luis. Ffyc off adre.'

Cyn i Tomos gyrraedd derbynfa Brynhyfryd a diflannu i ganol difaterwch y ddinas i fwrw ei lid, cafodd ei stopio gan Lynwen a oedd yn prysuro ar hyd y coridor i gyfeiriad y lolfa a'i bryd ar dawelu'r gweiddi ac ar adfer parchusrwydd yn ei gwesty ar-lein yn gymaint ag achub unrhyw gyfeillgarwch.

'Aisht, aisht, wnei di! Beth sy'n bod arnat ti'n rheci dros bobman? 'Le ti'n meddwl ŷt ti . . . gatre? Nawr cwat lawr.'

Ar hynny, dyma hi'n gafael ym mraich Tomos a'i dywys yn ôl i'r lolfa lle roedd Luis yn eistedd â'i ben yn ei ddwylo. Aeth hi'n syth am y teledu a'i ddiffodd. 'Nawr, beth sy'n bod? Chi fel dou grotyn ysgol.'

'Gofyn i'r hwrdd,' atebodd Tomos gan amneidio i gyfeiriad Luis.

'Luis, ŷt ti'n mynd i weu' 'tho i am beth mae 'wn yn coethan?'

'Tomos, gwranda, dwyt ti ddim yn gwbod y cyfan,' meddai Luis.

'Wy'n gwbod digon i...'

'Gad i Luis gwpla beth sy gyta fe i' weud, wnei di, a paid â bod mor blydi plentynnaidd,' meddai Lynwen gan anghofio'i phregeth flaenorol am barchusrwydd.

'Dydy pethe ddim fel maen nhw'n ymddangos, iawn. On i'n arfer gweld merch yn Buenos Aires o bryd i'w gilydd. Roedd gynnon ni ryw fath o berthynas... un agored, ddeudwn ni. Nid dyna'r gair chwaith. Ond rŷn ni 'di bod efo'n gilydd, yn ôl ac ymlaen, ers rhyw bedair neu bum mlynedd. Pan ddes i draw i Gymru, wel, roedd hi fel rhyw fath o "wylie" rhag y berthynas ar un olwg. I'r ddau ohonon ni. Dwi'n siŵr 'i bod hi'n gweithio'r ddwy ffordd.'

'Gwranda ar Mr Moesoldeb. Go dda, *gaucho*! Felly, dest ti draw i fan hyn a jwmpo miwn i'r gwely gyda'r ferch gynta o'dd yn barod i ga'l ei swyno, ac o'dd popeth yn iawn achos fod ti'n ca'l brêc bach o secs 'nôl gatre. O'dd María, neu beth bynnag yw ei henw hi, wedi rhoi sêl ei bendith. Dyna fe! Wel, rhyntoch chi a'ch pethe, ond a wnest ti erio'd feddwl am Siwan yn hyn i gyd?'

'Taswn i'n gwbod am y babi, faswn i byth wedi mynd efo Siwan.'

'Mae 'da fe gydwybod wedi'r cwbwl! Glywest ti 'na, Lynwen?'

'Dere nawr, Tomos bach, gad e. 'Sdim byd yn ddu a gwyn yn yr 'en fyd 'ma, cred di fi.'

'Ambell waith mae pethe jest yn digwydd.'

'*Piss off*, Luis! Cer adre.'

Ond Tomos aeth adref, gan adael i Luis ystyried ai dyna fyddai'r tro olaf i'r ddau ohonyn nhw weld ei gilydd a chan adael i Lynwen geisio gwella'r clwyf. 'Mae e wedi ca'l sioc. Rho awr neu ddwy iddo fe a bydd e 'nôl, gei di weld.'

'Ond roedd o'n gandryll. Ddaw o ddim 'nôl o hynny.'

'Fel wetas i, mae e wedi ca'l sioc. Grinda, mae e'n meddwl y byd ohonot ti. Ti fel brawd mawr iddo fe sy'n ffilu neud dim byd o'i le. Mae'n dipyn o gyfrifoldeb. Ond 'sdim un ohonon ni'n berffath ac fe weliff Tomos 'na yn ddicon clou. Cred di fi, Luis, dyw e ddim moyn dy golli di. A nawr, wrth iddo fe fartsio 'nôl i dŷ ei fam a'i dad, mae llond twll o ofan arno fe taw dyna sy'n mynd i ddicwdd. 'Sen i ddim yn mynd yn bell o olwg y simna am gwpwl o oria 'sen i'n ti, achos bydd e 'nôl 'ma'n cnoco ar dy ddrws di cyn diwedd y dydd i drafod pryd gaiff e ddod i aros atat ti yn Buenos Aires. Watsh di beth wy'n weud. Dere, ti'n dishgwl fel 'set ti angen coffi bach ... ne wisgi os o's well 'da ti.'

*

Agorodd Luis ei lygaid a rhythu'n hurt ar y ferch yn y lifrai glas a gwyn a safai y tu ôl i droli wrth ochr ei sedd. Yn ei llaw daliai debot lliw arian a gwenai'n broffesiynol braf wrth ddechrau arllwys te i gwpan plastig, gwyn. Ond doedd Luis ddim eisiau te a doedd e ddim eisiau i neb benderfynu drosto chwaith, felly cododd ei law a'i hatal rhag arllwys rhagor. Ciliodd ei gwên ar amrantiad a symudodd yn ei blaen, ei threfn wedi cael ei tholcio. Byddai Tomos wedi cymeradwyo ei safiad piwis, ond byddai hefyd wedi gwneud rhyw sylw doniol, amhriodol o flaen y ferch yn y lifrai glas a gwyn er mwyn ei weld e'n gwingo yn ei sedd, a byddai'r ddau ohonyn nhw wedi chwerthin fel dau grwt. Roedd Lynwen yn iawn, fel arfer, achos fe ddaeth Tomos yn ei ôl ychydig oriau ar ôl y ffrae ac fe wrandawodd arno'n sôn am Gabriela heb dorri ar ei draws. Fel y ferch yn y lifrai glas a gwyn, bu'n rhaid i bob un ohonyn nhw newid eu trefn rywfaint er mwyn bwrw yn eu blaenau.

Yr un oedd wedi symud yn ei blaen yn fwy na neb dros y blynyddoedd oedd ei fam, meddyliodd Luis, a nawr roedd hi ar fin wynebu her arall. Roedd hi'n mynd i fod yn nain, er na wyddai hynny eto. Roedd ei byd wedi newid gymaint, er iddi ddal ei thir, ond roedd e'n sicr bod Elvina Philips de Richards yn ddigon call i sylweddoli bod lle i gyfaddawd yn y drefn newydd. Eto, am faint y gallai hi gadw'n dawel cyn awgrymu y dylai Gabriela ac yntau symud i Drelew? Gwenodd wrth ddychmygu ei chyfrwystra didaro mewn sgyrsiau ar y ffôn dros y misoedd i ddod. Yr amgylchfyd glân i'r bychan, y gymdeithas ddiogel, y cyfle am waith. Dyna fyddai'r rhesymau pennaf dros fynd yn ôl, wrth gwrs. A rhywle yng nghrombil ei rhestr hir, yn ddigon dwfn i beidio â bod yn amlwg, byddai'r ysgol Gymraeg. Chwarddodd Luis yn dawel wrtho'i hun.

Ond *porteña* oedd Gabriela, merch y brifddinas. Ac os oedd e am fod yn rhan o'i byd, yn y brifddinas y byddai yntau hefyd, gyda hi a'u plentyn. Archentwr Cymraeg yng nghanol môr o bobloedd eraill o bob cwr o'r cyfandir a'r tu hwnt. Beth fyddai'r babi, felly? Beth fyddai ei iaith? Doedd e ddim yn siŵr. Doedd e ddim yn siŵr ynglŷn â llawer o bethau, ond roedd e'n siŵr o un peth: nid yr un dyn oedd e bellach. Ac os oedd yntau'n wahanol, roedd hi'n debygol bod Gabriela'n wahanol hefyd. Roedd cymaint i'w ddysgu o'r newydd. Roedden nhw'n mynd i fod yn fam ac yn dad.

Trodd Luis ei ben tuag at y ffenest fach a syllu ar yr olygfa arallfydol y tu hwnt i'r gwydr. Roedd gwyrddni tir Cymru wedi hen ddiflannu a nawr roedden nhw'n teithio, megis ar long hen ffasiwn, trwy wlad hud a lledrith uwchben y cymylau gwlanog, gwyn. Roedd yn fyd afreal, yn llachar ac yn las ac yn ddifrycheulyd. Pwysodd yn ôl yn ei sedd a chau ei lygaid er mwyn storio'r llun yn ei gof am byth.

DIWEDD